Lehrbuch

Klasse! 3

SM

Morag McCrorie
Michael Spencer
Corinna Schicker

OXFORD
UNIVERSITY PRESS

OXFORD
UNIVERSITY PRESS

Great Clarendon Street, Oxford OX2 6DP

Oxford University Press is a department of the University of Oxford.

It furthers the University's objective of excellence in research, scholarship, and education by publishing worldwide in

Oxford New York

Auckland Bangkok Buenos Aires Cape Town Chennai Dar es Salaam Delhi Hong Kong Istanbul Karachi Kolkata Kuala Lumpur Madrid Melbourne Mexico City Mumbai Nairobi São Paulo Shanghai Taipei Tokyo Toronto

First published 2002

British Library Cataloguing in Publication Data

Data available

10 9 8 7 6 5 4 3

ISBN 0 19 912313 6

Acknowledgements

Key: *t-top, b-bottom, l-left, r-right, c-centre*

p7tl Kevin R. Morris/Corbis UK Ltd, 7bl Objectif Photos, 7tr Gunter Marx/ Corbis UK Ltd, 7br Bail/Britstock-IFA; p11 Gareth Boden/Oxford University Press; p12 Gareth Boden/Oxford University Press; p13 Oxford University Press; p20c J. R. Tabberner/Objectif Photos, 20b Michael Spencer, 20a Wolfgang Kaehler/Corbis UK Ltd, 20d Franz-Marc Frei/Corbis UK Ltd, 20e J. R. Tabberner/Objectif Photos, 20f Objectif Photos, 20g J. R. Tabberner/ Objectif Photos, 20h Objectif Photos; p23 Powerstock Superstock; p32 Gareth Boden/Oxford University Press; p37 Walter Smith/Corbis UK Ltd; p38t Michael Spencer, 38b Michael Spencer; p39c Wolfgang Kaehler/Corbis UK Ltd, 39b David Simson/Das Photo, 39a David Simson/Das Photo, 39d Rex Features, 39e Lehtikuva Oy/Rex Features, 39f Powerstock Superstock; p42 Tambeach-photo/Tamburello Deutschland; p44t Gareth Boden/Oxford University Press, 44b The Image Bank/Getty Images; p46tl Michael S. Yamashita/Corbis UK Ltd, 46tr Gregor Schmid/Corbis UK Ltd, 46b David Cumming; Eye Ubiquitous/Corbis UK Ltd; p47l Gareth Boden/Oxford University Press, 47r Gareth Boden/Oxford University Press; p53 Gareth Boden/Oxford University Press; p55t Objectif Photos, 55b Rex Features; p57 The Purcell Team/Corbis UK Ltd;. p58 Gareth Boden/Oxford University Press; p60t Michael Busselle/Corbis UK Ltd, 60c Charles O'Rear/Corbis UK Ltd, 60b Gareth Boden/Oxford University Press; p61 Larry Lee Photography/ Corbis UK Ltd; p64 Gareth Boden/Oxford University Press; p66t Lars Reimann/ Action Press/Rex Features, 66b Lars Reimann/ Action Press/Rex Features; p70tl Gareth Boden/Oxford University Press,70tr Gareth Boden/ Oxford University Press, 70b Gareth Boden/Oxford University Press; p74bl J. R. Tabberner/Objectif Photos, 74br J. R. Tabberner/Objectif Photos, 74t M. Rojahn/Rex Features, 74c Larry Lee Photography/Corbis UK Ltd; p76 Gareth Boden/Oxford University Press; p78t José F. Poblete/Corbis UK Ltd, 78b Wolfgang Kaehler/Corbis UK Ltd; p80tl David Simson/Das Photo, 80bl David Simson/Das Photo, 80tr David Simson/Das Photo, 80br David Simson/Das Photo; p82c Sandro Vannini/Corbis UK Ltd, 82b Michael Spencer, 82a Steve Raymer/Corbis UK Ltd, 82d Bob Krist/Corbis UK Ltd; p84 C. L. Schmitt/Britstock-IFA; p87 Action Press/Rex Features; p90 Telegraph Colour Library/Getty Images; p94 Michael S. Yamashita/Corbis UK Ltd;. p96 Jack Fields/Corbis UK Ltd; p98cl Natalie Fobes/Corbis UK Ltd, 98l The Image Bank/Getty Images, 98tc Nik Wheeler/Corbis UK Ltd, 98bc Adam Woolfitt/Corbis UK Ltd, 98r Richard Bickel/Corbis UK Ltd; p100c Rex Features, 100b Stone/Getty Images, 100a Adam Woolfitt/Corbis UK Ltd, 100d Adam Woolfitt/Corbis UK Ltd, 100e Janke/Britstock-IFA, 100f Milepost 92 1/2/Corbis UK Ltd, 100g Andrew Cowin; Travel Ink/Corbis UK Ltd, 100h Michael Thomas/Action Press/Rex Features; p104tl Wolfgang Kaehler/Corbis UK Ltd, 104cl Rex Features, 104bl K. M. Westermann/Corbis UK Ltd, 104tr Owen Franken/Corbis UK Ltd, 104br Wolfgang Kaehler/Corbis UK Ltd; p112 Gareth Boden/Oxford University Press; p114 Owen Franken/Corbis UK Ltd; p116tl Gareth Boden/Oxford University Press, 116bl Gareth Boden/Oxford University Press, 116tr Gareth Boden/Oxford University Press, 116br Gareth Boden/Oxford University Press; p117t John Walmsley/Education Photos, 117b Owen Franken/Corbis UK Ltd; p118l Gareth Boden/Oxford University Press, 118r Gareth Boden/Oxford University Press; p122tl Gareth Boden/ Oxford University Press, 122bl Gareth Boden/Oxford University Press, 122tr Gareth Boden/Oxford University Press, 122br Gareth Boden/Oxford University Press; p124tl Oxford University Press, 124tr Oxford University Press, 124b Oxford University Press; p127 Gareth Boden/Oxford University Press; p128t Gareth Boden/Oxford University Press, 128b Gareth Boden/ Oxford University Press; p130tl Ingo Wagner/Lufthansa, 130bl Steve Chenn/ Corbis UK Ltd, 130tr Powerstock Superstock, 130br Selma/Britstock-IFA; p132tl David Simson/Das Photo, 132bl David Simson/Das Photo, 132tr Oxford University Press, 132br Oxford University Press; p135 Gareth Boden/ Oxford University Press; p136t Ingrid Friedl/Lufthansa, 136b R. W. Jones/ Corbis UK Ltd; p137 Selma/Britstock-IFA; p140l Telegraph Colour Library/ Getty Images, 140r Telegraph Colour Library/Getty Images; p142 Gareth Boden/Oxford University Press; p143 Gareth Boden/Oxford University Press; p144tl Matthew Klein/Corbis UK Ltd, 144cl Telegraph Colour Library/Getty Images, 144tr Lois Ellen Frank/Corbis UK Ltd, 144cr Stone/Getty Images, 144b Maximilian/Anthony Blake Photo Library; p145bl Anthony Blake Photo Library, 145br Joy Skipper/Anthony Blake Photo Library, 145t Gerrit Buntrock/Anthony Blake Photo Library; p147 Gareth Boden/Oxford University Press; p152cl ARD Television, 152l ZDF Television, 152cr SAT1 Television, 152r RTL NEWMEDIA GmbH; p153l Rex Features, 153r TempSport/Corbis UK Ltd; p155t Gareth Boden/Oxford University Press, 155b Amblin Entertainment/Ronald Grant Archive; p156l Gareth Boden/ Oxford University Press, 156r Gareth Boden/Oxford University Press; p159 Action Press/Rex Features; p160t Gareth Boden/Oxford University Press, 160b Gareth Boden/Oxford University Press; p162t Action Press/Rex Features, 162b Gareth Boden/Oxford University Press; p164t Action Press/ Rex Features, 164c AAA/Britstock-IFA, 164b Adam Woolfitt/Corbis UK Ltd; p170 Oxford University Press; p172 Gareth Boden/Oxford University Press; p179 Guy Stubbs; Gallo Images/Corbis UK Ltd; p180 Gareth Boden/Oxford University Press; p188t Rex Features, 188b Telegraph Colour Library/Getty Images; p189 Owen Franken/Corbis UK Ltd; p193 Eric Bach/Britstock-IFA; p194 Chinch Gryniewicz; Ecoscene/Corbis UK Ltd; p197tl J. R. Tabberner/ Objectif Photos, 197bl David Simson/Das Photo, 197tc David Simson/Das Photo, 197bc David Simson/Das Photo, 197tr Oxford University Press, 197br David Simson/Das Photo; p199t Oxford University Press, 199b Walter Smith/Corbis UK Ltd; p200l Hartmut Reiche/ Action Press/Rex Features, 200r Hartmut Reiche/ Action Press/Rex Features; p206 Gareth Boden/Oxford University Press; p207l Gareth Boden/Oxford University Press, 207r Gareth Boden/Oxford University Press; p210 Gareth Boden/Oxford University Press.

The cover photo is from Image Bank/Jorg Greue.

Additional photography by Gareth Boden and OUP.

Illustrations by Phil Burrows, Stefan Chabluk, John Hallett, Heinz Kessler, Angela Lumley.

The authors would like to thank the following people for their help and advice: Sharon Brien (course consultant), Marion Dill (language consultant), Kathryn Tate (editor).

The publishers and authors would also like to thank Jade Bahnan, Stuart Dawes, Katrina Francis, Bradley Potter, Lorna Teagle; Harlow College; Goffs School, Cheshunt; Café Rouge, Hertford; The Moat House Hotel, Harlow.

Every effort has been made to contact copyright holders of material reproduced in this book. Any omissions will be rectified in subsequent printings if notice is given to the publisher.

Designed by Oxford Designers and Illustrators

Printed in Italy by G. Canale & C. S.p.A

Willkommen!

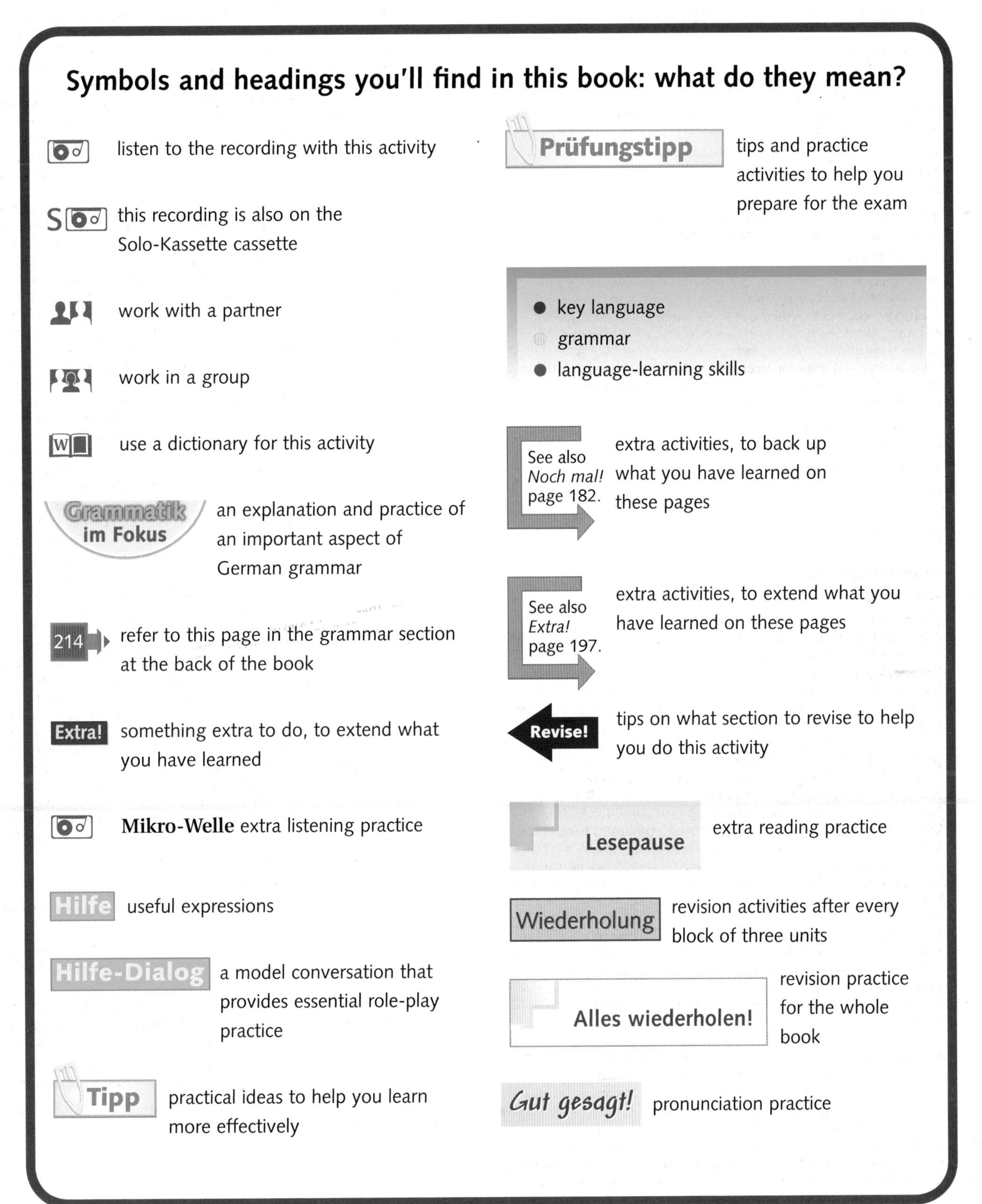

Symbols and headings you'll find in this book: what do they mean?
listen to the recording with this activity
S this recording is also on the Solo-Kassette cassette
work with a partner
work in a group
W use a dictionary for this activity
Grammatik im Fokus
an explanation and practice of an important aspect of German grammar
214
refer to this page in the grammar section at the back of the book
Extra!
something extra to do, to extend what you have learned
Mikro-Welle extra listening practice
Hilfe
useful expressions
Hilfe-Dialog
a model conversation that provides essential role-play practice
Tipp
practical ideas to help you learn more effectively
Prüfungstipp
tips and practice activities to help you prepare for the exam
key language
grammar
language-learning skills
See also Noch mal! page 182.
extra activities, to back up what you have learned on these pages
See also Extra! page 197.
extra activities, to extend what you have learned on these pages
Revise!
tips on what section to revise to help you do this activity
Lesepause
extra reading practice
Wiederholung
revision activities after every block of three units
Alles wiederholen!
revision practice for the whole book
Gut gesagt!
pronunciation practice

Inhalt

Buchstaben und Zahlen

- the alphabet
- numbers
- dates, days, months and seasons

1 Hier ist ein ABC-Rap. Hör zu und mach mit!

AÄBC – ich hab' eine tolle Idee
DEFG – Komm mit an den See
HIJK – Sag doch bitte ja
LMNOÖPQ – Den ganzen Tag nur ich und du
RSßT – Wir trinken viele Tassen Tee
UÜVW – Was meinst denn du? Ist das okay?
XY und Z – Du kommst mit? Oh, das ist nett!

2 Wie schreibt man das? Hör zu und schreib die Namen auf.

3 Kai kauft für das neue Schuljahr einige Sachen. Was kostet das alles? Hör zu und finde die passenden Preise.

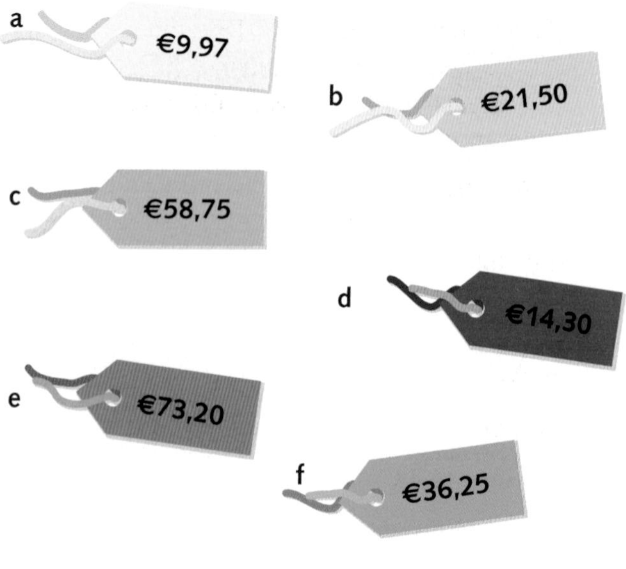

1 Rucksack
2 Wörterbuch
3 Tennisschläger
4 Mütze
5 Fußballschuhe
6 Busfahrkarte

a €9,97
b €21,50
c €58,75
d €14,30
e €73,20
f €36,25

4 Finde die passenden Fotos für die Jahreszeiten.

5 Lies die Monate. Was ist wann? Schreib die richtige Reihenfolge auf.

März Juni September Dezember
Februar Juli April Januar
August November Mai Oktober

Beispiel:

Frühling:	März, ...
Sommer:	
Herbst:	
Winter:	

6 Wann ist das? Schreib die passenden Jahreszeiten für die Sätze auf.

1 Es ist sehr heiß – die Sonne scheint jeden Tag!
2 Zu Weihnachten fahren wir oft Ski!
3 Alles ist jetzt wieder grün: die Bäume, das Gras ...
4 Oh nein – das neue Schuljahr beginnt!

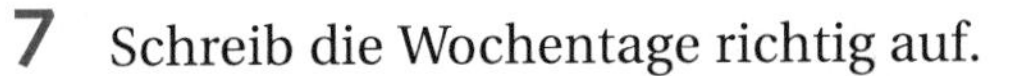

7 Schreib die Wochentage richtig auf.

1 M _ n _ _ g
2 Di _ _ s _ _ _
3 M _ _ tw _ _ h
4 D _ n _ _ _ _ t _ _
5 F _ _ i _ a _
6 Sa _ s _ _ _
7 S _ _ n _ _ g

Fragen, Fragen, Fragen!

- times
- countries
- question words

1a Wie spät ist es? Finde die passenden Sprechblasen für die Bilder.

1b Ist alles richtig? Hör gut zu.

2 Lies das Quiz und finde die passenden Antworten.

1 **Wann isst du zu Mittag?**
a **Um halb zehn.**
b **Um zehn nach eins.**

2 **Wann gehst du ins Bett?**
a **Um Viertel vor zehn.**
b **Um fünf Uhr.**

3 **Wann ist die Schule aus?**
a **Um acht Uhr dreißig.**
b **Um Viertel vor zwei.**

4 **Wann stehst du morgens auf?**
a **Um sieben Uhr.**
b **Um Viertel nach eins.**

5 **Wann machst du nachmittags Hausaufgaben?**
a **Um zwanzig nach drei.**
b **Um halb acht.**

6 **Wann beginnt die Schule?**
a **Um fünf vor vier.**
b **Um neun Uhr.**

3a „Wann machst du das?“ **A** fragt, **B** antwortet mit den Informationen. Dann ist **B** dran.

Wann ...

- isst du Frühstück? 7:15
- gehst du in die Schule? 7:45

- hast du Pause? 10:30
- ist die Schule aus? 13:10
- bist du nach der Schule zu Hause? 14:05
- isst du zu Abend? 18:30

3b Du bist dran! Wann machst *du* das? Dein Partner/Deine Partnerin fragt und du antwortest. Dann ist er/sie dran.

4a Schau die Landkarte an und finde die passenden Länder oder Kontinente für die Sätze.

4b Ist alles richtig? Hör gut zu.

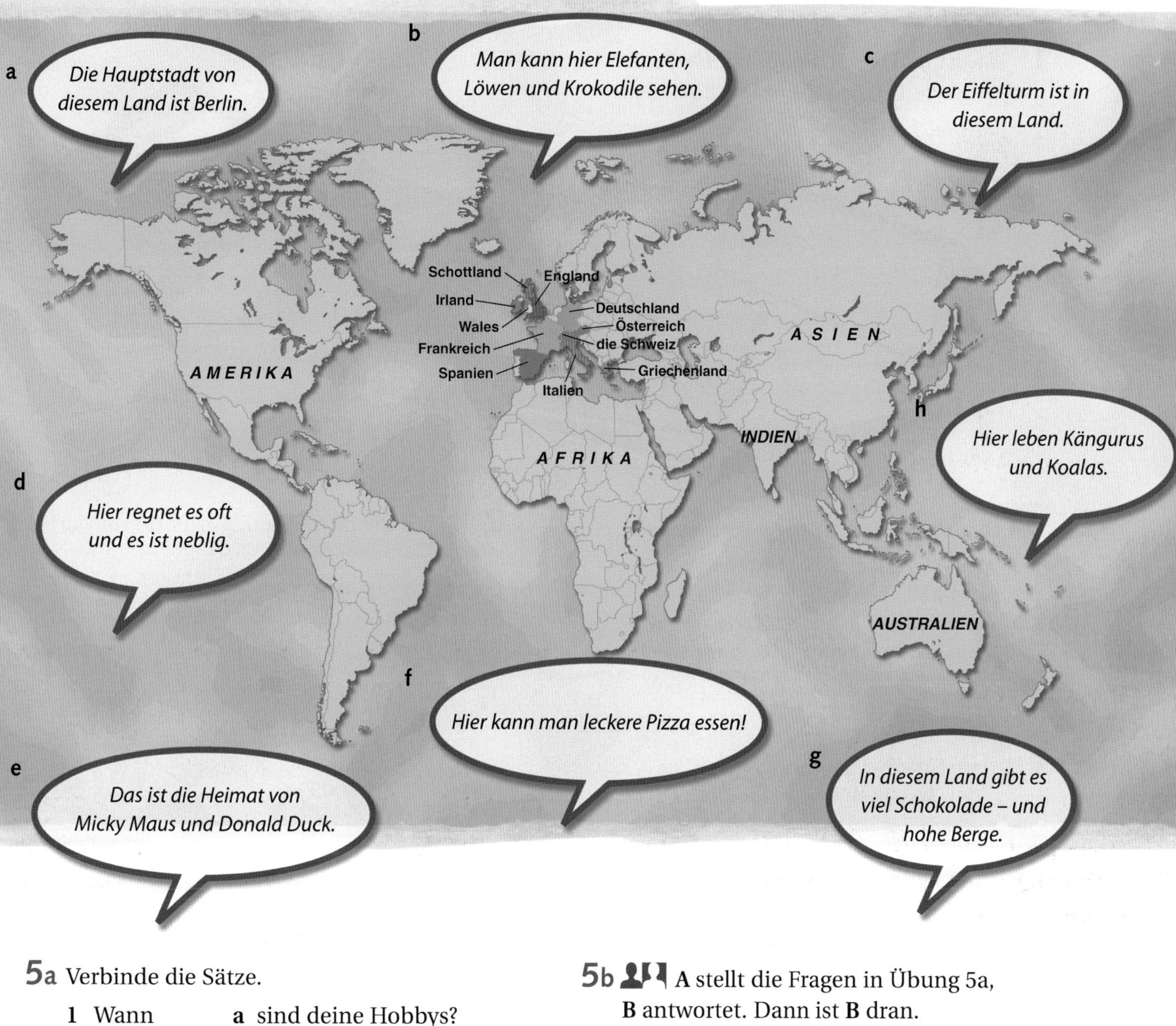

5a Verbinde die Sätze.

1	Wann	**a**	sind deine Hobbys?
2	Wie	**b**	kommst du?
3	Wo	**c**	Geschwister hast du?
4	Woher	**d**	hast du Geburtstag?
5	Was	**e**	wohnst du?
6	Wie viele	**f**	heißt du?

5b **A** stellt die Fragen in Übung 5a, **B** antwortet. Dann ist **B** dran.

5c Schreib andere Fragen mit den Fragewörtern in Übung 5a und frag deinen Partner/deine Partnerin. Dann ist er/sie dran.

Im Klassenzimmer

- items in a school bag
- use classroom language
- use the nominative case

1 Was ist in Susis Schultasche? Finde die passenden Hilfe-Wörter für die Bilder.

Beispiel: *a – 5*

Das ist …

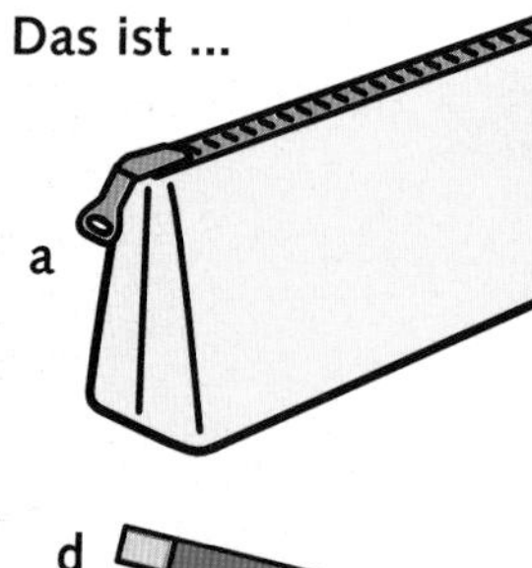

Hilfe

1 mein Bleistift	**5** meine Mappe
2 mein Kuli	**6** mein Buch
3 mein Ordner	**7** mein Heft
4 mein Radiergummi	**8** mein Lineal

Grammatik im Fokus ***der/die/das, (m)ein/eine/ein***

All German nouns are masculine (m.), feminine (f.) or neuter (n.). The definite and indefinite articles (the words for 'the' and 'a') depend on whether the noun is masculine, feminine or neuter:

m.	ein/der Lehrer
f.	eine/die Schultasche
n.	ein/das Wörterbuch

mein/meine/mein **(my) follows the same pattern as *ein/eine/ein***

1 Write out the words in Übung 1 with the correct word for 'the': *der*, *die* or *das*.

213

2 Finde die passenden Wörter für die Farben.

grün orange schwarz rosa blau gelb
weiß lila grau rot braun

3 Welche Farben haben die Sachen in Susis Schultasche (Übung 1)? **A** fragt, **B** antwortet. Dann ist **B** dran.

Beispiel:

A *Welche Farbe hat das Buch?*

B *Das Buch ist rot und …*

4 Finde die passenden Antworten für die Fragen.

5a Finde die passenden Bilder für die Sätze.

1 Arbeitet mit einem Partner.
2 Wie bitte? Wiederholen Sie bitte.
3 Macht euer Buch auf Seite 39 auf.
4 Ich habe kein Wörterbuch.
5 Ich bin fertig!
6 Mach bitte die Tür zu.

5b Ist alles richtig? Hör gut zu.

Sag mal!

- greet people
- say who you are and where you come from
- say your age and date of birth
- ask others for this information
- use regular and irregular verbs in the present tense

1 Es sind die Sommerferien und heute Nachmittag ist ‚Teen-Treff' auf einem internationalen Campingplatz in Salzburg. Hör gut zu und lies mit.

2 Die jungen Leute stellen sich am Talentabend vor. Hör gut zu und füll die Tabelle aus.

	Alter	Geburtstag	Stadt	Land	am Talentabend
Katja					

3a Macht Interviews. **A** ist Katja, Kai, Ümmihan, Joscha oder Jennifer, **B** stellt Fragen.

- Wie heißt du?
- Wie alt bist du?
- Wann hast du Geburtstag?
- Woher kommst du?
- Wo wohnst du?
- Wo liegt das?
- Was machst du am Talentabend?

3b Ihr seid dran! Beantwortet die Fragen für euch selbst.

Hilfe

Ich heiße *Paul Wagner.*
Ich bin *sechzehn* Jahre alt.
Ich habe am *vierten Mai* Geburtstag.
Ich komme aus *Deutschland.*
Ich wohne in *München.*
Das liegt in *Süddeutschland.*
Ich *spiele Gitarre.*

4a Lies den Text. Schreib eine E-Mail an Antonio. Stell dich vor.

Hallo! Ich fahre in zwei Tagen nach Italien zurück. Ich möchte Brieffreunde/-freundinnen – wer schickt mir eine E-Mail?

Name: Antonio Rosetti
Alter: 16
Geburtstag: 18. September
Wohnort: Venedig
Adresse: antonio@veneziarosetti.it

Beispiel: *Hallo, Antonio!*
Ich heiße …

4b Beschreib dann Antonio.

Beispiel: *Er heißt Antonio und er ist 16 Jahre alt …*

Grammatik im Fokus – Das Präsens

	wohnen	fahren	sein
ich	wohne	fahre	bin
du	wohnst	**fährst**	bist
er/sie/es/man	wohnt	**fährt**	ist
wir	wohnen	fahren	sind
ihr	wohnt	fahrt	seid
sie	wohnen	fahren	sind
Sie	wohnen	fahren	sind

- **Almost all verbs have the same endings in the present tense – just take *-en* off the infinitive (this gives you the stem) and add the endings. Look at *wohnen* above.**

1 Find the present tense verbs on these pages and make a list of the 'weak' verbs (regular verbs like *wohnen*). Write the verb as it appears in the text and in the infinitive.

Example: ich spiele

- **Some verbs (known as 'strong' verbs) are irregular. They often change the stem slightly, but usually only in the *du* and *er/sie/es/man* forms. Look at *fahren* above.**

2 Write the correct present tense form of the verb in brackets.

1. Daniela (haben) heute Geburtstag.
2. Ich (fahren) nach Köln.
3. (Wissen) du, wo das ist?
4. Heute Abend (geben) es eine Fete.

- **A small number of common verbs are more irregular – *sein* (to be) is the most irregular and you'll need to learn this by heart. Look at the forms of *sein* above.**

3 Fill in the correct form of *sein*.

Heute …(1)… der 17. Juni und ich …(2)… 16 Jahre alt. Wie alt …(3)… du? Meine Eltern …(4)… im Garten und das Wetter …(5)… sehr schön. Wo …(6)… ihr im Moment?

219

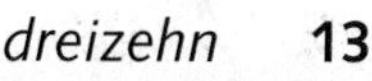

Familienleben

- talk about family members (including pets!)
- describe your family situation
- use *ein* and *kein* in the accusative case
- use a grammar section

See also *Noch mal!* page 182.

1a Schau das Foto von Kais Familie an. Wer ist wer? Hör gut zu und finde die passenden Wörter in der Hilfe-Box.

Beispiel: *Irene – Oma*

1b Schreib dann Sätze.

Beispiel: *Kais Oma heißt Irene.*
Alfred ist Kais Opa.

Hilfe

mein	meine	meine
Opa	Oma	Großeltern
Vater	Mutter	Eltern
Bruder	Schwester	Geschwister
Onkel	Tante	
Cousin	Cousine	
Hund	Katze	

2 **A** stellt Fragen, **B** antwortet. **A** schreibt die Antworten auf.

- Hast du Geschwister?
- Hast du Cousins und Cousinen?
- Wie heißen sie?
- Wie alt sind sie?

Grammatik im Fokus — Der Akkusativ

m.	Ich habe	einen	Bruder.
f.	Er hat	eine	Schwester.
n.	Sie hat	ein	Kaninchen.
pl.	Sie haben	keine	Geschwister.

1 Look again at the picture in Übung 1 and fill in the gaps for Kai.

1 Ich habe e_ine_ Schwester.
2 Da siehst du m____ Vater. Er heißt Peter.
3 Meine Cousine hat k____ Geschwister.
4 Ich habe e____ Cousin.
5 Wir haben k____ Kaninchen.

213

Tipp

How to use a grammar section

If you're not sure whether something you're saying or writing is correct, you can check in the grammar section at the back of this book.

Go to the page indicated in the *Grammatik im Fokus* panel, e.g. 213

There you will find out more about the accusative, with some additional examples.

1 Try making up some sentences of your own using the accusative.

3a Hör gut zu und lies mit.

Was ist eine ‚normale' Familie? Wir haben euch gefragt – und hier sind ein paar Briefe und E-Mails.

Eine normale Familie hat eine Mutter, einen Vater und 2,4 Kinder (so sagt man), aber wir sind nur zwei Kinder in der Familie! Oder vielleicht ist der Hund ein 0,4-Kind?!
David, Osnabrück

Ich hasse das Wort ‚normal'. Die ‚Familie' hat so viele Varianten. Ich bin Einzelkind und lebe glücklich mit meinem Vater und seiner Freundin. Für mich ist das normal. Mein Freund Marc hat seine Mutter, seinen Stiefvater und vier Schwestern (eine davon ist seine Halbschwester). Er verbringt jedes Wochenende bei seinem richtigen Vater. Er findet das normal.
Nathalie, Potsdam

Ich lebe mit meinem Bruder bei meinen Großeltern. Unsere Eltern sind beide tot. Oma und Opa sind sehr lieb, aber sie sind zu alt. Ich möchte so sehr in einer normalen Familie sein.
Sebastian, Dresden

3b Wer ist das? Finde die passenden Bilder.

***Beispiel:** a – Nathalie*

a

b

c

d

3c Ist das richtig (**R**), falsch (**F**) oder nicht im Text (**N**)?

***Beispiel:** 1 –* **N**

1. David hat einen Bruder.
2. Nathalie hat keine Geschwister.
3. Marc hat vier Halbschwestern.
4. Marcs Vater lebt nicht mit Marcs Mutter.
5. Sebastians Großeltern leben nicht mehr.
6. Sebastian findet sein Familienleben nicht normal.

3d Wie ist *deine* Familie/dein Leben zu Hause? Schreib Sätze.

- Mit wem wohnst du zusammen?
- Wen gibt es zu Hause?
- Wer ist in deiner Familie?

Beispiel:

Ich wohne mit meinen Eltern zusammen ...
Zu Hause gibt es meinen Bruder, ...
In meiner Familie habe ich zwei Stiefschwestern ...

Hilfe

In meiner Familie habe ich **Zu Hause gibt es**	einen eine ein zwei keine	Bruder/Stiefbruder/Halbbruder/Hund. Schwester/Stiefschwester/Halbschwester/Katze. Kaninchen. Brüder/Schwestern. Geschwister.	
Ich wohne mit	meinem meiner meinen	Vater/Bruder/Opa/Onkel Mutter/Schwester/Oma/Tante Eltern/Großeltern	zusammen.
Meine Eltern sind	getrennt/geschieden/tot.		

Charakterprofil

- describe your appearance
- describe people's character
- say why you like someone
- use *weil* to give reasons

See also *Extra!* page 197.

1a Lies die Beschreibungen. Wer ist das? Schreib die passenden Nummern auf.

1b Heute gibt es Sport auf dem Campingplatz. Wer sind Nicki, Ulli und Dani? Hör gut zu und finde die passenden Bilder.

1c Wer bin ich? **A** beschreibt eine Person im Bild, **B** rät, wer das ist.

Beispiel:

A *Ich habe blaue Augen und lange glatte Haare und ich trage eine Brille. Wer bin ich?*

B *Du bist Nummer 1.*

1d Und du? Wie siehst du aus? Schreib eine kurze Beschreibung.

Extra! Schau das Bild auf Seite 14 (Übung 1) an. Beschreib drei Mitglieder von Kais Familie.

Beispiel:

Kais Schwester ist ziemlich groß und schlank. Sie hat lange braune Haare und grüne Augen.

Hilfe

Ich bin Du bist Er/Sie ist Sie sind	ziemlich sehr nicht sehr	groß. klein. dick. schlank.
Ich habe Du hast Er/Sie hat Sie haben	braune lockige/glatte (ziemlich) lange (sehr) kurze	Augen. Haare.
Ich trage Du trägst Er/Sie trägt Sie tragen	eine Brille. keine Brille. einen Ohrring. Ohrringe.	

2a Wie soll ein(e) Freund(in) sein? Wie soll er/sie nicht sein? Wähle fünf Adjektive für jede Kategorie. (Wenn du einige Wörter nicht kennst, schau im Wörterbuch nach.)

sein	nicht sein
geduldig	arrogant

2b Frag dann vier Freunde: „Welche Adjektive habt ihr gewählt?" Macht dann in der Klasse eine Liste der ‚guten' und ‚schlechten' Adjektive.

Beispiel:

A *Wie soll ein Freund sein? Was meinst du?*
B *Lustig, lebhaft, … (usw.)*
A *Ich habe auch ‚lustig' geschrieben. Und wie soll ein Freund nicht sein? (usw.)*

	sein	nicht sein
lustig	II	
lebhaft		

3a Wie sind Jennifer, Joscha, Ümmihan, Kai und Katja? Hör gut zu und finde die passenden Adjektive (in Übung 2a).

Beispiel: *Jennifer – ziemlich schüchtern, sehr freundlich, …*

3b Schau deine Notizen von Übung 3a an und lies diese Texte. Wer ist das?

1. Ich mag …(?)…, weil sie sympathisch und selbstsicher ist.
2. Wir mögen …(?)… nicht, weil er launisch und nicht sehr witzig ist.

3c Schreib dann Sätze über die drei anderen Jugendlichen.

Extra! Wie ist dein bester Freund/deine beste Freundin? Schreib eine Liste der Adjektive und schreib dann Sätze.

Beispiel:
Martina ist groß, ziemlich schlank und sehr schön. Ihre Augen sind blau und sie hat lange blonde Haare. Sie ist lieb und freundlich und ich mag Martina sehr, weil sie immer lustig ist.

Grammatik im Fokus — *weil*

When you join sentences together using *weil*, you have to send the verb to the end of the sentence:

Ich mag Natascha. Sie hat schöne Augen.
Ich mag Natascha, **weil** sie schöne Augen **hat**.

1 Join these sentences using *weil*.

1. Markus hat viele Freunde. Er ist sehr sympathisch.
2. Tanja wohnt bei ihrer Mutter. Ihre Eltern sind getrennt.
3. Thomas kommt heute nicht. Sein Bruder hat Geburtstag.
4. Susanne hat viele Haustiere. Sie hat keine Geschwister!

225

Hilfe

nie – nicht – nicht sehr – manchmal
ein bisschen – ziemlich – sehr – immer

Muss das sein?

- talk about what you are and aren't allowed to do
- talk about relationships with parents
- use modal verbs

See also *Noch mal!* page 182.

1a Hör gut zu und finde die richtige Reihenfolge für die Bilder.

Beispiel: *1 – g*

1b Welches Bild ist das?

1. Ich darf keine laute Musik spielen.
2. Ich darf abends nicht fernsehen.
3. Ich darf nicht in die Disco gehen.
4. Ich muss den Hund ausführen.
5. Ich muss meine Hausaufgaben machen.
6. Meine Freundinnen müssen im Wohnzimmer bleiben.
7. Ich muss mein Zimmer aufräumen.
8. Ich muss um 22 Uhr zu Hause sein.

2a Du bist dran! Was musst du zu Hause machen? Was darfst du nicht machen? Schreib zwei Listen.

Beispiel:

Ich muss ...	Ich darf nicht/keine ...
Ich muss abwaschen.	Ich darf keine Freunde in meinem Zimmer haben.

2b Wie ist es bei euch? **A** fragt, **B** antwortet. Dann ist **B** dran.

Beispiel:

A *Was musst du zu Hause machen?*
B *Ich muss abwaschen. Und du?*
A *Nein, ich muss nicht abwaschen, aber ich darf abends nicht fernsehen.*

2c Und jetzt etwas Positives! Was *darfst* du machen? Was musst du *nicht* machen? Schreib eine Liste.

Beispiel:

Ich muss nicht abwaschen (,weil wir eine Spülmaschine haben).
Ich darf bis Mitternacht fernsehen.

Extra! Schreib ein ABC der Probleme in der Familie. Schreib dann Sätze.

Beispiel:

A – abwaschen – Ich muss jeden Tag abwaschen.
B – Bett – Meine Schwester darf um 23 Uhr ins Bett gehen.
C – Cola – Ich darf keine Cola trinken.
D – ...

Hilfe

Negativ:	**Positiv:**
Ich darf nicht ...	Ich darf ...
Ich darf keinen/keine/kein ...	Ich muss nicht ...

3a Die 10. Klasse einer deutschen Schule beschreibt die ‚idealen' Eltern. Lies den Text und schau unbekannte Wörter im Wörterbuch nach.

Die idealen Eltern sollen ...
- das Haus/die Wohnung sauber halten (aber nicht zu lange Staub saugen – das ist zu laut)
- interessante Mahlzeiten vorbereiten

Sie müssen ...
- viel Taschengeld ausgeben
- einen Taxidienst bieten
- viel Freiheit erlauben
- freundlich und höflich sein

Sie dürfen ...
- sich nicht streiten
- keine altmodische Kleidung tragen (das ist peinlich)
- nicht zu cool aussehen (das ist auch peinlich)
- am Wochenende keine laute Musik spielen – Jugendliche wollen lange schlafen
- am Freitag- und Samstagabend ausgehen, dann ist das Haus für Jugendliche frei (aber sie müssen vorher das Essen vorbereiten!)
- allein in Urlaub fahren (siehe oben)

3b Finde die deutsche Form für die folgenden Aussagen im Text.

Beispiel: *1 sie müssen höflich sein*

1 they must be polite
2 that's embarrassing
3 they must not argue
4 young people want to sleep in
5 they have to make the meal beforehand
6 they can go on holiday alone

3c Designer-Eltern! Wie sind deine idealen Eltern?

1 Aussehen: Haar, Augen, Größe usw. (Wähle aus der Liste auf Seite 16.)
2 Charakter (Wähle aus der Liste auf Seite 17.)
3 Tätigkeiten (Wähle aus der Liste in Übung 3a oben.)

Beispiel:
Der ideale Vater ist ziemlich groß und hat lange lockige Haare. Er ist freundlich und sportlich. Er darf keine altmodische Kleidung tragen und er muss viel Taschengeld ausgeben.

3d Schau deine Beschreibungen von Übung 3c an und sag, warum du dich mit diesen idealen Eltern gut verstehst.

Beispiel:
Wir verstehen uns gut, weil mein Vater freundlich und hilfsbereit ist. Meine Eltern und ich streiten uns nicht, weil sie geduldig und ehrlich sind.

Wir verstehen uns gut, weil ...
Wir streiten uns nicht, weil ...

Grammatik im Fokus: Modalverben

You need to use an infinitive with modal verbs. Remember to put the infinitive at the end of the sentence:

Ich **muss** mein Zimmer **aufräumen**.
Ich **darf** keine Musik **hören**.

1 Write out these sentences in the correct order.

Example: *1 Ich muss mein Zimmer aufräumen.*

1 Zimmer Ich aufräumen muss mein.
2 um 21 Uhr muss ins Ich gehen Bett.
3 nicht nach darf Uhr zehn kommen Ich nach Hause.
4 jeden muss Klavier Tag üben Ich.
5 in Zimmer meinem Jungen Ich keine haben darf.

2 Rewrite these sentences using the modal verb in brackets.

Example: *1 Ich muss mein Zimmer aufräumen.*

1 Ich räume mein Zimmer auf. (müssen)
2 Mein kleiner Bruder sieht abends nicht fern. (dürfen)
3 Ich mache eine Fete an meinem Geburtstag. (können)
4 Die Eltern gehen am Freitagabend aus. (sollen)
5 Gehst du mit mir ins Kino? (wollen)

220

Tür auf!

2 Da wohne ich

- say what kind of house you live in
- describe your house/flat and its location
- ask others for this information
- use adjectives in the dative case

See also *Extra!* page 198.

c

1 Hör gut zu und lies mit. Finde die passenden Fotos (zwei pro Person).

Kai *Ich wohne in einem modernen Doppelhaus mit einem schönen Garten. Mein Haus liegt am Stadtrand von Würzburg. In der Gegend gibt es auch viele Reihenhäuser.*

Joscha *Ich wohne nicht auf dem Land, sondern am Stadtrand von Zürich. Wir wohnen in einem großen Bungalow mit schönem Blick auf einen Wald.*

Katja *Ich wohne in einem kleinen Dorf nicht weit von Rostock. Wir wohnen in einem ziemlich alten Einfamilienhaus mit einem großen Garten.*

Ümmihan *Ich wohne mit meiner Familie in der Stadtmitte von Graz. Wir wohnen in einer großen Wohnung mit einem kleinen Garten, aber wir teilen den Garten mit einer anderen Familie.*

2a A wählt ein Foto und **B** beschreibt es.

Beispiel: *A Foto d!*
B Ich wohne in einem modernen …

2b Wo wohnst du? Schreib Sätze mit den Bildern und den Adjektiven in der Hilfe-Box.

Beispiel: *1 Ich wohne auf dem Land in einem großen Einfamilienhaus.*

2c Du bist dran! Schreib eine kurze E-Mail und beschreib dein Haus und wo du wohnst.

Beispiel: *Ich wohne in Newport. Wir wohnen in einer großen Wohnung …*

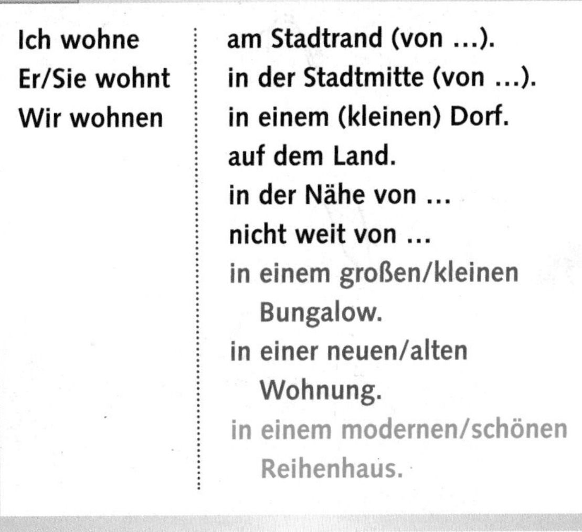

Hilfe

Ich wohne Er/Sie wohnt Wir wohnen	am Stadtrand (von …). in der Stadtmitte (von …). in einem (kleinen) Dorf. auf dem Land. in der Nähe von … nicht weit von … in einem großen/kleinen Bungalow. in einer neuen/alten Wohnung. in einem modernen/schönen Reihenhaus.

Grammatik im Fokus – Adjektive im Dativ

Adjectives in the dative case always add *-en* when used after *ein*. The same applies after *mein*, *dein*, etc. and *kein*:

m.	**Ich wohne** in einem **großen** Bungalow.
f.	**Wir wohnen** in einer **schönen** Wohnung.
n.	**Wir wohnen** in einem kleinen Dorf.

1 Look at the speech bubbles in Übung 1 and find an example of a singular adjective for each gender.

2 Write out these sentences with the correct endings.

1 Ich wohne in ein__ modern__ Doppelhaus.
2 Meine Großeltern wohnen in ein__ klein__ Dorf.
3 Wir machen eine Party in mein__ neu__ Wohnung.
4 Wir wohnen in ein__ langweilig__ Stadt.

216

Mein Zuhause

- say what rooms are in your house
- say what they are like
- use adjectives in the accusative case

Ökohaus – ein schönes Holzhaus für ein ökologisches Leben

im Erdgeschoss

1 die Eingangshalle
2 das Wohnzimmer
3 das Esszimmer
4 das Schlafzimmer Nr. 1
5 das Badezimmer Nr. 1
6 die Toilette
7 die Küche
8 der Wäscheraum
9 die Treppe
10 der Keller
11 die Garage
12 der Garten

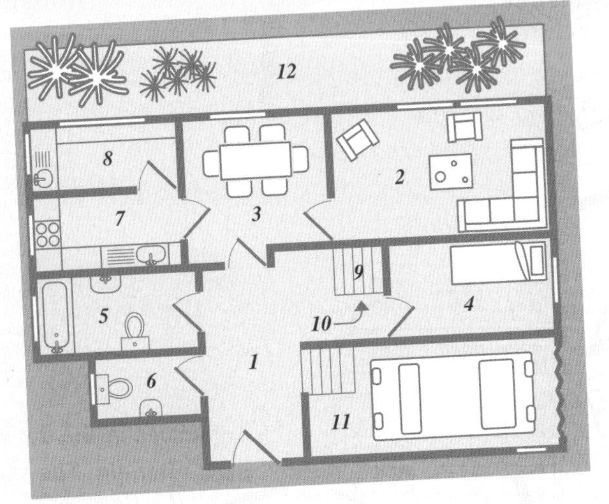

im 1. Stock

13 die Terrasse
14 das Badezimmer Nr. 2
15 das Schlafzimmer Nr. 2
16 das Schlafzimmer Nr. 3 oder das Arbeitszimmer
17 der Balkon

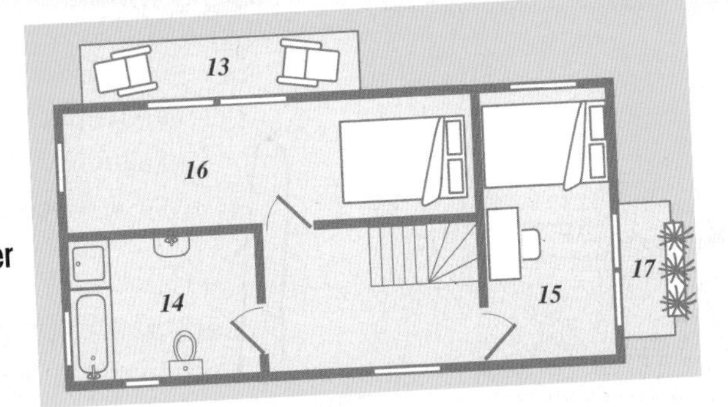

1a Joschas Eltern schauen diese Broschüre für ein neues Haus an. Hör zu und finde die richtige Reihenfolge für die Zimmer usw.

Beispiel: *12, 11, …*

1b Schaut den Plan an. **A** denkt an ein Zimmer und **B** stellt Fragen; **A** darf nur „ja" oder „nein" sagen. **B** rät, welches Zimmer das ist.

Beispiel:
A *Ich denke an ein Zimmer.*
B *Ist es im Erdgeschoss?*
A *Nein.*
B *Also, es ist im ersten Stock. Ist es ein großes Zimmer?*
A *Nein.*
B *Ist es das Badezimmer?*
A *Ja, richtig.*

2a Welche Adjektive beschreiben ein Haus und die Zimmer? Schreibt eine Liste.

Beispiel: *modern, alt, …*

2b A sagt ein Adjektiv, **B** wählt ein Zimmer und beschreibt es. Dann ist **B** dran.

Beispiel: *A Groß!*
B Das Haus hat ein großes Wohnzimmer. Modern!
A Es gibt eine moderne Küche.

2c Welche Zimmer gibt es in *deinem* Haus/*deiner* Wohnung? In welchem Stock sind sie? Erzähl es deinem Partner/deiner Partnerin.

Beispiel: *A Hast du ein Esszimmer?*
B Ja. Wir haben ein kleines Esszimmer im Erdgeschoss.

2d Wo wohnst du genau? Wie ist *dein* Haus/*deine* Wohnung? Schreib eine E-Mail.

Beispiel:

Ich wohne in Kirkcaldy. Das ist in Südostschottland. Wir haben ein modernes Doppelhaus …

3 **Mikro-Welle.** Hör zu und mach Notizen.

a Wo wohnen sie?
b In was für einem Haus wohnen sie?
c Wie ist das Haus? (Was für Zimmer gibt es?)

Hilfe

Das/Unser Haus hat einen schönen kleinen Garten.
Es gibt eine große/moderne Küche.
Wir haben ein altes/neues Badezimmer.
Der Wäscheraum ist im Keller.
Das Wohnzimmer ist im Erdgeschoss.
Das Schlafzimmer von meinen Eltern ist im ersten Stock.
Mein Zimmer ist im Dachgeschoss.

Grammatik im Fokus: Adjektive im Akkusativ

The endings you add to adjectives in the accusative case vary according to the gender of the noun being described:

m.	**Das Haus hat einen schönen Garten.**
f.	**Wir haben eine moderne Küche.**
n.	**Unser Haus hat ein neues Badezimmer.**
pl.	**Es gibt keine großen Schlafzimmer.**

1 Choose the correct adjectives.

1 Wir haben ein (moderner / alte / neues) Badezimmer.
2 Unser Haus hat eine (neues / alte / kleinen) Garage.
3 Wir haben keine (großen / moderne / neues) Schlafzimmer.
4 Es gibt einen (großes / schöne / kleinen) Garten hinter dem Haus.

2 Copy these sentences and add the correct adjective endings.

1 Wir haben eine modern__ Küche.
2 Siehst du meinen klein__ Garten?
3 Meine Oma hat ein schön__ Wohnzimmer.
4 Ich mag keine alt__ Bungalows.
5 Hast du ein neu__ Haus?
6 Siehst du unsere schön__ Wohnung?
7 Wie findest du unseren groß__ Garten?
8 Ich will keine klein__ Zimmer.

216

Ordnung ist alles!

- describe your room and some things in it
- ask and say where things are
- talk about sharing your room
- use prepositions to describe location

See also *Extra!* page 198.

1 Hör zu und lies mit. Finde die passenden Bilder.

Kai
Ich habe ein ziemlich großes Zimmer im ersten Stock. Es ist modern und ziemlich unordentlich und ich teile es mit meinem jüngeren Bruder. Meine Schwester hat ein eigenes Zimmer – das finde ich nicht fair.

Katja
Ich habe mein eigenes Zimmer. Es ist ein kleines Zimmer im ersten Stock und es ist schön, aber ziemlich unordentlich.

Joscha
Mein Zimmer ist im Erdgeschoss – wie alle anderen Zimmer im Haus! Es ist nicht sehr groß und sehr unordentlich – aber ich mag mein Zimmer sehr. Es ist direkt am Garten.

Ümmihan
Ich teile mein Zimmer mit meiner Schwester. Es ist ziemlich klein, aber zum Glück verstehen wir uns gut und das Zimmer ist sehr ordentlich. Es ist im zweiten Stock und wir sehen auf den Garten.

2 **A** wählt ein Zimmer und beschreibt es. **B** rät, wer **A** ist.

Beispiel:
A Ich teile mein Zimmer mit jemandem.
B Du bist Kai!
A Nein! Mein Zimmer ist ziemlich ordentlich.
B Ah, du bist Ümmihan!

3a Beschreib diese Zimmer. Schreib Sätze.

Beispiel: *1 Ich teile mein Zimmer mit meiner Schwester. Mein Zimmer ist im Dachgeschoss und ist ziemlich groß.*

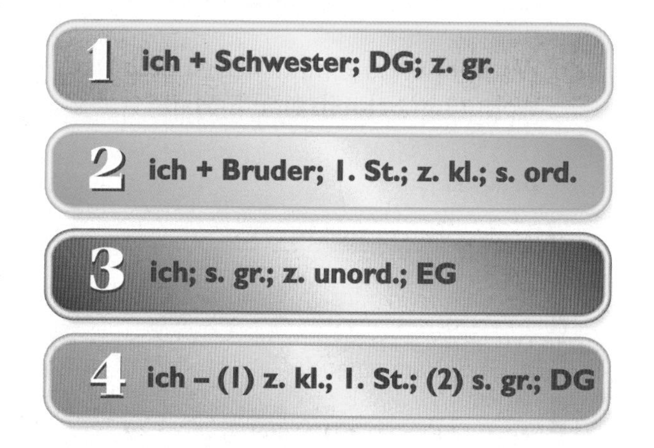

3b Beschreib dein eigenes Zimmer. Schreib etwa drei Sätze.

Hilfe

Ich teile mein Zimmer mit meinem Bruder. / meiner Schwester.

Ich habe mein eigenes Zimmer.

Mein Zimmer ist im Erdgeschoss. / im ersten Stock. / im Dachgeschoss.
ziemlich / sehr / nicht sehr — groß/klein. / (un)ordentlich. / schön.

4a Joschas Mutter hat sein Zimmer aufgeräumt und er findet überhaupt nichts! Er telefoniert mit seiner Mutter. Hör gut zu und schau das Bild und die Hilfe-Sätze an. Was passt zusammen?

Beispiel: *1 – e*

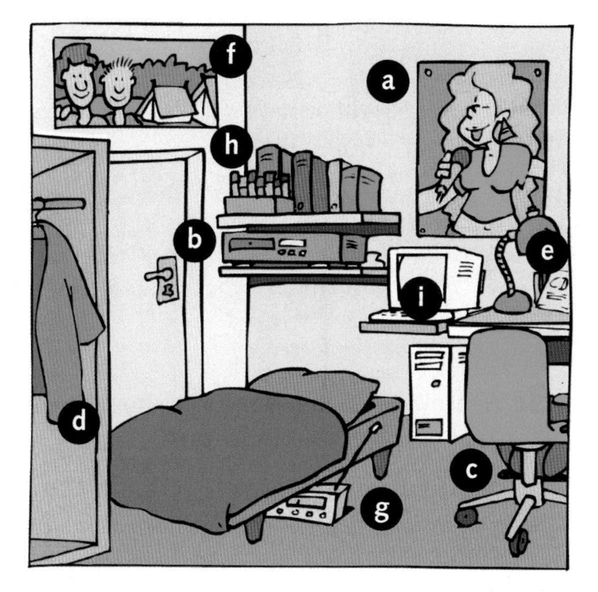

Hilfe

1 Die CDs sind **neben** der Lampe.
2 Der CD-Spieler ist **auf** dem Regal.
3 Der Computer ist **zwischen** dem Schreibtisch und dem Bett.
4 Die Filzstifte sind **vor** den Büchern.
5 Die Jacke ist **im** Schrank. **(in + dem = im)**
6 Das Poster ist **an** der Wand.
7 Das Foto ist **über** der Tür.
8 Der Basketball ist **hinter** dem Stuhl.
9 Das Radio ist **unter** dem Bett.

4b Schaut Joschas Zimmer an. **A** stellt Fragen, **B** antwortet. Dann ist **B** dran.

Beispiel: ***A*** *Wo ist das Poster?*
B *Es ist an der Wand. Wo ist … ?*

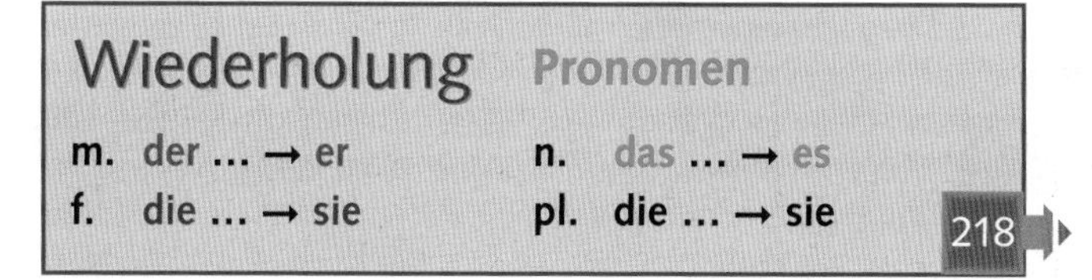

5a **A** beschreibt sein/ihr Zimmer. **B** zeichnet das Zimmer. Dann ist **B** dran.

Beispiel: ***B*** *Wie ist dein Zimmer?*
A *Ich habe ein kleines Bett und einen großen Tisch.*
B *Wo ist das Bett?*
A *Es ist hinter der Tür …*

5b Beschreib dann dein Zimmer in Sätzen.

Beispiel: *Ich habe meinen eigenen Fernseher! Ich habe auch einen Computer auf meinem Tisch und eine Stereoanlage auf einem Regal über meinem Bett. Mein Zimmer ist Klasse!*

mit **and** ***von*** **always take the dative case.**

The following prepositions take the dative case to describe position: ***an, auf, hinter, in, neben, über, unter, vor, zwischen.***

Remember that plural nouns usually add an extra ***-n*** **in the dative, e.g.**
die Bücher – die Filzstifte sind vor den Büchern.

1 Say where the mice are, using the correct prepositions and the dative case.

Example: *1 Eine Maus ist __?__ d___ Computer.*

Mein Alltag

- talk about what you do every day
- talk about what you do at weekends
- talk about mealtimes
- use reflexive verbs

See also *Noch mal!* page 183 and *Extra!* page 198.

1a Hör gut zu und finde die passenden Bilder für Kai und Katja.

Beispiel: *Kai – q, b …*

1b Finde die passenden Hilfe-Sätze für die Bilder.

2a Schaut die Bilder in Übung 1 an. **A** sagt, was er/sie macht, **B** sagt, welches Bild das ist. Dann ist **B** dran.

Beispiel: **A** *Ich komme nach Hause.*
B *Das ist Bild m. … Ich schlafe ein.*
A *Das ist Bild e.*

2b **A** sagt fünf Sachen, die er/sie macht. **B** schreibt die Buchstaben auf. Dann ist **B** dran.

3a **A** sagt einen Buchstaben (a–q) und eine Uhrzeit und fragt: „Was machst du?“. **B** schaut die Bilder in Übung 1 an und antwortet. Dann ist **B** dran.

Beispiel: **A** *Bild b. Es ist 8 Uhr (morgens). Was machst du?*
B *Ich ziehe mich um 8 Uhr an.*

3b Was machst du an einem normalen Tag und wann? Mach eine Kassette. (Sag mindestens sechs Sachen.)

Beispiel: *Ich stehe um 7 Uhr auf. Ich ziehe mich sofort an. Ich frühstücke um …*

3c Schreib dein Tagebuch für einen normalen Tag. Was machst du wann?

Beispiel: *Ich stehe um 7 Uhr auf. Um 7.30 Uhr frühstücke ich, dann gehe ich …*

Hilfe

Ich stehe auf.
Ich dusche mich.
Ich ziehe mich an.
Ich frühstücke.
Ich verlasse das Haus.
Ich fahre zur Schule.
Ich beeile mich.
Ich komme wieder nach Hause.
Ich esse dann zu Mittag.
Ich ziehe mich um.
Ich spiele Basketball/Fußball.
Ich mache meine Hausaufgaben.
Wir essen zu Abend.
Ich ziehe mich aus.
Ich wasche mich.
Ich gehe ins Bett.
Ich schlafe ein.

4 Hör zu. Was machen diese vier Personen am Wochenende? Schreib die richtigen Buchstaben (a–h) und den Tag (Samstag oder Sonntag) auf.

Beispiel: *1 Samstag – f, b*

Grammatik im Fokus — Reflexivverben

With some German verbs you need to use the word for 'self' even though it is often not used in English, e.g. *sich waschen* – to get washed (to wash yourself). Here is the verb in full:

ich wasche **mich**	wir waschen **uns**
du wäschst **dich**	ihr wascht **euch**
er/sie/es wäscht **sich**	sie/Sie waschen **sich**

1 Look at the song *Verlorene Liebe?* on page 42. Find an example of each of the reflexive pronouns (*mich*, *dich*, etc.) and write down a phrase for each one.

Example: *mich – ich ziehe mich an*

2 Find the correct reflexive pronoun.

1 Ich wasche ____ , aber meine Schwester duscht ____ .
2 Ihr beeilt ____ nicht! Macht schnell!
3 Die anderen ziehen ____ schon an. Wann ziehst du ____ an?
4 Wir ziehen ___ sofort um.
5 Waschen Sie ____ nicht?

220

Hilfe

morgens/nachmittags/abends
zu Mittag/Abend
am Samstag/Sonntag/Wochenende
um/gegen 15 Uhr
normalerweise/oft/meistens/immer/manchmal
jeden Tag/jede Woche
Ich treffe mich mit Freunden.
Wir essen warm/kalt.
Ich besuche meine Großeltern.
Ich gehe spazieren.
Ich langweile/amüsiere mich.
Ich interessiere mich für ...

5a Du bist dran! Was machst du am Wochenende? Beschreib einen typischen Samstag oder Sonntag. Macht Dialoge.

Beispiel:

A Wann stehst du auf?
B Normalerweise stehe ich um 8 Uhr auf.
A Wann frühstückst du?
B Ich frühstücke gegen 8.30 Uhr.
A Was machst du am Morgen?

5b Schreib eine E-Mail. Beschreib ein typisches Wochenende.

Beispiel:

Mein Wochenende ist meistens interessant und ich habe viel Spaß. Am Samstag ...

Abwaschen? Nein, danke!

- talk about helping at home
- use separable verbs
- improve your listening skills

See also *Noch mal!* page 183.

1a Florian Fleißig und Frauke Faul schreiben an einen Freund. Hör gut zu und lies mit. Finde die passenden Bilder für die Briefe 1 und 2.

Beispiel: *1 – g, c, …*

1

Hallo, Stefan!

Ich mache mir Sorgen über Florian – er ist nicht normal! Er ist so ordentlich und er hilft zu viel zu Hause. Er räumt sein Zimmer jeden Tag auf, er putzt immer die Fenster im ganzen Haus und saugt dreimal pro Woche Staub. Jeden Abend räumt er nach dem Abendessen den Tisch ab und dann wäscht er ab. Sein Vater füttert den Hund, aber Florian führt den Hund jeden Abend aus. Jede Woche kauft er für seine Eltern im Supermarkt ein und manchmal macht er sogar die Wäsche! Und das Schlimmste ist, er bekommt immer gute Noten in der Schule! Wie können wir ihm helfen normal zu sein?

Deine Frauke

2

Hallo, Stefan!

Ich war gestern bei Frauke. Sie ist sooooo faul, weißt du! Sie räumt ihr Zimmer nie auf, sie saugt nie Staub und sie putzt ihr Fenster nicht. Alles ist so schmutzig bei ihr! Sie hilft ihren Eltern nicht viel – manchmal deckt sie den Tisch, aber sie wäscht das Auto selten (und nur für Geld!), sie arbeitet vielleicht einmal pro Jahr im Garten und sie führt nie den Hund aus. Das ist nicht normal. Sie ist ein nettes Mädchen (auch wenn sie faul ist) – wir müssen ihr helfen, aber wie?

Dein Florian

1b Lies die Briefe noch einmal. Wie oft helfen Florian und Frauke?

Beispiel: *Florian: Bild g – jeden Tag*

Hilfe

Ich	räume mein Zimmer	jede Woche	auf.
	putze die Fenster	jeden Abend	
	sauge	jeden Samstag	Staub.
	decke den Tisch	morgens	
	räume den Tisch	nachmittags	ab.
	wasche	abends	ab.
	führe den Hund	einmal pro Woche	aus.
	arbeite	am Wochenende	
	wasche	immer/selten/ oft/nie	das Auto.

2a Wie helft ihr zu Hause und wie oft? Macht Dialoge.

Beispiel: **A** *Wie hilfst du zu Hause?*
B *Ich räume mein Zimmer jeden Samstag auf.*

2b Schreib dann eine kurze E-Mail.

Beispiel:

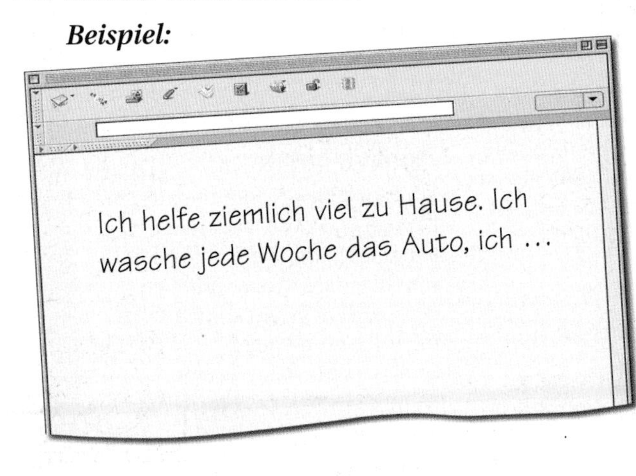

Extra! Stell auch ein paar Fragen in deiner E-Mail.

Beispiel: … *Und du, wie oft wäschst du ab? Arbeitest du im Garten?*

3 **Mikro-Welle**. Hör zu und mach Notizen.

- Wovon handelt das Gespräch?
- Was machen diese drei Personen? (Wie oft? Warum?)
- Was machen sie nicht? (Warum nicht?)

Grammatik im Fokus: Trennbare Verben

Separable verbs are made up of two parts which split up when you use them. The separable prefix normally goes at the end of the sentence:

aufräumen	Ich räume mein Zimmer einmal pro Jahr **auf**.
abwaschen	Frauke wäscht selten **ab**.
aufstehen	Normalerweise stehe ich um 7 Uhr **auf**.

1 Complete these sentences with a separable prefix.

1. Ich raüme den Tisch jeden Abend …
2. Jens zieht sich um 7 Uhr …, dann frühstückt er.
3. Wie oft wäschst du … ?
4. Ich führe den Hund nie …
5. Wann räumst du dein Zimmer … ?

220

Tipp

Improving your listening skills

When you listen to German, the first thing you need to do is get a rough idea of what the text is about. Then you can listen for a few details.

Use clues:

- pictures, titles and introductions – these often help show the context and the kind of content to expect.
- questions – look at the questions first and anticipate or guess what the answers are likely to be. Then listen to see if you were right.
- tone of voice – does the speaker express like, dislike, surprise, anger, … ? Is the speaker asking a question?

Try to work out which bits you can ignore because they don't provide any of the information you need.

Das interessiert mich!

- talk about your hobbies and interests
- talk about what you do in your leisure time, when, where and with whom
- use time – manner – place word order

See also *Noch mal!* page 184.

Was machst du in deiner Freizeit? Was für ein Typ bist du?

Musikfreund

Ich interessiere mich für Musik – ich spiele Flöte in einem Orchester und ich spiele auch Klavier. Ich singe jede Woche in einem Chor und höre jeden Morgen und Nachmittag Radio.

Hannelore

Computerkid

Ich interessiere mich für Computer. Ich spiele jeden Abend am Computer und mit der Playstation und ich surfe auch im Internet – das darf ich aber nicht so oft machen! Meine Mutter sagt, das kostet zu viel!

Oguz

Sportfan

Zu Hause bleiben ist nichts für mich! Ich wandere jedes Wochenende in den Bergen. Ich gehe auch am Donnerstagabend in den Park und spiele dort Fußball in einer Mannschaft. Im Sommer spiele ich Tennis. Manchmal angle ich mit meinem Vater, aber das ist ein bisschen langweilig.

Jan

Unterhaltungsfreak

Ich gehe oft ins Kino, manchmal zweimal pro Woche. Ich interessiere mich für Filme und für Theater – ich bin am Dienstagnachmittag in der Theater-AG*. Und natürlich sehe ich auch fern – es gibt so viele gute Filme im Fernsehen.

Conny

Gesellschaftsliebhaber

Ich treffe mich so oft wie möglich mit Freunden, vielleicht in der Stadt oder im Jugendklub. Wir gehen fast jeden Samstagabend in die Disco und tanzen zusammen. Das macht viel Spaß, aber es ist manchmal zu laut!

Annika

Hobbymensch

Ich fotografiere viel in meiner Freizeit – in der Stadt, auf dem Land, Freunde, Tiere, alles. Ich sammle auch Sticker und ausländische Münzen. Ich interessiere mich für Briefmarken, aber ich habe keine richtige Sammlung.

Markus

***AG = die Arbeitsgemeinschaft** – school club

1a Hör zu und lies mit.

1b Hör gut zu. Welcher Typ spricht?

Beispiel: *1 – Computerkid*

1c Welcher Typ bist du? Sag es deinem Partner/deiner Partnerin.

Beispiel: *Ich bin Hobbymensch. Ich sammle Modellflugzeuge und ich …*

2a Was macht Ümmihan wann? Hör zu und finde die passenden Bilder für die Tage.

Beispiel: *1 – d*

1 Dienstagabend
2 Mittwochabend
3 Donnerstagabend
4 Freitagnachmittag
5 Freitagabend
6 Samstagnachmittag

a b

2b Hör noch einmal zu. Mit wem macht sie das und wo? Mach Notizen.

Beispiel: ***1*** *mit Elisabeth, in der Sporthalle*

2c Was macht Ümmihan (wann, mit wem und wo)? Schreib Sätze.

Beispiel: *Sie spielt Tennis am Dienstagabend mit Elisabeth in der Sporthalle.*

3a Was machst *du* in deiner Freizeit – wann, mit wem und wo? **A** stellt Fragen, **B** antwortet.

Beispiel: ***A*** *Was machst du in deiner Freizeit?*
B *Ich tanze.*
A *Wann machst du das?*
B *Ich tanze jeden Mittwochnachmittag.*
A *Mit wem/Wo machst du das?*

3b Schreib einen kurzen Artikel wie in Übung 1. Was machst du in deiner Freizeit? Wann, mit wem und wo?

Beispiel: *Ich gehe zweimal pro Monat (mit einem Freund/einer Freundin) ins Kino.*

Extra! Sag, warum du das machst.

Beispiel: *Ich interessiere mich für Musik – ich singe jeden Mitwoch in einem Chor, weil es viel Spaß macht. Ich sammle auch Briefmarken, weil es sehr interessant ist.*

Remember to use the correct word order:
Time – Manner – Place:

Sie spielt Tennis am Dienstagabend mit Elisabeth in der Sporthalle. (TMP)

Wir wandern mit der Klasse in den Bergen. (–MP)

1 Put these sentences in the correct order.
1 in der Disco / jedes Wochenende / Ich tanze / mit Freunden / .
2 am Dienstag / Er spielt Tennis / im Park / mit Julian / .
3 Sonja singt / im Chor / nach der Schule / .
4 in der Stadt / heute Nachmittag / Elisabeth fotografiert ihre Freunde / .
5 in der Schule / Wir spielen / um 19 Uhr / mit dem Orchester / .

225

Hilfe

Ich interessiere mich für Musik/Computer.
Ich spiele Klavier/Hockey.
Ich gehe ins Kino/in die Disco.
Ich sammle Sticker/Münzen.

jeden Tag/Dienstag
einmal/zweimal/dreimal pro Woche
am Wochenende
abends/nachmittags
samstags/sonntags

mit einer Mannschaft/Gruppe
mit Freunden/meinen Eltern
mit einem Freund/einer Freundin

im Jugendklub
in der Sporthalle/Schule
in den Bergen

Wiederholung Wortstellung

Ich spiele am Wochenende im Orchester.
Am Wochenende **spiele ich** im Orchester.

225

Sport für alle?

- talk about different sports
- say what you like and what you prefer
- give opinions and preferences

See also *Noch mal!* page 184.

1a Hör gut zu und lies mit.

Sport ist mein Lieblingshobby! Ich interessiere mich für viele verschiedene Sportarten: Ich spiele am liebsten Fußball und ich bin in einer Mädchenmannschaft. Ich schwimme auch in einem Verein für die Schule. Im Sommer tauche ich immer im Urlaub und ich gehe auch sehr gern Windsurfen. Und was mache ich nicht gern? Ich fahre nicht gern Ski – ich fahre lieber Snowboard!

1b Hör gut zu und finde die richtige Reihenfolge für die Bilder.

Beispiel: *1 – e, n*

2 Julian und Steffi nehmen an einem Sportwochenende teil. Sie schauen das Programm an. Was wählen sie? Hör zu und füll die Tabelle aus.

	Julian	Steffi
Samstag 9.00	*Tennis*	
Samstag 11.00		
Samstag 14.00		
Sonntag 9.00		
Sonntag 11.00		
Sonntag 14.00		

3 Machst du das gern, sehr gern oder nicht gern? Wähle Bilder von Übung 1b und macht Dialoge.

Beispiel: ***A*** *Spielst du gern Tennis?*
B *Ja, ich spiele sehr gern Tennis.*
B *Schwimmst du gern?*
A *Nein, ich schwimme nicht gern.*

Hilfe

Ich spiele gern/nicht gern …
Ich spiele lieber …
Am liebsten spiele ich …
Volleyball
Basketball
Handball
Fußball

Ich gehe gern windsurfen.
Ich tauche nicht gern.
Ich reite.
Ich fahre Kanu.

Ich bin in einem Verein/einer Mannschaft.

4a Kopiere diesen Brief und füll die Lücken aus.

4b Treibst du Sport? Was machst du gern oder nicht gern? Lies Sonjas Brief noch einmal und schreib eine Antwort. Mach dann eine Kassette.

Beispiel:
„Ich spiele gern Hockey, Volleyball und Tennis, aber am liebsten schwimme ich. Ich bin in einem Verein."

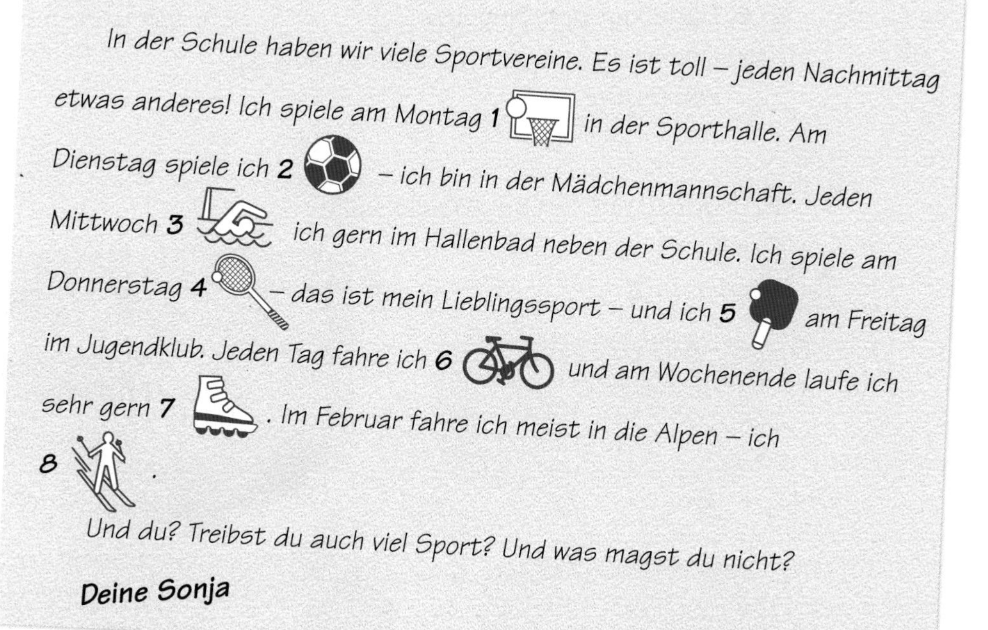

Hallo!

In der Schule haben wir viele Sportvereine. Es ist toll – jeden Nachmittag etwas anderes! Ich spiele am Montag 1 in der Sporthalle. Am Dienstag spiele ich 2 – ich bin in der Mädchenmannschaft. Jeden Mittwoch 3 ich gern im Hallenbad neben der Schule. Ich spiele am Donnerstag 4 – das ist mein Lieblingssport – und ich 5 am Freitag im Jugendklub. Jeden Tag fahre ich 6 und am Wochenende laufe ich sehr gern 7. Im Februar fahre ich meist in die Alpen – ich 8.

Und du? Treibst du auch viel Sport? Und was magst du nicht?

Deine Sonja

Tipp

Giving opinions and preferences

Examiners are very inquisitive and want to know what you think about things, so you need to have a few **opinions** and **preferences** ready. Here are some useful phrases:

- *Das finde ich toll/furchtbar/interessant/langweilig/wichtig/gefährlich/...*
- *Das macht Spaß.*
- *Das ist nichts für mich!*
- *Ich spiele gern/nicht gern/lieber/am liebsten Fußball/...*

Add in some extra words for emphasis where possible:

- ***zu** gefährlich* – **too** dangerous
- ***(nicht) sehr** interessant* – **(not) very** interesting

Remember to use *weil* sometimes:

- *Am liebsten spiele ich Basketball, weil es Spaß macht/weil ich groß bin/...*

1 What might people say about the following sports?

Example: **a**: *Ich finde Motorsport toll. Es ist sehr interessant und ich sehe gern Motorsport im Fernsehen.*

a Motorsport – 👍 – interessant
– 📺 ✓

b Pferderennen – 👎 – langweilig
– 📺 ✗

c Rugby – 👍 – 📺 ✓✓
– aber: gefährlich

d Boxen – 👎 – langweilig
– 📺 ✗

e Kanufahren – 👍 – weil: ☺

2 What is *your* opinion about those sports?

3 With a partner, take it in turns to ask and answer the question *Wie findest du ... ?*

Example: **A** *Wie findest du Windsurfen?*
B *Windsurfen finde ich zu gefährlich.*
OR
B *Das ist nichts für mich, weil ich Windsurfen zu gefährlich finde.*

Geldsache

- talk about part-time jobs
- talk about how much pocket money you receive
- use *dass* to join sentences together

1 Hör zu und lies mit. Welches Bild ist das?

Beispiel: *1 – d*

1 *Ich arbeite am Wochenende im Garten. Ich verdiene pro Stunde 4 Euro.*

2 *Ich muss arbeiten, weil ich kein Taschengeld bekomme. Ich arbeite nachmittags in einem Supermarkt und ich verdiene pro Woche 70 Euro.*

3 *Ich darf keinen Job haben. Ich bekomme pro Monat 50 Euro Taschengeld, aber ich möchte doch auch einen Job haben.*

4 *Ich trage einmal pro Woche Zeitungen aus und ich bekomme dafür 10 Euro.*

5 *Ich bin Babysitterin. Ich mache das abends, vielleicht einmal oder zweimal pro Woche, aber ich verdiene nicht viel.*

6 *Ich helfe ziemlich viel zu Hause und ich bekomme 15 Euro Taschengeld. Ich habe auch einen kleinen Job – ich wasche Autos für 5 Euro.*

a

b

c

d

e

f

2 „Wer bin ich?“ **A** wählt eine Person von Übung 1 und beschreibt den Job oder das Taschengeld. **B** rät, wer die Person ist.

Beispiel: **A** *Ich bekomme Taschengeld, aber ich darf keinen Job haben. Wer bin ich?*
B *Du bist Thomas.*
A *Ja, richtig.*

3a Hör zu und lies mit.

> **1** *Ich muss arbeiten, weil ich kein Taschengeld bekomme. Ich arbeite nachmittags in einem Supermarkt und ich verdiene pro Woche 70 Euro. Der Job ist ziemlich interessant und es ist wichtig, dass ein Job Spaß macht. Aber ich finde es gemein, dass ich kein Taschengeld bekomme.*

> **2** *Ich darf keinen Job haben. Meine Eltern sagen, dass ich zu viel Arbeit für die Schule habe. Ich bekomme pro Monat ziemlich viel Taschengeld, weil ich keinen Job habe. Ich möchte doch auch einen Job haben und ich finde es gemein, dass ich nicht arbeiten darf.*

3b Wer spricht? Finde das passende Bild von Übung 1.

3c Ist das richtig oder falsch?

Person 1 …

a findet den Job langweilig.
b möchte Taschengeld bekommen.
c verdient kein Geld.

Person 2 …

a hat einen Job in einer Schule.
b bekommt Taschengeld von seinen Eltern.
c verdient kein Geld.

4 A wählt ein Bild von Übung 1 und fragt: „Hast du einen Job?" und „Wie findest du das?". **B** beantwortet die Fragen.

Beispiel: **A** *Bild c. Hast du einen Job?*
B *Ja, ich trage Zeitungen aus.*
A *Wie findest du das?*
B *Ich finde das gut. / Das macht Spaß. / Ich finde, dass ich einen guten Job habe.*

Hilfe

Ich finde (es wichtig),	**dass**	**mein Job Spaß macht.**
Ich finde es gut,	**dass**	**ich einen/keinen (guten) Job habe.**
Ich finde es gemein,	**dass**	**ich kein Taschengeld bekomme.**

5 Und du? Was machst du? Bekommst du Taschengeld? Hast du einen Job? Wie findest du das? Schreib einen kurzen Brief an deinen Brieffreund/deine Brieffreundin.

Beispiel:

> Lieber Dieter!
> Ich bekomme nicht viel Taschengeld, nur zehn Pfund pro Monat, aber ich finde es gut, dass ich einen Job habe.

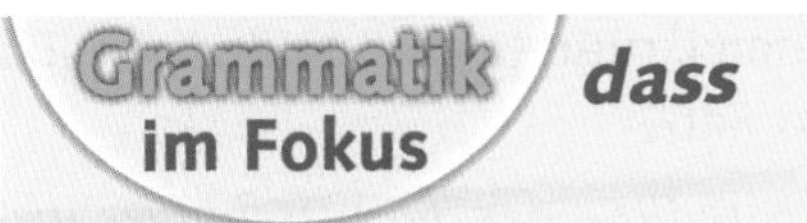

dass

dass **('that') joins two sentences together. It follows exactly the same pattern as *weil* ('because') – it sends the verb to the end of that part of the sentence. Look at this example:**

> Ich finde es gemein, **dass** ich kein Taschengeld **bekomme.**
> ***I think it's mean that I don't get any pocket money.***

1 Find other examples of sentences using *dass* in Übung 3 and make a list of them.

2 Join these sentences together using *dass*.

1 Ich finde es gut – ich bekomme 50 Euro Taschengeld.
2 Es ist wichtig – ein Job ist interessant.
3 Ich finde es gemein – ich darf nicht im Supermarkt arbeiten.
4 Meine Freunde wissen – ich habe einen guten Job.
5 Meine Mutter sagt – ich habe zu viel Schularbeit.

Mein Sparschwein

- talk about spending and saving money
- use a dictionary to check genders

See also *Noch mal!* page 184.

1a Hör zu und lies mit.

1b Wofür gibst du dein Geld aus? Wofür sparst du? Wofür willst du sparen? Macht eine Liste. Braucht ihr Hilfe? Schaut im Wörterbuch nach.

Beispiel: *Klamotten, Make-up, CDs, Poster, ein neues Fahrrad, …*

Extra! Gib einen Grund (*weil …*) oder benutze einen *dass*-Satz.

Beispiel: *Ich spare für einen Tennisschläger,* ***weil*** *ich sehr gern Tennis spiele. Ich weiß aber,* ***dass*** *ein guter Tennisschläger ziemlich teuer ist.*

1c Macht eine Umfrage in der Klasse: „Wofür gibst du dein Geld aus? Wofür sparst du oder wofür willst du sparen?"

Beispiel: *A Wofür gibst du dein Geld aus?*
B Ich gebe mein Geld für Klamotten und für Kino aus.
A Wofür sparst du?

Wiederholung *für + Akkusativ*

Ich spare **für**	einen Computer.	
	eine Jacke.	
	ein Fahrrad.	
Ich gebe mein Geld **für**	Sport/CDs	aus.

215

2 **Mikro-Welle.** Hör zu und mach Notizen.

Beispiel:

	Andrea	Matthias
Taschengeld?	✓	
– wie viel?	€30 pro Woche	
– Meinung		
Job?		
– was?		
– Grund		
– Meinung		
gibt Geld für … aus		
spart für…		

Ich bekomme pro Woche 15 Euro Taschengeld. Das finde ich ziemlich gut, weil meine Eltern auch meine Klamotten kaufen und meine Busfahrkarte bezahlen.

Ich habe auch einen Job. Am Samstag arbeite ich in einem kleinen Supermarkt. Das ist ein bisschen langweilig, aber ich bekomme 50 Euro pro Woche und ich finde es gut, dass ich so viel Geld verdiene.

Ich gebe mein Geld für CDs und Klamotten aus und ich spare im Moment für ein gutes Skateboard.

Und du? Wofür gibst du dein Geld aus?
Hast du einen Job? Bekommst du Taschengeld?
Wie findest du das? Schreib bald,
Dein Stefan

Dein.JPEG 123K

3a Lies die E-Mail. Schau dann deine Notizen von Übung 2 an und schreib eine Antwort für Andrea oder Matthias.

3b Du bist dran! Schreib deine eigene Antwort auf die E-Mail.

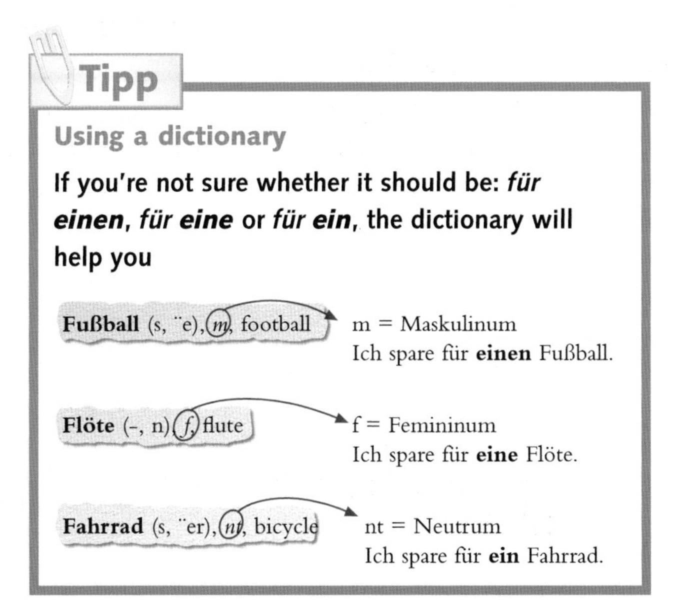

Tipp

Using a dictionary

If you're not sure whether it should be: *für einen*, *für eine* or *für ein*, the dictionary will help you

Fußball (s, ¨e), *m*, football → m = Maskulinum
Ich spare für **einen** Fußball.

Flöte (-, n) *f*, flute → f = Femininum
Ich spare für **eine** Flöte.

Fahrrad (s, ¨er), *nt*, bicycle → nt = Neutrum
Ich spare für **ein** Fahrrad.

Hilfe

Ich gebe mein Geld für … aus.

Klamotten/CDs/Make-up/Poster/Sport/ die Disco/das Kino

Ich spare für …

einen Computer

ein neues Fahrrad/ein Handy

die Ferien

Kursarbeit: Ein Ausflug

- talk about organizing a class outing
- give full details of the outing
- give more detail in your written work

Joscha und Freunde aus seiner Klasse planen eine Klassenfahrt.
Sie müssen das besprechen und dann ihre Pläne der ganzen Klasse vorstellen.

1a Hör zu und beantworte die Fragen.

1 Wohin fährt die Klasse?
2 Was besuchen sie am Morgen?
3 Wo machen sie ein Picknick?
4 Wann ist der Besuch im Museum?
5 Was machen sie in der Stadtmitte?
6 Was sehen sie am Abend?

1b Was machen sie wann und wo?
Hör noch einmal zu und mach Notizen.

Was?	Wann?	Wo?
Abfahrt (Reisebus)	*07.30*	*auf dem Schulhof*

2 Joscha schreibt alles auf und präsentiert der Klasse die Pläne. Füll die Lücken mit Wörtern aus dem Kasten aus.

Beispiel: *... Der Reisebus fährt um 7.30 Uhr vom Schulhof ab ...*

Für die Klassenfahrt machen wir einen Tagesausflug nach Basel. Der Reisebus fährt um 7.30 Uhr vom ... **1** ... ab und kommt gegen 9.30 in ... **2** ... an.
Zuerst können wir den ... **3** ... besuchen, weil viele Leute sich für Tiere interessieren. Dann machen wir von 11.30 bis 12.30 Uhr ein Picknick im Zoo. Wir finden, dass ein ... **4** ... billig ist und Spaß macht.
Wir fahren am ... **5** ... zum Tinguely-Museum, weil das ein interessantes, modernes Museum ist. Es soll auch sehr lustig sein und wir bleiben etwa eine Stunde da.
Um 14.00 Uhr fahren wir in ... **6** ... und von 14.30 bis 17.00 Uhr können wir wählen: wir können das Münster besichtigen, eine Schifffahrt auf dem Rhein machen oder in der Stadt ... **7** ... gehen.
Um ... **8** ... Uhr treffen wir uns auf dem Marktplatz und finden ein billiges Restaurant oder einen Imbiss. Am Abend wollen wir ins Stadttheater gehen, weil eine Jugendgruppe ein gutes ... **9** ... gibt.
Das Konzert endet um 21.00 Uhr und wir sind um 23.00 Uhr noch einmal in ... **10** ... Wir glauben, dass es ein interessanter, aber sehr langer Tag ist.

Picknick
einkaufen
der Schule
die Stadtmitte
Zoo
Schulhof
17.00
Nachmittag
Konzert
Basel

Tipp

Giving more detail in your writing

Here are a few tips to make what you write more interesting. Look at Joscha's presentation for examples.

- **use link words to join together two short sentences:**
  und (and) *aber* (but) *oder* (or)
- **say why:**
  weil (because) *dass* (that)
  (remember the word order – see page 35)
- **say when:**
  um 17 Uhr (at 5pm) *von ... bis ...* (from ... to ...)
  am Morgen/Nachmittag/Abend (in the morning/afternoon/evening)
  ziemlich früh (fairly early) *sehr spät* (very late)
- **give your opinion:**
  das ist gut/interessant (that's good/interesting)
  ich finde, dass ... (I think that ...)
  ich glaube, dass ... (I think that ...)
- **use adjectives:**
  ein <u>interessantes</u> Museum *ein <u>langer</u> Tag*
  ... weil es <u>billig</u> ist
- **use language you are familiar with and adapt it:**
  Ich spiele gern Fußball.
  *Ich **sehe** gern Fußball.*
  Ich sehe gern ***Filme***.
- **try to say the same thing in a slightly different way:**
  es gibt ... → *es ist/sind ...*
  ... befindet sich → *... liegt*

And remember, before you start, make a plan of what you are going to say, with brief notes and a few useful phrases in German – don't try to translate everything from English.

der Tierpark (interessant)

Hamburg
1 Stunde
Lüneburg

der Fernsehturm (gute Aussicht von oben)

der Hafen (Schiffrundfahrt, 45 Minuten)

der See (Park, ruhig)

die Stadtmitte (gute Geschäfte und Restaurants)

die Oper (eine neue Show/ein tolles Musical)

1 Now try putting this into practice. Describe a day out to Hamburg based on the brochure above right. Remember to adapt Joscha's description to fit these details – and before starting to write, put together a timetable as part of your plan.

2 Now write a similar description planning a day trip you would like to make with your class. It can be to a place of your choice, but make it sound as interesting as you can. Remember: plan and adapt.

Abfahrt (departure) – ?? Uhr
Mittagessen – wann, wo, was?
Abendessen – wann, wo, was?
Ankunft (arrival) – ?? Uhr

Grammatik im Fokus

Das Präsens

- get to grips with the present tense

When do I use the present tense?

- To talk about what is happening now.
- To talk about things that happen regularly.
- To talk about things that usually happen.

Certain words indicate what is happening now: *jetzt* (now), *heute* (today).

Other words indicate what happens regularly or usually happens:
am Wochenende (at the weekend)
sonntags (on Sundays)
normalerweise (normally)
jeden Dienstag (every Tuesday)

219

1a Which of these sentences are in the present tense?

1. I share my room with my sister.
2. His mother tidied his room yesterday.
3. I don't think that's fair.
4. He is phoning his mother.
5. My clothes were in the wardrobe.
6. The CDs are next to the lamp.
7. I also have a computer on my table.
8. We sold my old stereo.
9. Tonight I will go to bed at 10 o'clock.
10. I have a small bed.

1b Check your answers, then look at pages 24–25 to find the German for the present tense sentences.

How do I form the present tense?

- Find the **stem** of the verb (take *-en* off the infinitive).
- Add these endings:

ich	**-e**	wir	**-en**
du	**-st***	ihr	**-t**
er/sie/es/man	**-t**	sie/Sie	**-en**

*Remember that you don't need to add another *-s* if the verb stem already ends in *-s*, *-ß* or *-z*: Wie hei**ßt** du? Was i**sst** du? Wo si**tzt** du?

219

2 Rewrite these sentences with the correct form of the present tense.

1. Ich (kommen) aus Deutschland. Woher (kommen) du?
2. Sie (heißen) Ümmihan und sie (wohnen) in Graz.
3. Wo (liegen) das?
4. Was (machen) ihr am Talentabend?
5. Wir (singen) ‚Bohemian Rhapsody'.
6. Meine Freundin (erzählen) Witze.
7. Drei Jungen (machen) einen Rap.
8. Wir (spielen) zusammen Gitarre.
9. Herr Klein, Sie (tanzen) sehr gut!
10. Meine Eltern (trinken) viel Tee.

Do all verbs form the present tense like this?

- Almost all verbs have the same **endings**.
- Some verbs change the **stem** slightly, but usually only in the *du* and *er/sie/es/man* forms (see page 13).
- A small number of verbs are more irregular – especially *sein* (to be) (see page 13).

220

3a The following sentences contain verbs which change their stem slightly. Write them out correctly. You can find all the verbs in Unit 1.

1 Wann (haben) du Geburtstag?
2 Ich (haben) am 10. Mai Geburtstag.
3 Linda (haben) heute Geburtstag.
4 Wir (fahren) in zwei Tagen nach England zurück.
5 Kai (fahren) nach Würzburg.
6 Es (geben) heute eine Fete.
7 Da (sehen) du meinen Vater.
8 (Sehen) ihr meine Mutter?
9 (Tragen) du eine Brille?
10 Ja, ich (tragen) normalerweise eine Brille.

3b Choose the correct form of the verb *sein* (to be).

1 Ich (bin/bist/sind) 16 Jahre alt.
2 Wie alt (bin/bist/sind) du?
3 Meine Eltern (ist/seid/sind) sehr streng.
4 Wo (bist/ist/sind) meine neuen Schuhe?
5 Carola und Sascha, ihr (ist/seid/sind) sympathisch.

What are modal verbs?

- There are six modal verbs: ***müssen, dürfen, können, wollen, sollen*** and ***mögen***.
- To complete their meaning they usually need an infinitive at the end of the sentence (see page 19).
- They are irregular in the present tense but only in the singular.

220

4 Fill in the correct form of the modal verbs in brackets.

Example: *1 Kann ich dir helfen?*

1 ________ ich dir helfen? (können)
2 ________du in die Disco gehen? (dürfen)
3 Wir ________ abends abwaschen. (müssen)
4 Ich ________ mein Zimmer aufräumen. (sollen)
5 Wir ________ ins Kino gehen. (wollen)

What are reflexive verbs?

- Verbs (like *sich waschen*) that have an extra word with the verb:

ich wasche **mich**	wir waschen **uns**
du wäschst **dich**	ihr wascht **euch**
er/sie/es wäscht **sich**	sie/Sie waschen **sich**

220

What are separable verbs?

- These verbs have a prefix that **separates** from the verb and goes to the end of the sentence.

220

5a Look back at pages 26–27. How many different reflexive verbs can you find and what do they mean?

Example: *Ich ziehe mich an. – I get dressed.*

5b Describe your morning using reflexive verbs.

6 Look back at pages 28–29 and make a list of all the different separable verbs. Write the infinitive, the English meaning and a sentence containing that verb.

Example: *aufräumen – to tidy up –*
*Er **räumt** sein Zimmer jeden Tag **auf**.*

Lesepause

Verlorene Liebe?

Sonntag, 11 Uhr, und ich stehe auf.
Aber warum? Mein Leben ist leer.
Du bist nicht da, deine Liebe ist weg.
So traurig, du liebst mich nicht mehr.

Ich dusche mich schnell, das Wasser ist kalt.
Ich ziehe mich an. Kommst du her?
Ich langweile mich, ich sitze nur rum.
Und du amüsierst dich wohl sehr.

Wir treffen uns nicht in dem Park wie normal.
Du interessierst dich nicht mehr für mich.
Deine Freunde, sie lachen sich tot über uns!
Und ich amüsiere mich nicht!

Was hör ich jetzt? Ich beeile mich! Schnell!
Das Telefon klingelt. Doch nicht wahr!
Für mich? Gib mal her! Ich höre dir zu!
Du liebst mich doch? Ja! Alles klar!

Sonntag, 12 Uhr, ich ziehe mich um.
Wir treffen uns bald in der Stadt ...
Ihr interessiert euch nicht mehr für mein Lied?
Ich auch nicht! Ich habe es satt!

1a Hör das Lied **Verlorene Liebe?** an und sing (oder lies) mit.

1b Finde im Lied die deutschen Wörter für diese Ausdrücke.

1 you don't love me any more
2 I just sit around
3 they are having a good laugh about us
4 you *do* love me
5 I'm fed up with it

1c Welche Wörter beschreiben den Jungen in den ersten drei Strophen?

doof	lustig	traurig	sportlich
deprimiert (*depressed*)	lebhaft		
launisch	fleißig		

1d Was macht der Junge im Lied an diesem Sonntag? Schreib Sätze.

Beispiel: *Er steht um 11 Uhr auf und duscht sich.*

2 Lies den Text unten. Ist das richtig oder falsch?

1 Tamburello ist ein italienisches Spiel.
2 Man spielt es mit einem Tennisschläger.
3 Der Ball ist nicht hart.
4 Es gibt keinen Tamburello-Verein in Deutschland.
5 Deutsche Sportgeschäfte verkaufen die Schläger.

Annika (18) hat ein neues Ballspiel entdeckt – und ist begeistert. Tamburello kommt aus Italien und gewinnt auch in Deutschland immer mehr Freunde. Man spielt es mit einem Schläger (er sieht aus wie eine Handtrommel – ein Tamburin) und mit einem weichen Tennisball. „Tamburello kann man fast überall spielen", erklärt Annika. Es gibt auch schon den ersten Tamburello-Verein in Deutschland. Einziges Problem: Die Schläger gibt es noch nicht im Sportgeschäft. Man muss sie in Italien bestellen.

3 Welche Antworten beschreiben dich am besten? **A** schreibt seine Antworten auf. **B** versucht dann die Antworten zu erraten. Er/Sie bekommt einen Punkt für jede richtige Antwort. Dann ist **B** dran. Wer bekommt die meisten Punkte?

„Wie gut kennst du mich?"

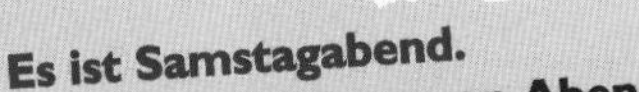

1 Es ist Samstagabend.
- a Du sitzt den ganzen Abend mit Cola und Chips vor dem Fernseher.
- b Du gehst mit Freunden ins Kino.
- c Du spielst eine Stunde Tischtennis im Jugendklub.

2 Du darfst eine Persönlichkeit* zum Essen einladen. Wer kommt?
- a Ein(e) Sportler(in).
- b Ein(e) Musiker(in).
- c Ein(e) Politiker(in).

* eine Persönlichkeit – a well-known person
(Bonuspunkt für den Namen der Persönlichkeit!)

3 Deine Eltern sagen, du musst im Haushalt helfen.
- a Du wäschst ab und trocknest ab.
- b Du räumst auf und saugst Staub.
- c Du machst gar nichts – Hausarbeit ist nichts für junge Leute.

4 Du darfst ein Haustier haben.
- a Du wählst einen großen Hund.
- b Du wählst eine kleine Katze.
- c Du willst überhaupt kein Haustier haben.

5 Du bist mit einem Freund/einer Freundin in der Stadt und er/sie ist sehr traurig.
- a Du erzählst einen Witz.
- b Du gehst mit dem Freund/der Freundin ins Café, trinkst eine Cola und sprichst mit ihm/ihr.
- c Du gehst nach Hause.

6 Es ist Sonntagabend und du hast viele Hausaufgaben für Montag. Ein(e) Freund(in) ruft an: „Ich gehe auf eine Fete. Kommst du mit?"
- a Du sagst nein – du musst die Hausaufgaben heute Abend machen.
- b Du sagst ja, aber du stehst am Montagmorgen sehr früh auf und machst die Hausaufgaben vor der Schule.
- c Du sagst ja und du machst die Hausaufgaben gar nicht.

7 Du ziehst in ein neues Haus. Wo wohnst du am liebsten?
- a Direkt in der Stadtmitte.
- b In einem kleinen Dorf auf dem Land.
- c Am Stadtrand.

8 Du brauchst einen Job. Was machst du?
- a Du trägst Zeitungen aus.
- b Du arbeitest in einem Supermarkt.
- c Du arbeitest im Garten.

9 Du bekommst 100 Euro.
- a Du sparst das ganze Geld.
- b Du kaufst ein paar Sachen und sparst den Rest.
- c Du gibst das ganze Geld sofort aus.

10 Du kommst in einem anderen Leben als Tier zurück. Was möchtest du werden?
- a Ein Vogel.
- b Eine Maus.
- c Eine Schildkröte.

1a Hör gut zu. Kopiere den Steckbrief und füll ihn für Annika und für Markus aus.

Mr und Miss Teen-Treff-Steckbrief

1 Wie heißt du? ____________________
2 Wie alt bist du? ____________________
3 Wann hast du Geburtstag? ____________________
4 Wo wohnst du? ____________________
5 Wie siehst du aus? ____________________
6 Wie bist du? ____________________

1b Interviewe deinen Partner/deine Partnerin und füll einen Steckbrief für ihn/sie aus.

2a „Wie ist deine Familie?“ Daniel schreibt seine Antwort auf. Kopiere den Text. Hör zu und füll die Lücken aus.

Ich habe drei Geschwister: zwei Brüder und eine (1) ________. Ich wohne bei meiner (2) ________ und meinem Stiefvater. Meine Eltern sind geschieden und mein (3) ________ wohnt in Frankreich. Ich habe auch ein (4) ________ – einen (5) ________. Ich verstehe mich sehr gut mit meiner Mutter, weil sie ziemlich (6) ________ ist. Aber ich habe oft Streit mit meinem Stiefvater, weil er zu (7) ________ ist. Ich wasche hier (8) ________ ab und ich räume (9) ________ (10) ________ auf.

2b Hier ist Saskia. Hör gut zu und beantworte die Fragen für sie. (Mach zuerst Notizen.)

1 Wer gibt es in deiner Familie?

2 Wie verstehst du dich mit deinen Eltern und warum?

3 Wie hilfst du zu Hause/auf dem Campingplatz?

2c Du bist dran! Schreib deine eigenen Antworten.

3a Lies die drei Fragen für Julia und Tobias. Hör gut zu und mach Notizen. Schreib dann einen kurzen Bericht für Julia und Tobias.

1 Was machst du in deiner Freizeit?

2 Wann machst du das – und mit wem?

3 Was machst du in deiner Freizeit nicht gern – und warum nicht?

3b Du bist dran! Schreib deine eigenen Antworten für die Fragen auf.

Gut gesagt! ö, ü, ä

1 S Hör gut zu und wiederhole.

2 S Hör gut zu und sing mit!

Ich komme aus Österreich
Ich hab' eine Flöte
Und eine kleine Schildkröte!
Ich wohne in Köln
Und ich mag alte Schlösser!
Ich wohne im Süden
Ich mag Bücher und Süßes!
Ich komme aus München
Ich bin ziemlich schüchtern
Und ich esse gern Nüsse!
Ich bin ein Mädchen
Ich wohne in Rumänien
Und ich habe ein Häschen!
Ich komme aus Rätzdorf
Und ich habe ein Kätzchen!

4 Ferienziele

- talk about your holiday preferences
- describe what your holidays are normally like
- use relative pronouns

1 Finde die passenden Bilder für die Aussagen.

1 Ich will faulenzen.
2 Ich will aktiv sein.
3 Ich mache gern Urlaub in den Bergen.
4 Gutes Wetter ist sehr wichtig.
5 Ich bin gern am See.
6 Ich liege gern am Strand.
7 Ich interessiere mich für Sehenswürdigkeiten.
8 Im Sommer will ich nicht in einer Großstadt sein.

a

b

c

d

e

f

g

h

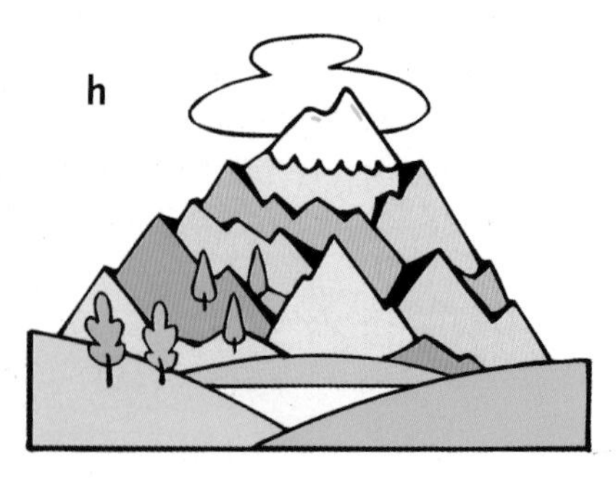

2a Katja und Ümmihan fahren zusammen in Urlaub. Sie sprechen über ihre Prioritäten. Hör gut zu und wähle die passenden Sätze von Übung 1.

Beispiel: *Katja: 2, …*

2b Finde ein passendes Ferienziel für Katja und Ümmihan.

3a Lies die Texte und füll den Fragebogen für Joscha und Kai aus.

Fragebogen – Die Ferien

1. Wohin fährst du auf Urlaub?
2. Mit wem?
3. Wie lange bleibst du?
4. Was machst du?
5. Wie soll dein ideales Ferienziel sein?

Ich fahre mit meiner Familie nach Norddeutschland. Wir besuchen meine Großmutter, die in einem kleinen Dorf an der Küste wohnt. Wir bleiben normalerweise drei oder vier Wochen. Ich mache nicht viel, es ist sehr langweilig dort, aber ich sehe meine Familie. Ich möchte gern eine große Stadt wie New York besuchen, die viele Sehenswürdigkeiten hat. Ich besuche auch gern Länder, die gutes Wetter haben.

Joscha

Ich fahre normalerweise mit meiner Familie nach Spanien. Wir wohnen zwei Wochen in einem kleinen Haus, das in der Nähe vom Meer ist. In den Ferien mache ich viel mit meinem Freund Alexander, der in dem nächsten Haus wohnt. Wir schwimmen und surfen. Meine idealen Ferien? Ich suche einen Ferienort, der gutes Wetter und viele Sportmöglichkeiten hat.

Kai

3b A stellt die Fragen vom Fragebogen, B antwortet. A füllt den Fragebogen für B aus.

Beispiel:

A Wohin fährst du in den Ferien?
B Ich fahre nach Cornwall.

3c Beschreib *deine* Ferien wie Joscha und Kai. Benutze die Fragen vom Fragebogen.

Wiederholung *mit* **+ Dativ**

mit mein**em** Vater
mit mein**er** Mutter
mit mein**en** Eltern

215

Grammatik im Fokus — Relativpronomen

Relative pronouns agree with the gender of the noun they refer to and send the verb to the end of the clause. Note that you need to add a comma before the relative pronoun.

m. Lindau ist ein Ferienort, **der** am See liegt.
f. Ich besuche meine Oma, **die** im Süden wohnt.
n. Mein Vater hat ein Haus, **das** am Strand ist.
pl. Ich besuche gern Länder, **die** gutes Wetter haben.

1 See how many examples of relative pronouns you can find in Übung 3a.

2 Add the correct relative pronoun.

1. Ich besuche meine Großeltern, __ auf dem Land wohnen.
2. Ich mag die Küste, __. sehr schön ist.
3. Ich wohne in einem Dorf, __ am See liegt.
4. Ich fahre mit meinem Freund, __ Markus heißt.

218

Unterkunft

- ask about the availability of accommodation
- reserve a hotel room
- make a campsite booking
- ask about facilities
- write a formal letter

See also *Noch mal!* page 185.

1 Was passt zusammen? Finde die passenden Wörter für die Bilder.

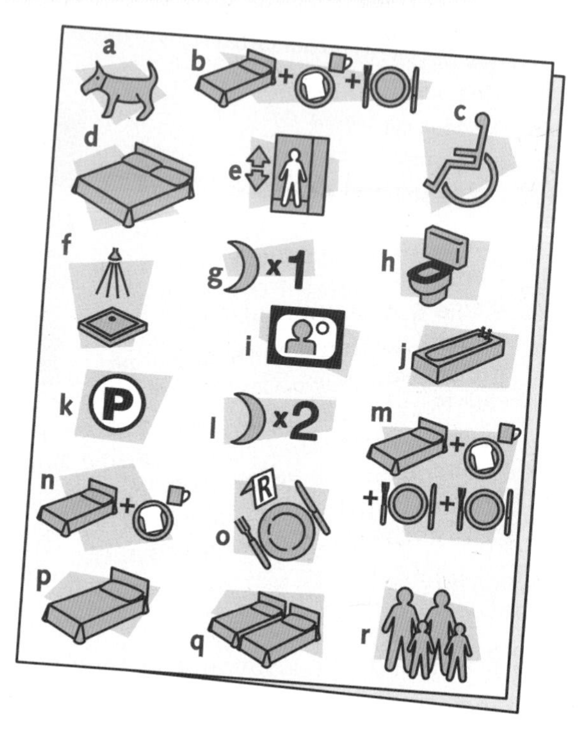

2a Karina ruft im Hotel an. Hör gut zu und lies mit.

Hilfe-Dialog

Inhaber: Guten Tag, kann ich Ihnen helfen?
Karina: Guten Tag. Haben Sie zwei Zimmer frei?
Inhaber: Für wie viele Personen?
Karina: Vier Personen – zwei Erwachsene und zwei Kinder.
Inhaber: Für wie viele Nächte?
Karina: Für drei Nächte, vom 19. bis 22. Oktober.
Inhaber: Ich habe ein Doppelzimmer und ein Zweibettzimmer im ersten Stock.
Karina: Ich möchte Zimmer mit Dusche.
Inhaber: Alle Zimmer sind mit Dusche und Bad. Und mit Fernseher und Balkon.
Karina: Was kostet ein Zimmer pro Nacht?
Inhaber: Wollen Sie Vollpension oder Halbpension?
Karina: Nur Zimmer mit Frühstück, bitte.
Inhaber: Fünfzig Euro.
Karina: Gut. Haben Sie einen Aufzug im Hotel?
Inhaber: Ja.
Karina: Prima. Ich nehme die Zimmer. Mein Name ist B-U-C-H-M-A-N-N.
Inhaber: Danke. Auf Wiederhören.

2b Finde die passenden Bilder in Übung 1 für die Wörter in Rot.

2c Übt den Dialog.

2d Macht weitere Dialoge mit den Bildern in Übung 1.

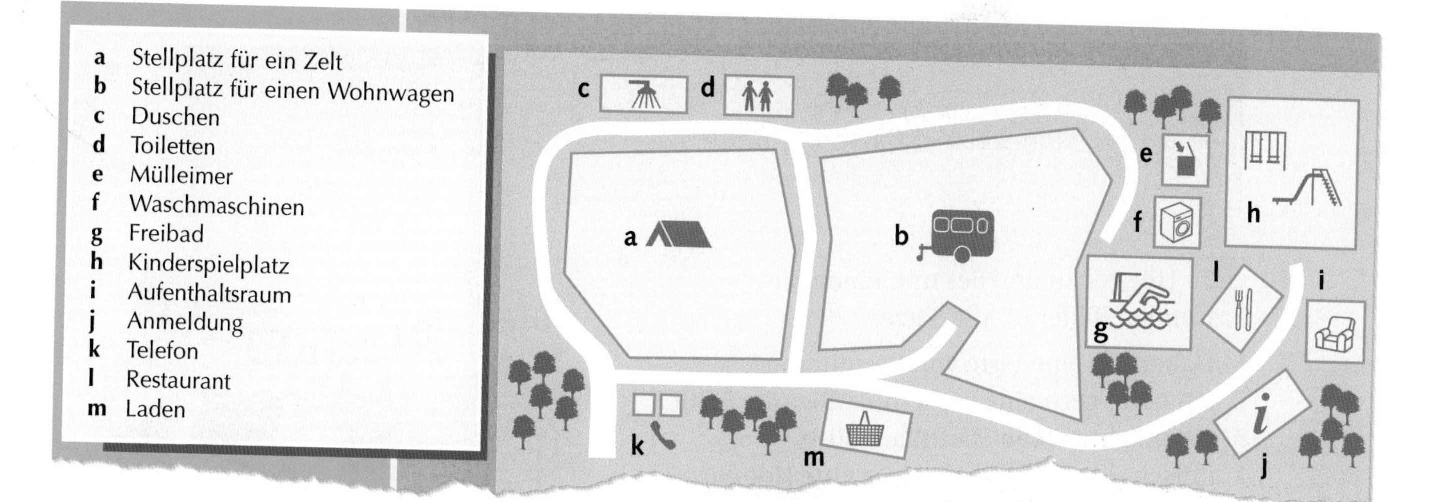

3 Wohin soll man gehen? Hör gut zu und finde die passenden Bilder auf der Campingplatzbroschüre.

Beispiel: *1 – f*

4 Kai möchte Campingurlaub machen und schreibt einen Reservierungsbrief. Lies seinen Brief und füll die Lücken aus.

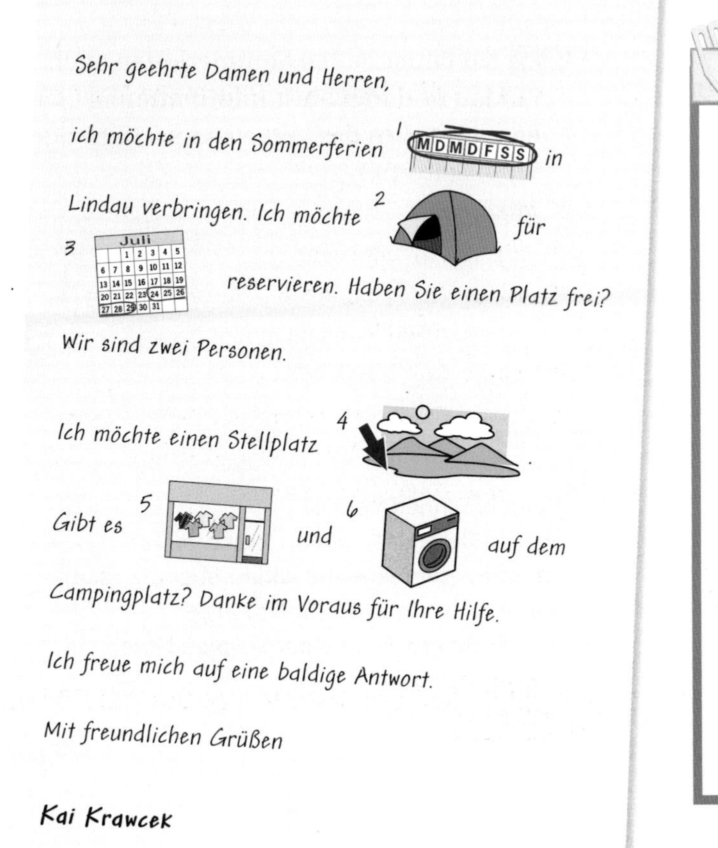

Würzburg, den 11. Juni

Sehr geehrte Damen und Herren,

ich möchte in den Sommerferien ¹ in Lindau verbringen. Ich möchte ² für ³ reservieren. Haben Sie einen Platz frei? Wir sind zwei Personen.

Ich möchte einen Stellplatz ⁴

Gibt es ⁵ und ⁶ auf dem Campingplatz? Danke im Voraus für Ihre Hilfe.

Ich freue mich auf eine baldige Antwort.

Mit freundlichen Grüßen

Kai Krawcek

5a Hör gut zu und füll die Tabelle aus.

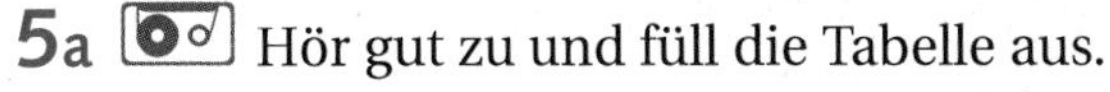

	Zelt/Wohnwagen	Personen?	Nächte?	Sonstiges
1	Zelt	3 – 2xE, 1xK	7	Restaurant

5b Schreib Briefe an den Campingplatz für die Personen in Übung 5a. Benutze deine Notizen.

Extra! Schreib einen Reservierungsbrief für deine nächsten Ferien oder deinen Traumurlaub.

Tipp

Writing a formal letter

- **Begin your letter with:** ***Sehr geehrte Damen und Herren.***
- **If you know the person's name you can use it, e.g.** ***Sehr geehrte Frau Schmidt.***
- **End your letter with:** ***Mit freundlichen Grüßen*** **and then your name.**
- **The following phrases may come in useful for writing formal letters:**
  Vielen Dank im Voraus **– Many thanks in advance.**
  Vielen Dank für Ihre Hilfe **– Thank you for your help.**
  Ich freue mich auf eine baldige Antwort **– I look forward to hearing from you soon.**
- **Don't forget – this is a formal letter. You should address the person you are writing to as** ***Sie: Haben Sie … ?, Können Sie … ?***

Im Verkehrsamt

- request brochures and leaflets
- ask for information at the tourist office

1a Hör gut zu und lies mit. Finde die passenden Bilder für die Sätze.

1 Haben Sie eine Liste von Restaurants?
2 Ich hätte gern eine Broschüre über die Stadt.
3 Ich möchte einen Stadtplan, bitte.
4 Entschuldigen Sie, haben Sie eine Hotelliste?

1b Hör gut zu und finde die passenden Bilder für jede Person.

2 **B** ist Beamter/Beamtin, **A** ist Tourist/in. Macht Dialoge mit den Bildern.

Beispiel:
B *Guten Tag. Kann ich Ihnen helfen?*
A *Ja, ich hätte gern …*
B *Hier, bitte schön.*
A *Danke, was kostet das?*
B *Das kostet … Sonst noch etwas?*
A *Ja, haben Sie …?*
B *Gern – hier, bitte.*

Extra! Du fährst in den Sommerferien nach Lindau und möchtest Informationen. Schreib einen Brief an das Verkehrsamt. (Sieh auch *Tipp*, Seite 49.)

Beispiel:

Hamburg, den 2. April

Sehr geehrte Damen und Herren,
ich besuche in den Sommerferien Lindau und …

Wiederholung *Sie*

Remember to use *Sie* in a formal situation:
Kann ich Ihnen helfen?
Haben Sie eine Liste von Restaurants?
Entschuldigen Sie, haben Sie eine Hotelliste?

Hilfe

Kann ich Ihnen helfen?
Haben Sie eine Liste von Restaurants?
Ich hätte gern eine Broschüre über die Stadt.
Ich möchte einen Stadtplan, bitte.
Entschuldigen Sie, haben Sie eine Hotelliste?
Was kostet das?
Das ist kostenlos.

3a Katja ist im Verkehrsamt in Lindau. Hör gut zu und finde die richtige Reihenfolge für die Bilder.

Was kann man in Lindau machen?

- **a** Wasserski fahren
- **b** der Hafen besichtigen
- **c** Windsurfen
- **d** eine Schifffahrt machen
- **e** in die Kneipe gehen
- **f** ein Konzert besuchen
- **g** Tennis spielen
- **h** ins Kino gehen
- **i** in die Disco gehen
- **j** ins Freibad gehen
- **k** das Schloss besichtigen
- **l** das Rathaus besichtigen
- **m** den Wasserfall sehen

3b Hör noch einmal zu. Was passt zusammen?

Beispiel: *1 – c*

1. Ich möchte Auskunft über die Stadt.
2. Welche Sehenswürdigkeiten gibt es?
3. Ich möchte eine Schifffahrt machen. Wie oft fahren die Schiffe?
4. Welche Sportmöglichkeiten gibt es?
5. Wann ist das Freibad geöffnet?
6. Welche Ausflüge kann man machen?
7. Was kann man abends machen?

- **a** Alle 30 Minuten.
- **b** Im Sommer jeden Tag von 10 bis 19 Uhr.
- **c** Hier ist eine Broschüre.
- **d** Schaffhausen ist einen Besuch wert.
- **e** Wir haben ein Kino, Discos, klassische Konzerte und viele Kneipen.
- **f** Sie sollten den Hafen und das Rathaus besichtigen.
- **g** Es gibt eine Wasserskischule, ein Freibad und einen Tennisplatz.

3c Schreib den ganzen Dialog auf und übe mit einem Partner/einer Partnerin.

4a Macht eine Umfrage über eure Stadt.

- Was kann man hier machen?
- Was für Sportmöglichkeiten/ Sehenswürdigkeiten gibt es?
- Welche Ausflüge kann man machen?
- Wie oft?
- Wann ist … geöffnet?

4b Macht dann ein Poster über eure Stadt. Findet Fotos und beschreibt, was man dort machen kann.

Beispiel: *In Brighton kann man Wasserski fahren. Man kann auch schwimmen.*

Wiederholung Wortstellung in Fragen

You can ask questions in two ways:

- by putting the verb of the sentence first: **Haben** Sie eine Broschüre?
- by using a question word at the beginning of the sentence: **Wann** ist das Freibad geöffnet?

When you use a question word, the verb must be the second piece of information.

226

Unterwegs

- ask where facilities are in a station
- find out information about train departures
- buy tickets

1a Schau den Plan vom Bahnhof an und finde die passenden Schilder für die Bilder.

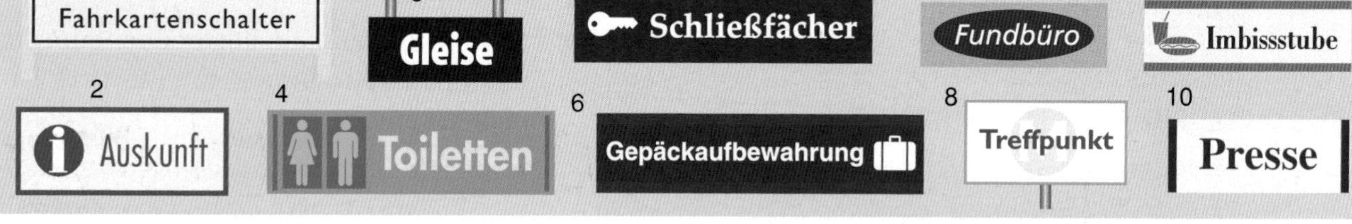

1b Ist alles richtig? Hör gut zu.

1c „Wo ist …?" **A** wählt ein Bild und fragt, **B** antwortet. Dann ist **B** dran.

Beispiel:

A *Entschuldigung! Wo ist der Fahrkartenschalter?*
B *Geradeaus.*
A *Danke.*

Hilfe

- geradeaus
- hier rechts/links
- in der Ecke
- am Ende
- neben dem/der …
- in der Mitte
- gegenüber von …

2a S Katja und Ümmihan sind am Bahnhof in Lindau. Sie wollen einen Ausflug nach Schaffhausen in der Schweiz machen. Hör gut zu und lies mit.

Hilfe-Dialog

Angestellter:	Guten Tag, kann ich Ihnen helfen?
Katja:	Guten Tag. Wann fährt der nächste Zug nach Schaffhausen?
Angestellter:	Um 10.28 Uhr.
Katja:	Und wann kommt der Zug in Schaffhausen an?
Angestellter:	Um 12.17 Uhr.
Katja:	Fährt der Zug direkt?
Angestellter:	Nein, Sie müssen in Friedrichshafen umsteigen.

2b A ist Beamter/Beamtin, B sucht Informationen. Macht Dialoge mit den Bildern.

3a S Kopiere den Dialog. Hör gut zu und füll die Lücken aus.

Einfach Gleis Ermäßigung
Fahrkarten Hin und zurück Gleis

Hilfe-Dialog

Katja:	Von welchem ..1.. fährt der Zug?
Angestellter:	Von ..2.. drei.
Katja:	Danke. Ich möchte zwei ..3.. , bitte. Zweiter Klasse.
Angestellter:	..4.. oder hin und zurück?
Katja:	..5..
Angestellter:	Haben Sie eine BahnCard?
Katja:	Ja.
Angestellter:	Dann bekommen Sie eine ..6.. von 50%. Also zwei Rückfahrkarten nach Schaffhausen, das macht 31 Euro.
Katja:	Bitte schön.

3b Macht Dialoge mit den Bildern. **B** ist Beamter/Beamtin, **A** kauft Fahrkarten. Dann ist **B** dran.

4a Kopiere die Tabelle. Hör gut zu und füll die Tabelle aus.

	Ziel	Abfahrt	Ankunft	Gleis	Umsteigen	Fahrkarte	Preis
1	Köln	9.06	15.30	4	Ja	einfach, 2. Klasse	87 Euro

4b Macht weitere Dialoge. Benutzt die Informationen von Übung 4a.

5 Wo warst du in den Ferien?

- talk about a past holiday: where you went, with whom, for how long, how you travelled, where you stayed
- describe what the weather was like

See also *Noch mal!* page 186 and *Extra!* page 201.

1 Was hast du in den Ferien gemacht?
Mach das Quiz!

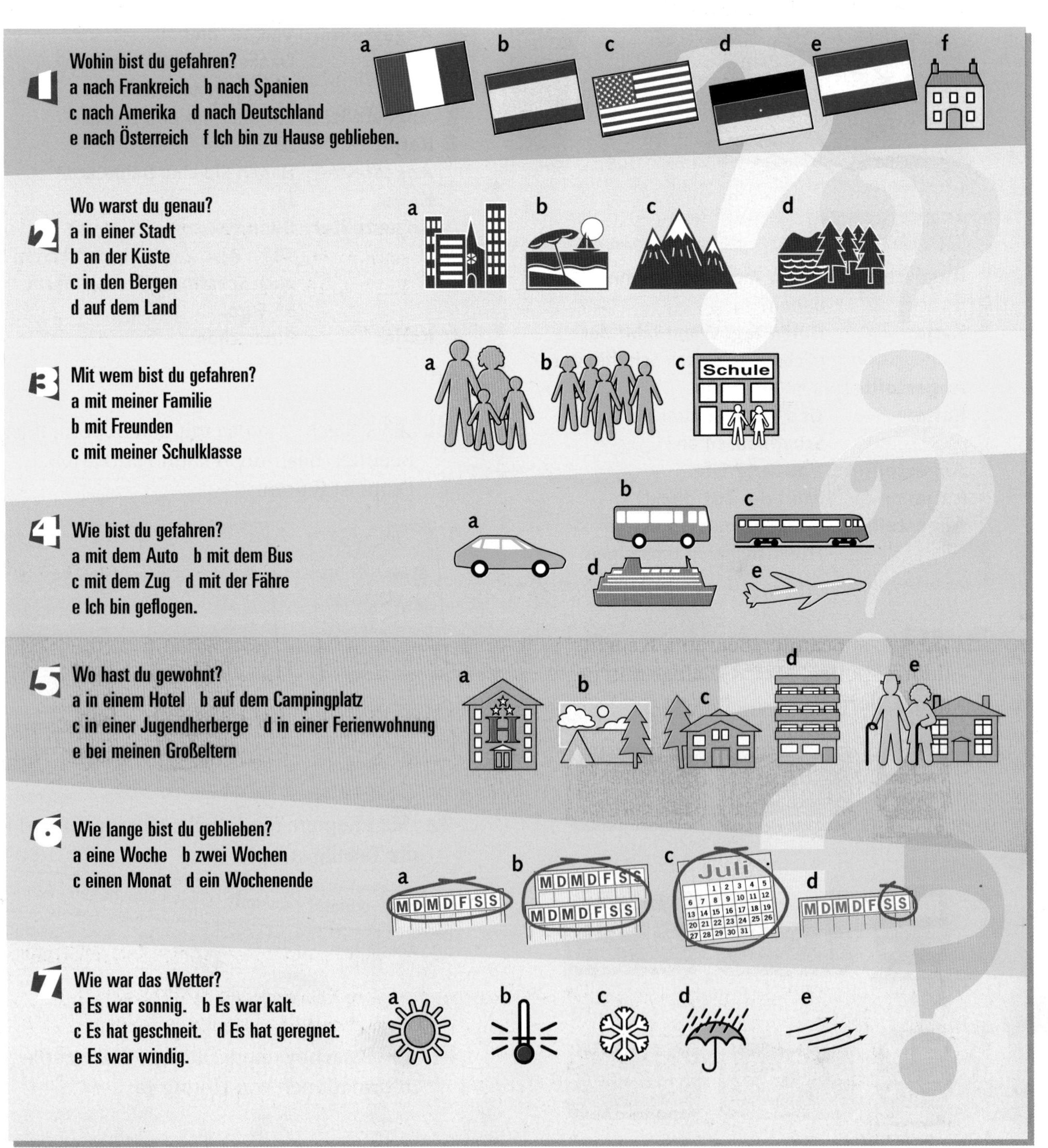

2a Hör gut zu und lies mit. Was haben Katja und Kai in den Ferien gemacht? Finde die passenden Antworten im Quiz.

Beispiel: *Katja: 1a, …*

Letztes Jahr bin ich mit meinen Eltern nach Frankreich gefahren. Wir haben zwei Wochen dort in einer Ferienwohnung an der Küste gewohnt. Wir sind mit dem Auto gefahren, also war die Reise ziemlich lang – zehn Stunden. Aber das Wetter war prima. Es war sehr sonnig und heiß und es hat nur einmal geregnet.
Katja

Normalerweise fahre ich mit meiner Familie nach Spanien, aber dieses Jahr war total spannend – ich bin mit meinem Bruder nach Amerika geflogen. Wir sind eine Woche in New York geblieben. New York ist sehr teuer – also haben wir in der Jugendherberge gewohnt. Der Urlaub war ganz toll – nur das Wetter war nicht so gut. Es hat geregnet und war ziemlich windig.
Kai

2b Was haben Ümmihan und Joscha gemacht? Hör gut zu und finde die passenden Antworten im Quiz.

Beispiel: *Ümmihan: 1d, …*

3 **A** stellt Fragen, **B** antwortet mit den Antworten vom Quiz. Dann ist **B** dran.

- Wohin bist du in den Ferien gefahren?
- Wo warst du genau?
- Mit wem?
- Wie bist du dorthin gefahren?
- Wo hast du gewohnt?
- Wie lange bist du geblieben?
- Wie war das Wetter?

4 Benutze deine Antworten vom Quiz und schreib eine Postkarte über deine Ferien. Die Texte von Katja und Kai helfen dir.

Beispiel:
Ich bin mit meiner Schwester nach Spanien geflogen …

Extra! Stell dir vor, du hast deinen Traumurlaub gemacht. Schreib einen kurzen Bericht darüber.

Beispiel:
Letztes Jahr habe ich meinen Traumurlaub gemacht …

Hilfe

Ich bin nach Frankreich/Spanien gefahren.
Ich war/Wir waren in Marseille/Madrid.

Ich bin mit meinen Eltern/mit Freunden gefahren.

Ich bin/Wir sind mit dem Bus/mit dem Auto gefahren.
Ich bin/Wir sind geflogen.

Ich habe auf einem Campingplatz/in einem Hotel gewohnt.
Ich bin eine Woche/zehn Tage dort geblieben.

Es war heiß/sonnig/kalt/windig/neblig.
Es hat geregnet/geschneit.

Hat dir das gefallen?

- describe what you did on holiday
- give your opinion about your holiday
- use *weil* with the perfect tense

See also *Noch mal!* page 186 and *Extra!* page 201.

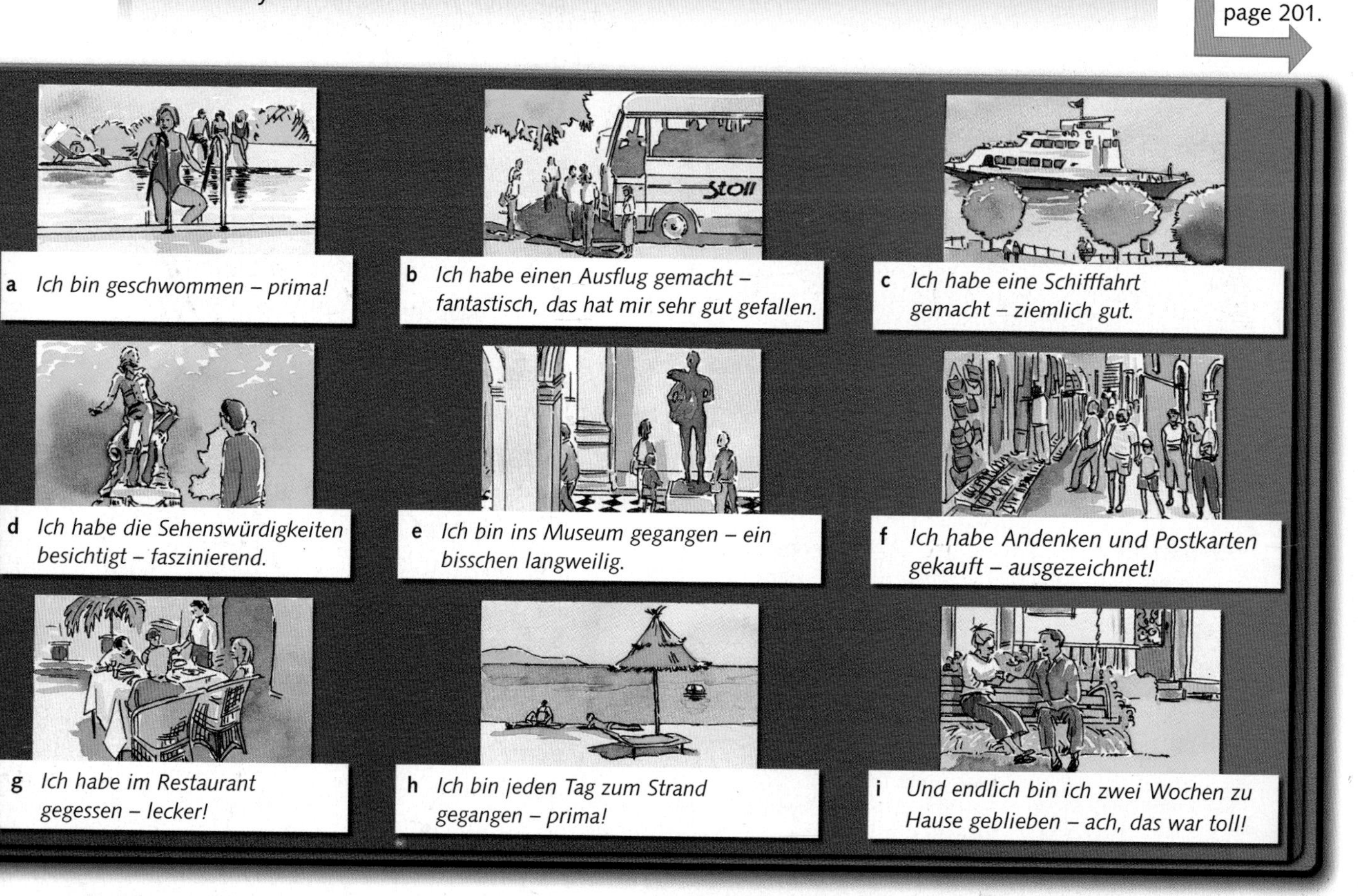

a *Ich bin geschwommen – prima!*

b *Ich habe einen Ausflug gemacht – fantastisch, das hat mir sehr gut gefallen.*

c *Ich habe eine Schifffahrt gemacht – ziemlich gut.*

d *Ich habe die Sehenswürdigkeiten besichtigt – faszinierend.*

e *Ich bin ins Museum gegangen – ein bisschen langweilig.*

f *Ich habe Andenken und Postkarten gekauft – ausgezeichnet!*

g *Ich habe im Restaurant gegessen – lecker!*

h *Ich bin jeden Tag zum Strand gegangen – prima!*

i *Und endlich bin ich zwei Wochen zu Hause geblieben – ach, das war toll!*

1a Ümmihans Ferienfotoalbum: Hör gut zu und lies mit.

1b Und was haben diese Leute in den Ferien gemacht? Hör gut zu und finde die passenden Bilder.

Beispiel: *1 – c*

1c Hör noch einmal zu. Waren die Ferien gut (✓) oder nicht (✗)? Mach Notizen.

Was gemacht?	Positiv oder negativ?	Wie war es?
c	✓	sehr gut

1d „Was hast du in den Ferien gemacht? Hat dir das gefallen?" **A** fragt, **B** antwortet mit den Antworten von Übung 1c. Dann ist **B** dran.

Beispiel:

A *Was hast du in den Ferien gemacht?*
B *Ich habe eine Schifffahrt auf dem Rhein gemacht.*
A *Hat dir das gefallen?*
B *Ja, das hat mir sehr gut gefallen.*

Hilfe

Das war prima/ausgezeichnet/faszinierend/fantastisch/spannend/interessant/ziemlich gut/ein bisschen langweilig/lecker/schade.
Das hat mir (am besten) gefallen.
Das hat mir nicht gefallen.

2a Macht eine Umfrage in eurer Klasse.

Beispiel:

A *Was hast du in den Ferien gemacht?*
B *Ich bin nach Frankreich gefahren.*
A *Was hat dir gefallen? Warum?*
B *Das Museum hat mir gefallen, weil es interessant war.*
A *Was hat dir nicht gefallen? Warum?*
B *Das Wetter hat mir nicht gefallen, weil es geregnet hat.*

Was gemacht?	Gefallen?	Warum?	Nicht gefallen?	Warum?
Nach Frankreich gefahren	Museum	interessant	Wetter	geregnet

2b Du bist dran! Beantworte die Fragen für dich selbst. Schreib Sätze.

Grammatik im Fokus ***weil***

If you use *weil* in the perfect tense, you send the auxiliary verb (*haben* or *sein*) to the end of the sentence:

New York hat mir gut gefallen, weil ich viele interessante Sachen gesehen habe.

1 Join up these sentences using *weil.*

1. Mein Urlaub hat mir nicht gefallen. Es hat jeden Tag geregnet.
2. Frankreich hat mir gut gefallen. Ich bin jeden Tag zum Strand gegangen.
3. Donnerstag war sehr langweilig. Ich bin einkaufen gegangen.
4. Freitag hat mir am besten gefallen. Ich bin ins Museum gegangen.
5. Nizza hat mir gefallen. Ich habe die Sehenswürdigkeiten besichtigt.

225

3a Kopiere Joschas Postkarte und füll die Lücken aus.

besichtigt bin gefahren gefallen war prima Ausflug Stunden Kakao gegessen interessant hat

Saalbach, den 24. Januar

Lieber Kai,

hier bin ich also in Österreich. Ich ..1.. fast jeden Tag Ski gefahren. Es ist wirklich ..2.. . Gestern haben wir einen ..3.. nach Salzburg gemacht und das Geburtshaus von Mozart ..4.. . Das hat mir nicht sehr gut ..5.. , weil es ziemlich langweilig ..6.. , aber mein Lehrer hat es sehr ..7.. gefunden. Danach sind wir ins Café gegangen und ich habe ..8.. getrunken und Erdbeertorte ..9.. . Das war prima! Wir sind mit dem Bus ..10.. und das war ein Problem, weil es sehr viel geschneit ..11.. . Die Reise von Salzburg nach Saalbach hat drei ..12.. gedauert.

Joscha

3b Du bist dran! Schreib eine Postkarte über *deine* Ferien.

Ich möchte mich beschweren!

- complain about holiday accommodation
- write a letter of complaint

1a Hör gut zu und finde die passenden Bilder für die Beschwerden.

Beispiel: *1 – d*

1 Die Dusche funktioniert nicht.
2 Es gibt kein heißes Wasser.
3 Der Aufzug ist außer Betrieb.
4 Der Fernseher ist kaputt.
5 Es gibt keine schöne Aussicht.
6 Das Frühstück hat nicht gut geschmeckt.
7 Die Nachbarn sind sehr laut.
8 Das Zimmer ist nicht sauber.
9 Es gibt kein Handtuch.

1b Ist alles richtig? Macht Dialoge.

Beispiel:
A *Der Aufzug ist außer Betrieb.*
B *Das ist Bild h!*

2a S Ümmihan ist mit ihrem Hotel nicht zufrieden und spricht mit dem Manager. Hör gut zu und lies mit.

Hilfe-Dialog

Herr Scholl: Guten Morgen. Kann ich Ihnen helfen?
Ümmihan: Hoffentlich, ja. Ich möchte mich beschweren.
Herr Scholl: Was ist das Problem?
Ümmihan: Der Fernseher ist kaputt und es gibt kein heißes Wasser.
Herr Scholl: Es tut mir sehr Leid.
Ümmihan: Unser Zimmer ist auch nicht sauber und unsere Nachbarn sind sehr laut – wir können nicht schlafen.
Herr Scholl: Ich regle das sofort.
Ümmihan: Danke.

2b Übt den Dialog.

2c Macht weitere Dialoge mit den Bildern.

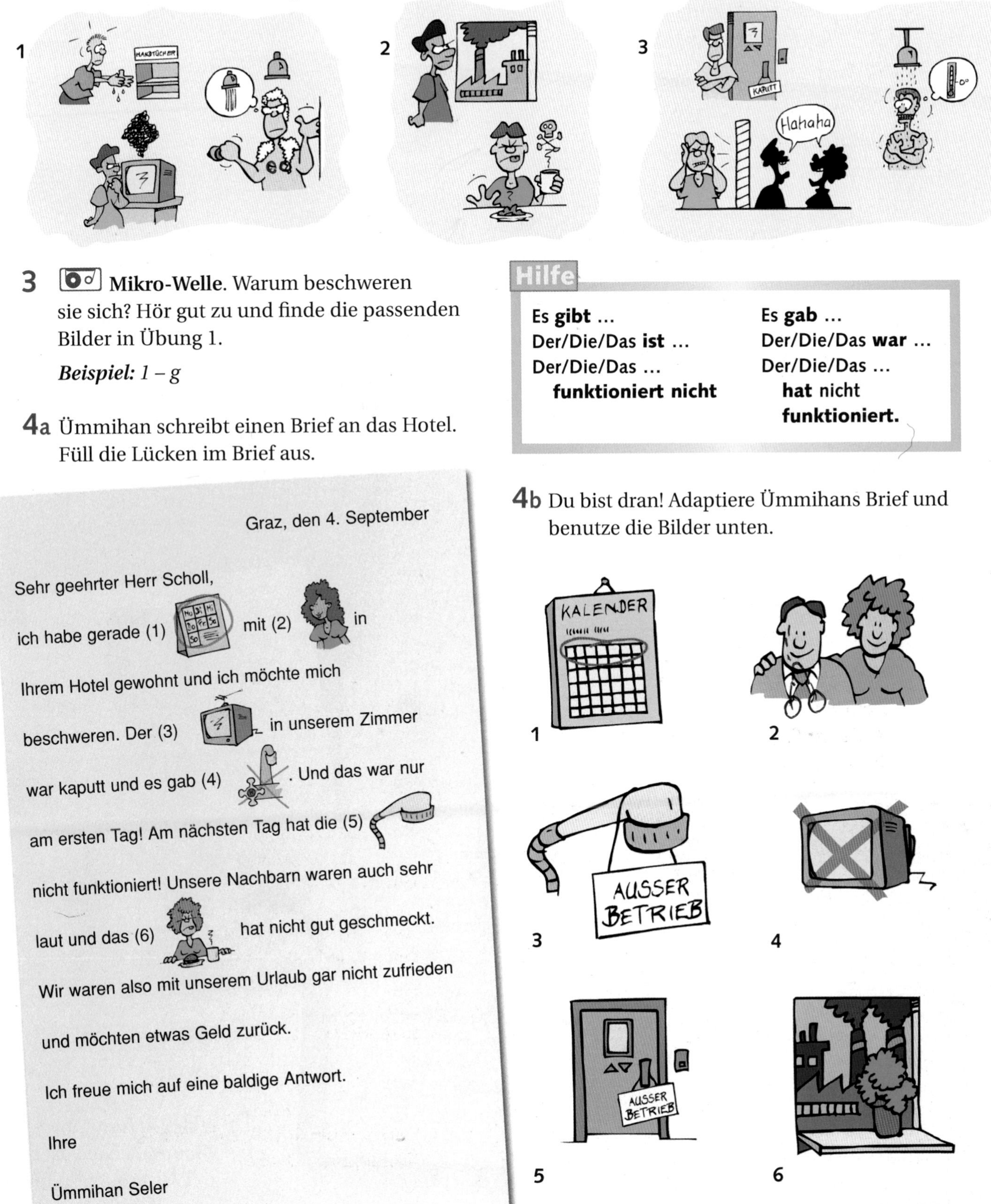

3 **Mikro-Welle.** Warum beschweren sie sich? Hör gut zu und finde die passenden Bilder in Übung 1.

Beispiel: 1 – g

Hilfe

Es **gibt** …	Es **gab** …
Der/Die/Das **ist** …	Der/Die/Das **war** …
Der/Die/Das … **funktioniert nicht**	Der/Die/Das … **hat** nicht **funktioniert.**

4a Ümmihan schreibt einen Brief an das Hotel. Füll die Lücken im Brief aus.

Graz, den 4. September

Sehr geehrter Herr Scholl,

ich habe gerade (1) mit (2) in Ihrem Hotel gewohnt und ich möchte mich beschweren. Der (3) in unserem Zimmer war kaputt und es gab (4) . Und das war nur am ersten Tag! Am nächsten Tag hat die (5) nicht funktioniert! Unsere Nachbarn waren auch sehr laut und das (6) hat nicht gut geschmeckt.

Wir waren also mit unserem Urlaub gar nicht zufrieden und möchten etwas Geld zurück.

Ich freue mich auf eine baldige Antwort.

Ihre

Ümmihan Seler

4b Du bist dran! Adaptiere Ümmihans Brief und benutze die Bilder unten.

1 2 3 4 5 6

Kursarbeit: Mein Urlaub im Rheinland

- read and understand an account of a past holiday
- write about a trip to a German-speaking country
- focus on improving your coursework

See also *Noch mal!* page 186 and *Extra!* page 201.

Mein Urlaub im Rheinland

Letztes Jahr in den Sommerferien bin ich mit meiner Familie nach Deutschland gefahren. Wir haben zwei Wochen in einem Hotel in Boppard im Rheinland gewohnt.

Wir sind am 21. Juli abgefahren und wir sind mit dem Auto von Graz nach Boppard gefahren. Die Reise war ziemlich lang und langweilig. Sie hat acht Stunden gedauert!

Es gab eine große Terrasse im Hotel und eine schöne Aussicht auf den Rhein.

Am ersten Tag haben wir eine Schifffahrt auf dem Rhein gemacht und auch die Marksburg besichtigt. Das ist ein altes Schloss und es war sehr interessant. Mein Bruder hat die Folterkammer toll gefunden, aber mir hat sie nicht so gut gefallen! Wir haben auch einen Ausflug nach Köln gemacht und den Dom und das Römermuseum besucht. Das Römermuseum hat mir nicht gefallen, weil es sehr langweilig und auch sehr voll war. Aber Köln hat viele gute Geschäfte und ich bin dort einkaufen gegangen. Ich habe Andenken für meine Freunde und eine CD für mich gekauft. Das war toll!

Der beste Ausflug war aber der Besuch im Phantasialand. Das ist ein großer Vergnügungpark in der Nähe von Köln. Ich bin dort Achterbahn gefahren – es war wirklich spannend, aber meiner Schwester war ein bisschen schlecht! Am Abend sind wir dann ins Restaurant gegangen und haben typische deutsche Spezialitäten gegessen – Rinderbraten und Rotkohl. Das war lecker!

Mein Urlaub in Deutschland hat mir sehr gut gefallen und ich möchte wieder dorthin fahren. Die Deutschen waren alle sehr freundlich und die Landschaft ist sehr schön. Der Ausflug ins Phantasialand hat mir am besten gefallen, weil es viel Spaß gemacht hat.

1a Hör gut zu und lies mit.

1b Du hast fünf Minuten, neue Vokabeln im Wörterbuch zu finden.

2 Welche Fragen und Antworten passen zusammen?

1 Wann bist du abgefahren?
2 Wie bist du gefahren?
3 Wie lange hat die Reise gedauert?
4 Wo hast du gewohnt?
5 Wie lange bist du geblieben?
6 Was hast du besichtigt?
7 Was hast du gekauft?
8 Was hast du gegessen und getrunken?
9 Was hat dir am besten gefallen?
10 Wie hast du Deutschland gefunden?

a Ein altes Schloss.
b In einem Hotel.
c Andenken.
d Am 21. Juli.
e Der Vergnügungspark.
f Sehr schön.
g Mit dem Auto.
h Zwei Wochen.
i 8 Stunden.
j Typische deutsche Spezialitäten.

3 Mach eine Liste von allen positiven oder negativen Ausdrücken.

Beispiel:

Positiv	Negativ
schöne Aussicht	voll

Tipp

Improving the quality of your coursework

In order to score a good mark in your coursework, you need to ensure it is the correct length for the grade you are trying to achieve and that it uses various tenses and other language structures. Adding detail to the main points you are describing is a good way of achieving this.

1 Look at questions 1–10 in Übung 2 and write a one-sentence answer for each of them.

Example: *4 Wir haben in einem Hotel gewohnt.*

2 Then add three or four details to each of your sentences to expand your text. Use the list you made from Ümmihan's account to help you.

Example:
Wir haben in einem großen Hotel in der Stadtmitte gewohnt. Es gab ein Schwimmbad und die Aussicht auf die Stadt war sehr schön.

3 Try to use a variety of tenses in your writing to show your understanding of them.

Example:
*Wir **haben** in einem großen Hotel in der Stadtmitte **gewohnt**. Es **gab** ein Schwimmbad und die Aussicht auf die Stadt **war** sehr schön.*

4 Try also to use structures such as *weil* to show you know how to use more complex language. Add an opinion about each of your main points and try to use *weil* at least three times.

Example:
*Das Hotel **hat mir gefallen, weil** es sehr schön war.*

5 Make sure that all your sentences and paragraphs flow together well, using time phrases and link words where possible.

Grammatik im Fokus

Das Perfekt

- get to grips with the perfect tense

How do I talk about something in the past?

- **Put the verb in the perfect tense.**
- **Use time expressions to say when it was: *heute Morgen* (this morning), *gestern* (yesterday), *letzte Woche/letztes Jahr* (last week/year).**

221

1 Add a time expression to the start of the following sentences. Remember – the verb needs to be second so you will need to change some of the word order.

Example:
Ich bin nach Deutschland gefahren.

*In den Sommerferien **bin ich** nach Deutschland gefahren.*

gestern letztes Wochenende am Freitag
letztes Jahr letzte Woche am Montag

1 Ich habe das Museum besucht.
2 Ich bin ins Kino gegangen.
3 Ich habe im Restaurant gegessen.
4 Ich bin mit dem Zug gefahren.
5 Ich bin in die Stadt gefahren.
6 Ich habe Tennis gespielt.

How do I put a verb into the perfect tense?

- **You need two parts – the correct part of *haben* or *sein* and the past participle.**

You form the past participle like this:

machen → gemacht
gemachent

The whole verb therefore looks like this:

	correct part of haben	past participle
ich	habe	gemacht

Remember: some common verbs have irregular past participles and need to be learnt by heart: trinken = *getrunken*, *essen* = *gegessen*, *gehen* = *gegangen*, *fahren* = *gefahren*, *lesen* = *gelesen*, *sehen* = *gesehen*.
For a full list see page 227.

Verbs which begin with *be-*, *emp-*, *ver-* or which end in *-ieren* do not add *ge-* at the beginning: *ich habe telefoniert*, *ich habe bezahlt*, *wir haben uns beschwert*.

221

2 Rewrite the sentences with the correct form of the past participle.

Example:
1 Ich habe ein Buch in der Stadt gekauft.

1 Ich habe ein Buch in der Stadt (kaufen).
2 Ich habe meine Großmutter (besuchen).
3 Ich habe eine große Pizza (essen).
4 Ich habe in der Disco (tanzen).
5 Wir haben einen interessanten Film (sehen).
6 Ich habe einen Stadtbummel (machen).

When do I use *sein* and not *haben*?

- Most verbs use *haben*.
- You need to learn by heart the verbs which take *sein*. One clue is that many of them are to do with movement, e.g. *gehen, fahren, schwimmen, kommen, aufstehen, bleiben*.

222

Wiederholung *haben* und *sein*

ich habe	ich bin
du hast	du bist
er/sie/es/man hat	er/sie/es/man ist
wir haben	wir sind
ihr habt	ihr seid
sie haben	sie sind
Sie haben	Sie sind

220

3 Copy out and complete these sentences with the correct form of *haben* or *sein*.

Markus: Was (1) ________ du gestern Abend gemacht?
Bernd: Ich (2) ________ mit meiner Schwester ins Kino gegangen. Wir (3) ________ einen tollen Film gesehen.
Markus: Und was (4) ________ ihr nach dem Film gemacht?
Bernd: Wir (5) ________ ins Eiscafé gegangen und (6) ________ dort etwas getrunken. Es war toll. Und du?
Markus: Ich (7) ________ zu Hause geblieben und (8) ________ meine Hausaufgaben gemacht.

6 Ich bin krank

- make an appointment at the doctor's
- describe your illness
- ask for remedies
- use *seit* with the present tense

1 S Joscha muss einen Termin beim Arzt ausmachen. Hör zu und lies mit.

Hilfe-Dialog

Empfangsdame:	Guten Morgen. Hier Praxis Doktor Schlegel.
Joscha:	Guten Morgen. Hier Joscha Walser. Ich möchte bitte einen Termin ausmachen.
Empfangsdame:	Gut. Wann wollen Sie kommen?
Joscha:	So bald wie möglich.
Empfangsdame:	Alles klar. Wie wäre es heute um 16.15 Uhr?
Joscha:	Prima. Vielen Dank. Auf Wiederhören.
Empfangsdame:	Auf Wiederhören.

2 Wann haben diese Personen Termine beim Arzt? Hör gut zu und mach Notizen.

1	übermorgen, 10 Uhr

Hilfe

Ich möchte einen Termin mit ... ausmachen.
dem Arzt/dem Zahnarzt/dem Augenarzt
Es ist dringend/nicht dringend.
so bald wie möglich
morgen/übermorgen/nächste Woche/heute

3a Finde die richtige Reihenfolge für den Dialog.

3b Macht weitere Dialoge. **A** ist am Empfang, **B** telefoniert. Dann ist **B** dran.

1 Frau Jahn möchte den Zahnarzt sehen, dringend.
2 Herr Schwarz möchte den Arzt sehen, morgen.
3 Frau Samson möchte den Arzt sehen, nächste Woche, nachmittags.
4 Herr Pfeil möchte den Arzt sehen, nach 14 Uhr, Mittwoch oder Donnerstag.

4a Hör gut zu und finde die passenden Bilder.

A Was ist mit diesen Personen los?
B Seit wann sind sie krank?
C Was sollen sie tun?

	A Was?	B Seit wann?	C Was tun?
1	c	h	m, o

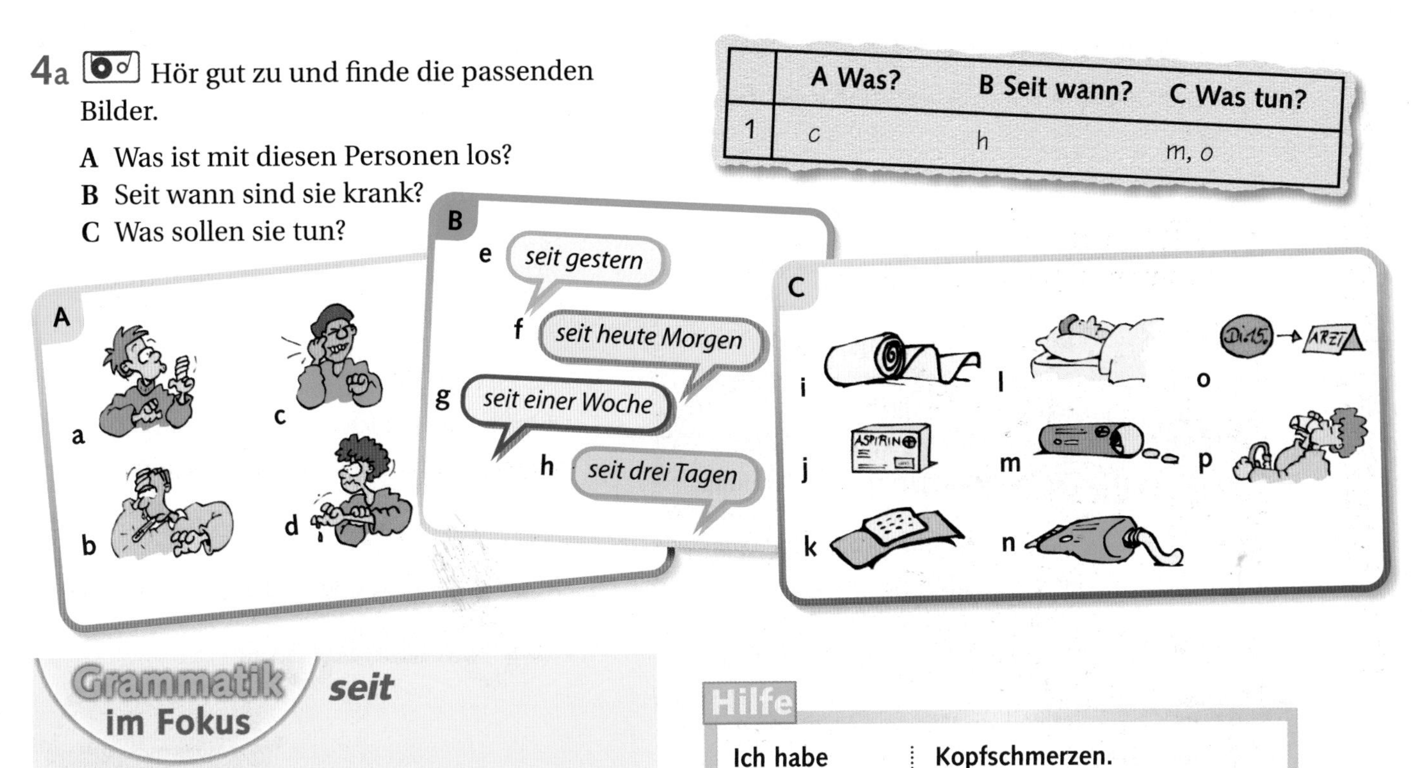

Grammatik im Fokus *seit*

Seit is used to mean 'for' or 'since' and to show how long something has been going on for. It is followed by the **present tense** in German:

Ich *habe* **seit** heute Morgen Kopfschmerzen.
I *have had* a headache **since** this morning.

1 Write five other sentences using *seit*.

Example:
Ich habe seit gestern Fieber.
Ich habe seit drei Tagen Zahnschmerzen.

221

Hilfe

Ich habe Kopfschmerzen. / Ohrenschmerzen. / Bauchschmerzen. / Halsschmerzen. / eine Grippe. / Fieber/Schnupfen.

Mein Finger/Kopf/Fuß/Bein tut mir weh.
Ich habe mir den Arm/das Bein gebrochen. / in den Finger geschnitten.

Hier ist ein Verband/eine Salbe/ein Pflaster.
Hier sind Tropfen/Tabletten.
Ich verschreibe Ihnen …
Nehmen Sie Aspirin.
Bleiben Sie im Bett.
Trinken Sie viel Wasser.
Kommen Sie in zwei Tagen wieder.

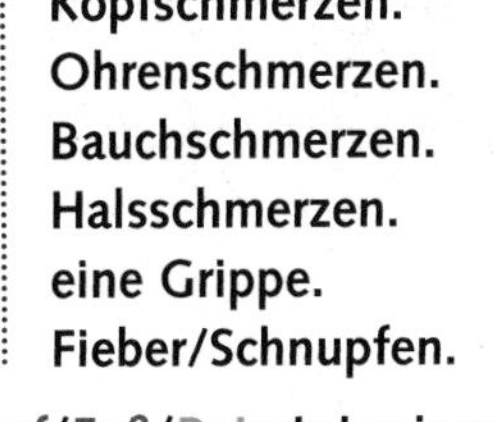

4b Macht Dialoge mit den Bildern. **A** ist krank, **B** is der Arzt/die Ärztin. Dann is **B** dran.

Beispiel:
A *Guten Morgen! Ich habe Augenschmerzen.*
B *Seit wann?*
A *Seit vier Tagen.*
B *Hier sind Tabletten für Sie.*
A *Vielen Dank.*

1 4T

Probleme unterwegs

- telephone for help during a car breakdown

1 S Hör gut zu und lies mit.

Hilfe-Dialog

Christa:	Wie lange fahren wir noch?
Vati:	In einer Stunde ungefähr sind wir zu Hause. Ach nein, was ist denn mit dem Auto los? ...
Christa:	Haben wir eine Reifenpanne?
Vati:	Nein, die Reifen sind in Ordnung. Ich rufe den ADAC an ... Guten Tag. Wir haben eine Panne. Wir sind auf der Autobahn A7, Richtung Würzburg, kurz vor der Ausfahrt nach Rothenburg. Unser Auto ist ein roter Audi.
ADAC:	Alles klar. Wir sind in zwanzig Minuten da. ...
Später ...	
Mechaniker	Die Scheinwerfer und die Scheibenwischer funktionieren nicht. Ich glaube, es ist ein Problem mit der Leitung. Ich kann es wahrscheinlich reparieren.

The ADAC is the main German breakdown service. Motorways in Germany are designated with the letter A for *Autobahn* and then a number. Main roads have the letter B for *Bundesstraße* and then a number.

2 Finde die passenden Bilder für die Sätze.

1 Der Auspuff ist kaputt.
2 Die Windschutzscheibe ist zerbrochen.
3 Wir haben eine Reifenpanne.
4 Die Scheibenwischer funktionieren nicht.
5 Die Bremsen funktionieren nicht.
6 Die Scheinwerfer funktionieren nicht.
7 Wir haben eine Panne.

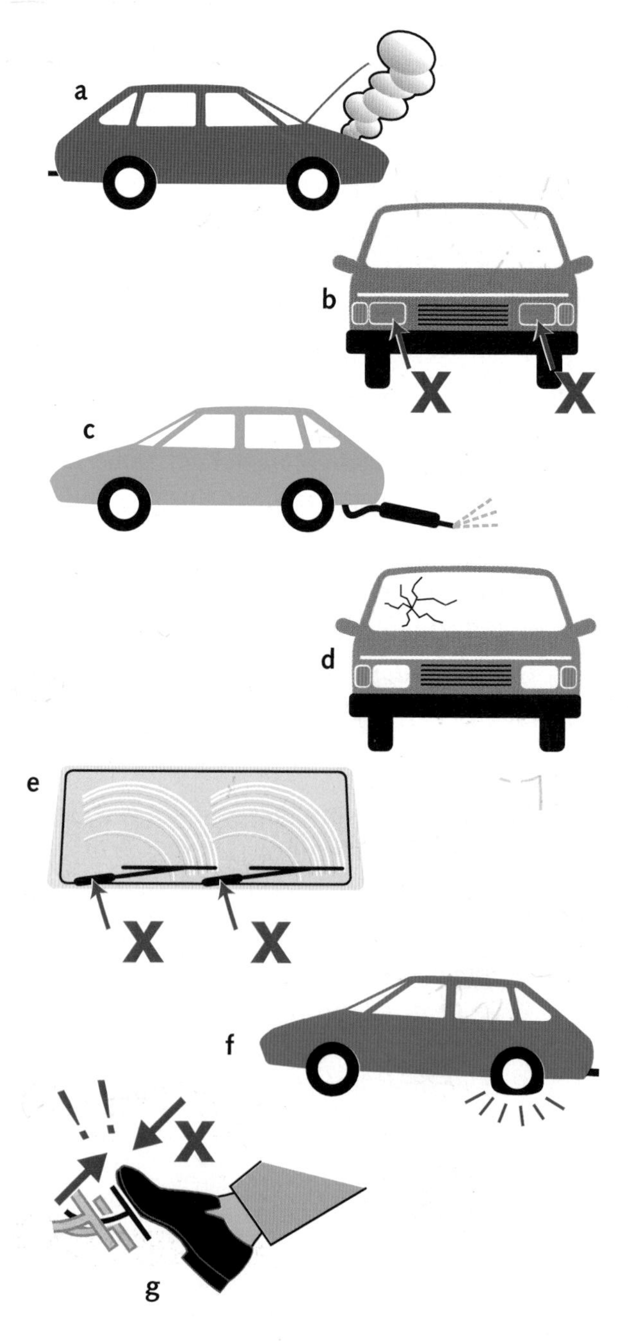

3a Hör gut zu und finde die passenden Bilder.

A Welche Probleme haben diese Autofahrer?
B Wo sind sie?
C Was für Autos haben sie?

	A Problem?	B Wo?	C Auto
1	e	g	m
2			
3			
4			

3b Macht Dialoge mit den Bildern. **B** arbeitet beim ADAC, **A** ruft an. Dann ist **A** dran.

Beispiel:
B *Was ist das Problem?*
A *Ich habe eine Panne. Der Auspuff ist kaputt.*
B *Wo sind Sie?*
A *Auf der A8.*
B *Können Sie Ihr Auto beschreiben?*
A *Ich habe einen blauen VW Polo.*
B *Wir sind in 20 Minuten da.*

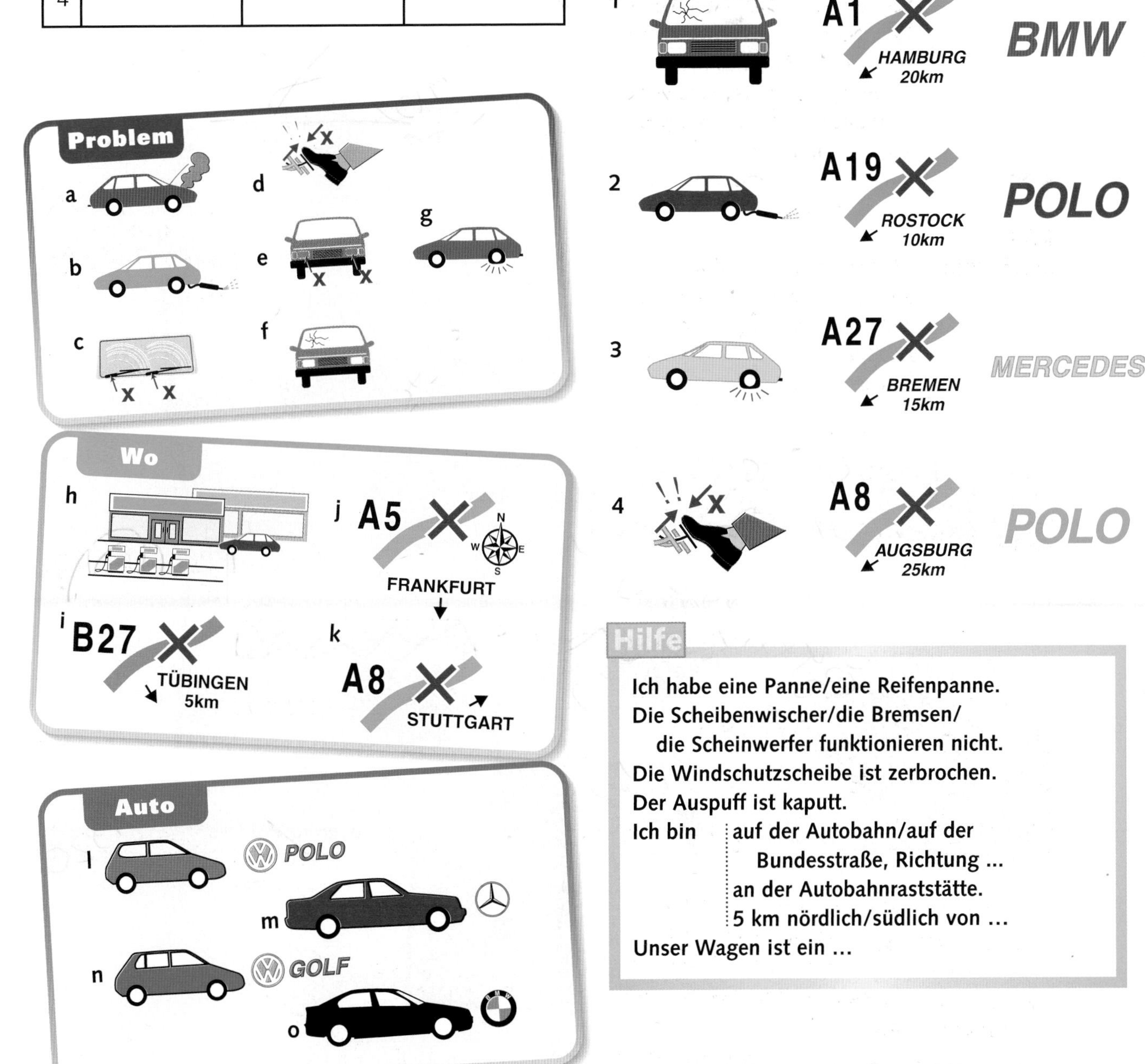

Hilfe

Ich habe eine Panne/eine Reifenpanne.
Die Scheibenwischer/die Bremsen/ die Scheinwerfer funktionieren nicht.
Die Windschutzscheibe ist zerbrochen.
Der Auspuff ist kaputt.
Ich bin auf der Autobahn/auf der Bundesstraße, Richtung ...
an der Autobahnraststätte.
5 km nördlich/südlich von ...
Unser Wagen ist ein ...

Ein Unfall

- describe a traffic accident
- learn to cope with unknown language

1a Hör gut zu und lies mit.

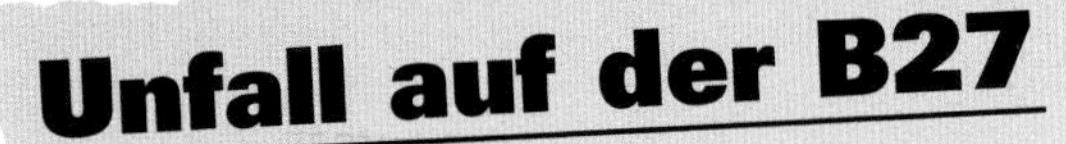

Unfall auf der B27

Bei einem Unfall auf der B27 wurden gestern Abend drei Personen verletzt.
Frau Elke Marschollek, 67, aus Tübingen war auf dem Weg nach Hause als ihr Auto auf einer Ölspur ins Schleudern geraten ist. Die Bremsen haben nicht funktioniert und Frau Marscholleks Auto ist gegen das Auto von Familie Schlink gestoßen. Ein weiterer Autofahrer hat den Notdienst angerufen und man hat die Verletzten mit dem Krankenwagen in die Klinik in Tübingen transportiert. Frau Marschollek liegt auf der Intensivstation. Herr und Frau Schlink waren nur leicht verletzt und sind heute nach Hause gegangen. Herr Schlink hat sich die Hand gebrochen, Frau Schlink hat sich am Kopf verletzt. Ihre beiden Kinder sind unverletzt.

1b Finde die richtige Reihenfolge für die Bilder.

1c Richtig (**R**), falsch (**F**) oder nicht im Text (**N**)?

1 Der Unfall war auf der Autobahn.
2 Frau Marschollek wohnt in Tübingen.
3 Es gab Öl auf der Straße.
4 Frau Marschollek hat einen alten Mercedes.
5 Herr Schlink hat einen Krankenwagen angerufen.
6 Frau Marschollek ist jetzt wieder zu Hause.
7 Die Kinder der Familie Schlink waren leicht verletzt.
8 Die Familie Schlink möchte jetzt ein neues Auto kaufen.

2 A hat einen Autounfall gesehen. **B** ist Journalist/in und interviewt **A**. Dann ist **B** dran.

- Was ist passiert?
- Wann war das?
- Was haben Sie gemacht?
- Wer war verletzt?

1

2

Extra! Schreib dann einen Zeitungsartikel über einen Autounfall. Benutze die Ideen von den Dialogen.

Hilfe

Das Auto	**ist gegen ein anderes Auto/ einen Baum gestoßen.**
	ist auf einer Ölspur ins Schleudern geraten.
	hat eine Reifenpanne gehabt.
Er/Sie hat	**den Notdienst angerufen.**
	sich das Bein gebrochen.
	sich am Kopf verletzt.

Tipp

Coping with unknown language

How can you work out what unknown words mean?

- **Think about the context – as this is about a car accident, what kind of vocabulary do you expect to meet? What do the rest of the words in the sentence mean?**

1 Look at these sentences – what do you think the underlined words could mean?

a Ihr Auto <u>ist</u> auf einer Ölspur <u>ins Schleudern geraten.</u>
b Das Auto <u>ist</u> gegen ein anderes Auto <u>gestoßen</u>.
c Er hat den <u>Notdienst</u> angerufen.

- **Look for cognates – words which look like English words.**

2 What do you think the following words mean?

transportieren Intensivstation Klinik

- **Many German words are made up of shorter words – if you know what part of the word means it can help you to work out the rest.**

3 What do you think the following words mean?

Krankenwagen unverletzt Autofahrer

- **Finally, don't forget to use other clues such as pictures, headings and titles to help you work out what the text is about.**

Im Fundbüro

- report a theft or loss
- describe a lost item

See also *Noch mal!* page 187.

1a S Hör gut zu und lies mit.

1

Nadja: Also, los!
Ümmihan: Ja. Zahlen, bitte ... oh nein! Meine Tasche ist weg! Jemand hat meine Tasche gestohlen.

2

Später ...
Ümmihan: Guten Tag. Ich möchte einen Diebstahl melden.
Polizist: Wann war das?
Ümmihan: Heute Nachmittag gegen 16 Uhr.
Polizist: Und wo?
Ümmihan: Im Café Meyer.
Polizist: Können Sie die Tasche beschreiben?
Ümmihan: Sie ist schwarz, alt und aus Leder.
Polizist: Und was war in der Tasche?
Ümmihan: Mein Geldbeutel, meine Schlüssel, mein Adressbuch, mein Regenschirm, meine Sonnenbrille und eine CD. Mein Name steht in der Tasche.
Polizist: Haben Sie den Dieb gesehen?
Ümmihan: Nein.
Polizist: Füllen Sie bitte dieses Formular aus.
Nadja: Oh nein, Ümmihan ... ich habe meine Plastiktüte verloren. Mein neues Kleid und meine Ohrringe waren darin!

3

Nadja: Guten Tag. Ich habe eine Plastiktüte verloren ... ich glaube, ich habe sie hier vergessen.
Kellner: Ja, wir haben die Tasche hier.
Nadja: Vielen Dank.
Ümmihan: Du hast aber Glück gehabt, Nadja!
Nadja: Ich weiß. Schade, dass wir deinen Dieb nicht gefunden haben.

1b Richtig (**R**), falsch (**F**) oder nicht im Text (**N**)?

1. Nadja und Ümmihan gehen oft ins Café Meyer.
2. Ümmihan hat ihre Tasche verloren.
3. Sie hat die Tasche am Vormittag verloren.
4. Die Tasche war aus Leder.
5. Die Tasche war ziemlich neu.
6. In Ümmihans Geldbeutel waren 40 Euro.
7. Ümmihan hat den Dieb beschrieben.
8. Nadja hat eine neue Hose gekauft.
9. Nadja hat ihre Plastiktüte im Café Meyer vergessen.
10. Nadja hat die Plastiktüte zurückbekommen.

2a Finde die passenden Wörter in der Hilfe-Box für die Bilder.

Beispiel: a – 3

Hilfe

Ich möchte einen Diebstahl/einen Verlust melden.

Ich habe ... verloren.
liegen lassen.

Jemand hat ... gestohlen.

1. einen Führerschein
2. einen Geldbeutel aus Plastik
3. einen Koffer aus Leder
4. einen Pass
5. einen Regenschirm
6. einen Schlüssel
7. eine Aktentasche
8. eine Brieftasche
9. eine Brille der Marke Armani
10. eine Jacke aus Wolle
11. eine Kreditkarte
12. eine Sonnenbrille aus Plastik
13. eine Tasche aus Leder
14. eine Uhr aus Gold
15. ein T-Shirt aus Baumwolle
16. **Ohrringe aus Silber**

2b Ist das alles richtig? Macht Dialoge.

Beispiel:

A *Ich habe eine Jacke aus Wolle verloren.*
B *Bild c.*
A *Ja, richtig!*

3 Diese Personen sind auf der Polizeiwache oder im Fundbüro. Was haben sie verloren? Hör zu und füll die Tabelle aus.

	Was?	Wann?	Wo	Beschreibung
1	Uhr	heute Morgen – 10 Uhr	im Café	ziemlich neu, aus Gold

4 Macht Dialoge mit den Informationen in der Tabelle (Übung 3).

Beispiel:

A *Guten Tag. Kann ich Ihnen helfen?*
B *Ja, ich möchte einen Verlust melden. Ich habe ... verloren.*
A *Wann? Wo? Können Sie ... beschreiben?*
B *Er/Sie/Es ist ...*

5 Lies den Brief und füll die Lücken aus.

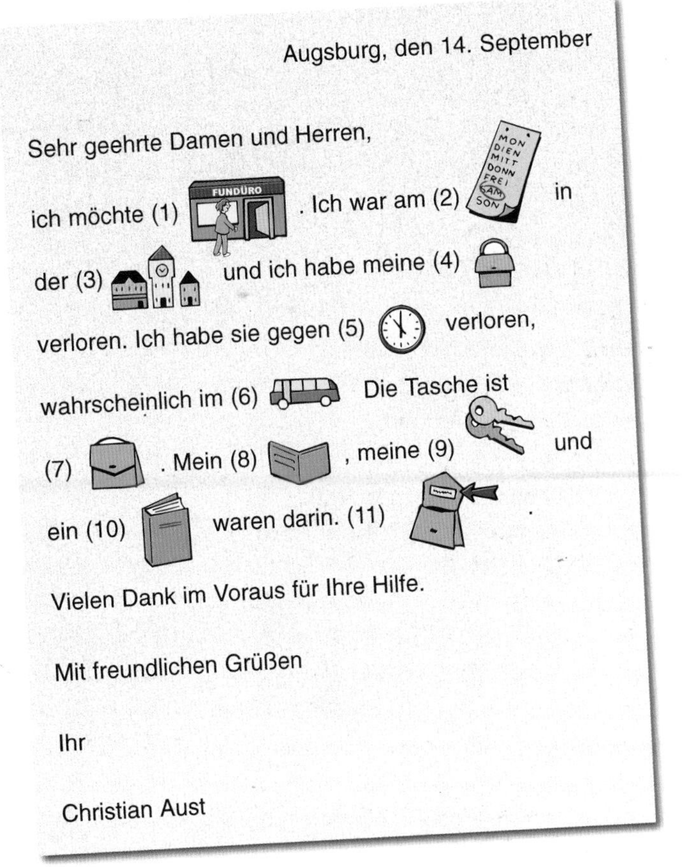

Augsburg, den 14. September

Sehr geehrte Damen und Herren,

ich möchte (1) . Ich war am (2) in der (3) und ich habe meine (4) verloren. Ich habe sie gegen (5) verloren, wahrscheinlich im (6) Die Tasche ist (7) . Mein (8) , meine (9) und ein (10) waren darin. (11)

Vielen Dank im Voraus für Ihre Hilfe.

Mit freundlichen Grüßen

Ihr

Christian Aust

Extra! Schreib dann deinen eigenen Brief an das Fundbüro. Brauchst du Hilfe? Benutze die Ideen von Übung 3.

Auf der Bank ... auf der Post

- ask for things in the post office
- make transactions at the bank

See also *Noch mal!* page 187.

1 Schau die Wörter im Wörterbuch nach und ordne sie zu *Post* oder *Bank* zu.

2 Hör zu und finde die passenden Bilder.

Beispiel: *1 – b*

a

b

c

d

e

3 Macht Dialoge. **B** arbeitet auf der Post, **A** ist Kunde/Kundin. Dann ist **B** dran.

Besipiel:

B *Guten Tag.*
A *Ich möchte zwei Briefmarken zu 56 Cent.*
B *Sonst noch etwas?*
A *Nein danke.*
B *Das macht 1,12 Euro.*

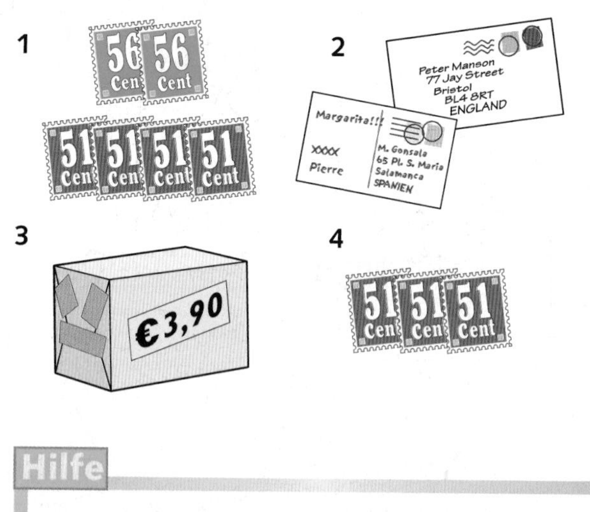

Hilfe

Ich möchte	diesen Brief/diese Postkarte/ dieses Paket nach ... schicken.
	6 Briefmarken zu 56 Cent.
	3 Briefmarken für Postkarten.

4 Hör gut zu und lies mit.

5 Macht Dialoge mit den Bildern. **A** ist Kunde/Kundin, **B** arbeitet auf der Bank.

Beispiel:
B *Guten Tag. Kann ich Ihnen helfen?*
A *Ja, ich möchte 100 australische Dollar in Euro umtauschen.*
B *Haben Sie Ihren Pass?*
A *Ja, hier.*
B *Das macht 58 Euro. Bitte unterschreiben Sie hier.*
A *Danke. Auf Wiedersehen.*

1

2

3

4
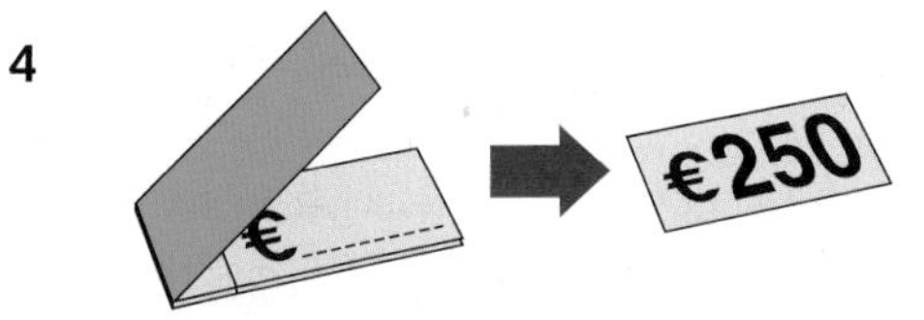

6 **Mikro-Welle.** Was möchten diese Leute? Was kostet das?/Wie viel Geld wechseln sie? Mach Notizen.

Beispiel: *1 Paket nach Frankreich schicken, fünf Euro.*

Lesepause

Stefans Tagebuch

Montag: Michi und ich waren heute um 9 Uhr am Bahnhof hier in Hamburg. Unsere Reise durch Deutschland hat begonnen! Wir haben eine Deutschlandkarte gekauft und können zwei Wochen lang mit dem Zug durch Deutschland fahren. Toll! Heute sind wir mit dem Zug nach Köln gefahren. Die Reise hat vier Stunden gedauert, aber der Zug war nicht so voll. Wir haben die Jugendherberge gefunden und haben dann zu Abend gegessen.

Mittwoch: Köln hat uns gut gefallen. Wir haben den Dom besichtigt und sind ins Römermuseum gegangen. Das war ein bisschen langweilig. Das Schokoladenmuseum war viel besser! Wir haben gesehen, wie man Schokolade macht. Natürlich haben wir auch etwas Schokolade gegessen! Aber in Köln gibt es viele tolle Geschäfte! Ich habe eine CD gekauft und Michi hat Geschenke für seine Familie gekauft.

Samstag: Ich bin jetzt in München. Wir sind am Donnerstag hierher gefahren. Michis Tante wohnt in München und wir haben sie besucht. Wir haben auch die Sehenswürdigkeiten besichtigt. Das Deutsche Museum hat mir am besten gefallen. Das ist ein Museum für Technik und es gibt dort viele interessante Sachen wie alte Autos. Am Abend sind wir ins Haus der 111 Biere gegangen. Dort gibt es wirklich 111 Biersorten! Aber natürlich haben wir Cola getrunken! München hat mir sehr gut gefallen. Die Stadt ist in der Nähe der Alpen und das finde ich ganz toll.

Donnerstag: Am Sonntag sind wir nach Berlin gefahren. Berlin ist eine riesige Stadt! Berlin ist die neue Hauptstadt von Deutschland. Das war sehr interessant. In Berlin gibt es sehr viel zu tun. Die Stadt hat mir gut gefallen, weil ich mich für Geschichte interessiere. Wir haben die Reste der Berliner Mauer gesehen und sind ins Haus am Checkpoint Charlie gegangen. Das ist ein Museum über die Berliner Mauer. Unglaublich! Aber leider gab es ein Problem. Michi hat seinen Geldbeutel verloren. Glücklicherweise waren nur 10 Euro darin.

Freitag: Jetzt fahren wir wieder nach Hause. Wir sind sehr müde und haben kein Geld mehr, aber unsere Reise war fantastisch. Ich habe viele neue Städte in Deutschland gesehen und es hat viel Spaß gemacht. Ja, meine Deutschlandreise war unvergesslich.

1 Ordne die Bilder den Städten zu.

1 Köln
2 München
3 Berlin

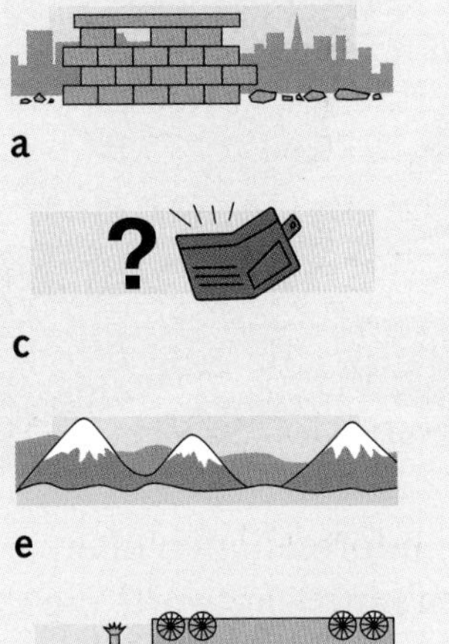

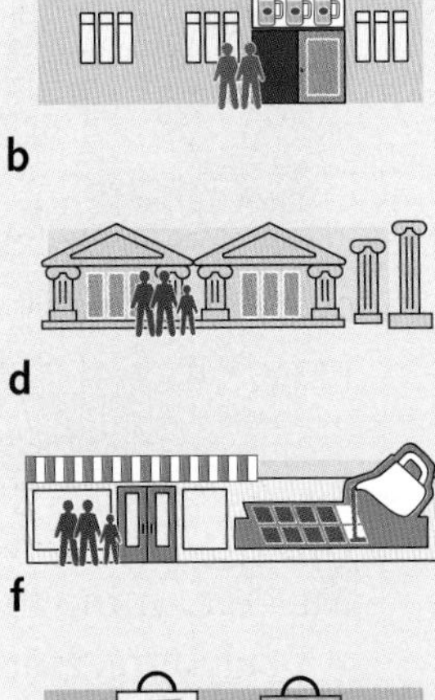

a b c d e f

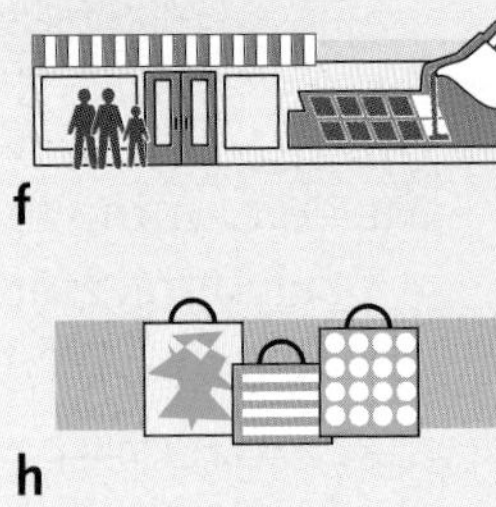

g h

i

2 Richtig (**R**), falsch (**F**) oder nicht im Text (**N**)?

1 Die Bahnkarte galt für ganz Deutschland.
2 Das Römermuseum hat Stefan gefallen.
3 Stefan hat nichts in Köln gekauft.
4 Stefan und Michi haben in München ein Museum für Technik besucht.
5 München ist in der Nähe der Berge.
6 Berlin ist die Hauptstadt von Deutschland.
7 Michi hat das Haus am Checkpoint Charlie langweilig gefunden.
8 Michi und Stefan haben in Berlin in einer Jugendherberge geschlafen.
9 Die Jungen sind am Freitag nach Hause gefahren.
10 Stefan möchte Berlin wieder besuchen.

3a Hör gut zu und lies das Lied mit.

3b Finde diese Vokabeln auf Deutsch im Text.

1 My holiday destination is Spain.
2 I like lying on the beach.
3 Tomorrow morning.

Ferien

Spanien ist mein Ferienziel.
Ich liege gern am Strand.
Das Flugzeug kostet mir zu viel.
Ich fahre über's Land.
Die Sonne scheint, die See ist schön,
Alle Leute werden braun.
Spanien ist mein Ferienziel.
Ich liege gern am Strand.

Freitag fahre ich nach Rom,
Italiens schönster Stadt.
Unser Zimmer ist enorm
Mit Balkon, Dusche, Bad.
Museen, Kirchen, sie sind fein,
Teure Läden – gehen wir rein!
Freitag fahre ich nach Rom,
Italiens schönster Stadt.

Österreich ist, wo ich bin,
Morgen früh um acht.
Ich fahre mit dem Zug dorthin.
Ich reise durch die Nacht.
In den Bergen wandere ich gern,
Nette Leute kennen lernen.
Österreich ist, wo ich bin,
Morgen früh um acht.

3c Was kann man in Spanien, Italien und Österreich machen? Mach Notizen auf Englisch.

3d Welches im Lied genannte Ferienziel würdest du wählen? Warum?

Beispiel: *Ich möchte nach Österreich fahren, weil ich gern in den Bergen wandere.*

3e Schreib noch eine Strophe.

1 Hör gut zu und lies die Sätze. Sind sie richtig (**R**) oder falsch (**F**)? Korrigiere die falschen Sätze.

1 Anna möchte einen Stellplatz für ein Zelt.
2 Sie möchte eine Woche auf dem Campingplatz verbringen.
3 Sie ist allein auf dem Campingplatz.
4 Es gibt auf dem Campingplatz keine Waschmaschinen.
5 Der Laden ist neben den Duschen.
6 Jan gibt Anna eine Broschüre und einen Stadtplan.

2 Heute Morgen gibt es viele Probleme für Jan! Finde die passenden Bilder für die Sprechblasen.

Jan arbeitet auf dem Campingplatz. Anna aus Zürich kommt in der Rezeption an.

3a Anna möchte Informationen über Salzburg. Hör gut zu und beantworte die Fragen.

1 Welche Sehenswürdigkeiten gibt es in Salzburg?
2 Welche Ausflüge kann man machen?
3 Wann fährt der nächste Bus in die Stadt?

3b Was möchte Anna noch wissen? Hör den Rest des Dialogs an und beantworte die Fragen.

4 Welche Sportmöglichkeiten gibt es?
5 Wann ist denn das Freibad geöffnet?
6 Was gibt es abends zu tun?

3c Macht Dialoge. **A** arbeitet in der Rezeption, **B** möchte Informationen über Hannover. **B** stellt die Fragen von Übungen 3a und 3b und **A** antwortet mit den Informationen unten.

4a Anna schreibt eine E-Mail an ihre Freundin. Lies die Nachricht und schau die Bilder an. Was hat Anna gemacht? Finde die passenden Bilder.

Beispiel: *d, ...*

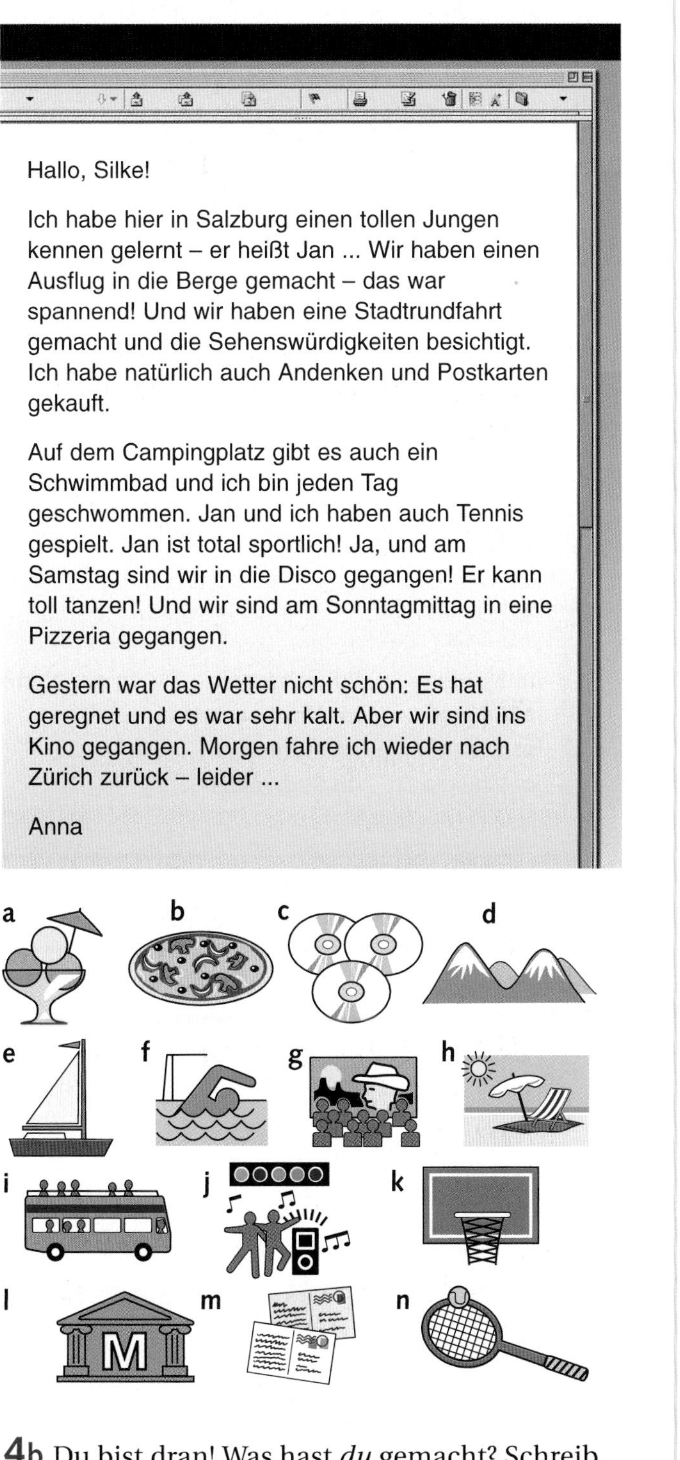

Hallo, Silke!

Ich habe hier in Salzburg einen tollen Jungen kennen gelernt – er heißt Jan ... Wir haben einen Ausflug in die Berge gemacht – das war spannend! Und wir haben eine Stadtrundfahrt gemacht und die Sehenswürdigkeiten besichtigt. Ich habe natürlich auch Andenken und Postkarten gekauft.

Auf dem Campingplatz gibt es auch ein Schwimmbad und ich bin jeden Tag geschwommen. Jan und ich haben auch Tennis gespielt. Jan ist total sportlich! Ja, und am Samstag sind wir in die Disco gegangen! Er kann toll tanzen! Und wir sind am Sonntagmittag in eine Pizzeria gegangen.

Gestern war das Wetter nicht schön: Es hat geregnet und es war sehr kalt. Aber wir sind ins Kino gegangen. Morgen fahre ich wieder nach Zürich zurück – leider ...

Anna

4b Du bist dran! Was hast *du* gemacht? Schreib eine E-Mail so wie Anna mit den anderen Bildern von Übung 4a.

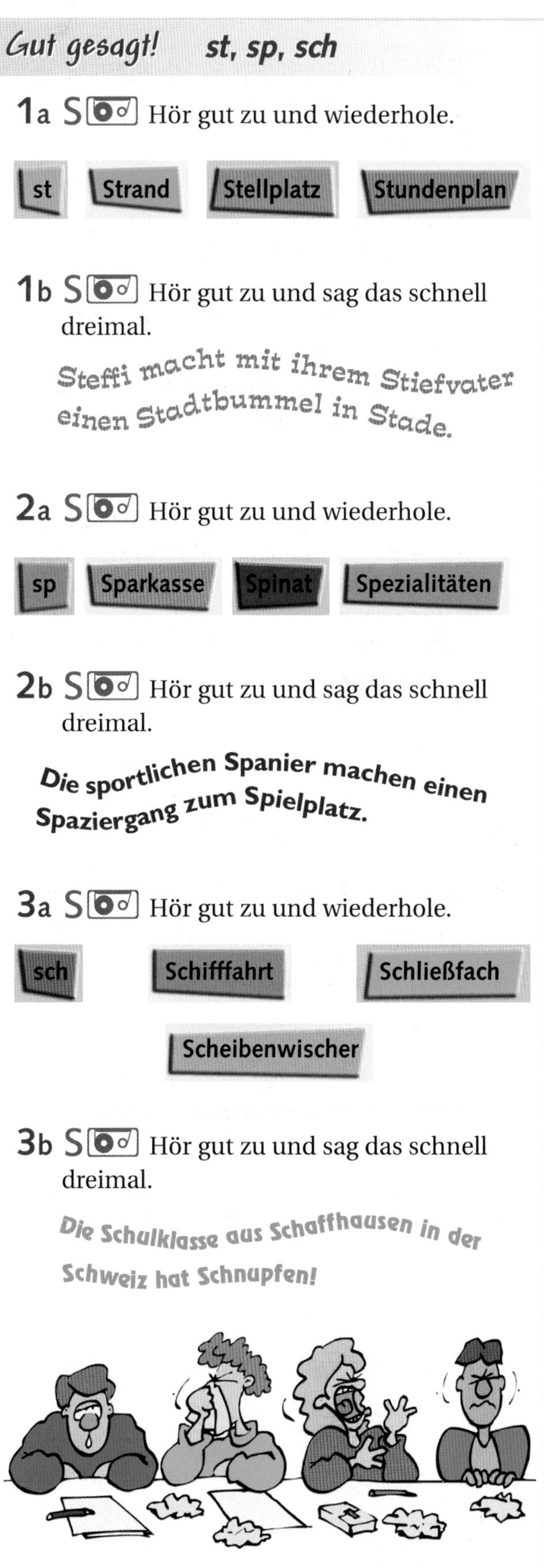

Gut gesagt! st, sp, sch

1a S Hör gut zu und wiederhole.

st | Strand | Stellplatz | Stundenplan

1b S Hör gut zu und sag das schnell dreimal.

Steffi macht mit ihrem Stiefvater einen Stadtbummel in Stade.

2a S Hör gut zu und wiederhole.

sp | Sparkasse | Spinat | Spezialitäten

2b S Hör gut zu und sag das schnell dreimal.

Die sportlichen Spanier machen einen Spaziergang zum Spielplatz.

3a S Hör gut zu und wiederhole.

sch | Schifffahrt | Schließfach | Scheibenwischer

3b S Hör gut zu und sag das schnell dreimal.

Die Schulklasse aus Schaffhausen in der Schweiz hat Schnupfen!

7 Wo ich wohne

In der Gegend

- talk about your town or area
- give opinions

See also *Noch mal!* page 188 and *Extra!* page 203.

Ümmihan
Ich wohne in Graz, in Österreich. Das liegt im Südosten, nicht weit von Ungarn und Slowenien, und es gibt etwa 250 000 Einwohner. Es ist eine wichtige Industriestadt, aber auch eine historische Stadt, und es gibt drei Universitäten. Graz liegt in den Bergen an einem Fluss und es gibt viele Parks.

Katja
Ich wohne in einem kleinen Dorf nicht weit von Rostock in Nordostdeutschland. Rostock liegt an der Küste, an der Ostsee. Es ist eine alte Hafenstadt und eine Universitätsstadt. Die Gegend hat viel Wäld und sehr schöne Strände – und im Sommer viele Touristen!

Ungarn – Hungary
Slowenien – Slovenia
Einwohner – inhabitants

1a Hör zu und lies mit.

1b Hör noch einmal zu. Wo liegt das? (Schreib N, NO, SW usw.) Schau die Zeichenerklärung (unten) an und finde die passenden Bilder.

Beispiel: *Ümmihan – SO, a, …*

Hilfe

im Norden	im Nordosten	in der Mitte
im Süden	im Nordwesten	
im Osten	im Südosten	
im Westen	im Südwesten	

***die See (an der See)** – sea
****der See (an dem/einem See)** – lake

Zeichenerklärung

a	*eine Stadt/Großstadt*
b	*eine Kleinstadt*
c	*eine Marktstadt*
d	*eine Hafenstadt*
e	*eine Universitätsstadt*
f	*ein Dorf*
g	*eine historische Stadt/Gegend*
h	*eine Industriestadt/ ein Industriegebiet*
i	*eine landwirtschaftliche Gegend*
j	*in den Bergen*
k	*an der Küste/See**
l	*an einem Strom/Fluss*
m	*an einem See***
n	*neben der Autobahn*

2a Hör die Interviews mit Kai und Joscha. Kai wohnt in Würzburg und Joscha in Zürich. Wo liegen diese Städte (N, S, O, W usw.)? Finde die passenden Bilder in Übung 1.

Beispiel: *Kai: S, g, …*

Extra! Hör noch einmal zu und mach Notizen. Schau die Bilder und die Hilfe-Box an.

Beispiel: *Kai: wohnt in Würzburg – im Süden – eine (ziemlich) große Stadt – …*

2b Macht Interviews. **A** ist Ümmihan, Katja, Kai oder Joscha. **B** stellt Fragen. Schaut die Bilder und die Hilfe-Box an. Dann ist **B** dran.

- Wie heißt du?
- Wo wohnst du?
- Wo liegt das genau?
- Was für eine Stadt ist das?
- Wie ist die Gegend?

3a Lies den Text und füll die Lücken aus.

Ich heiße Karl und ich wohne in Hannover.
Es ist eine (1) 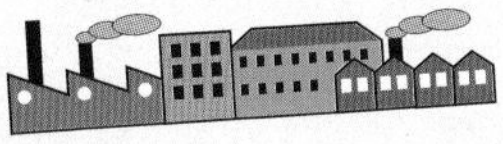 und sie
liegt im (2)  N. Es ist auch eine alte
(3)  . Hannover ist eine
historische (4) 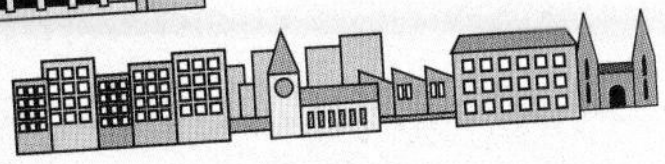 – es
gibt (5)  500 000 – und sie liegt
neben der (6) 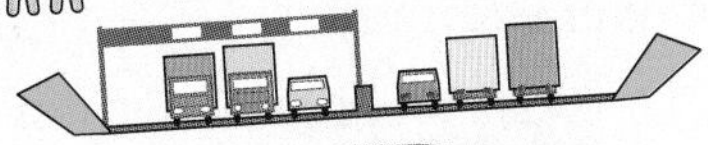
an einem (7) 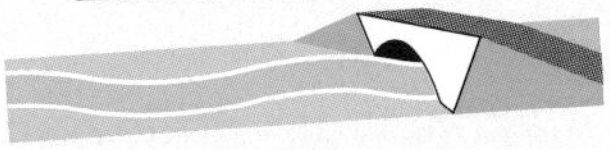 . Ich
finde die Gegend schön – sie hat viele
(8)  , aber sie ist nicht in den
(9)  .

Hilfe

Ich wohne in …
Das liegt …
im Südosten/Norden.
nicht weit von …
an einem Fluss/in den Bergen.
neben der Autobahn/an der Küste.
in einer landwirtschaftlichen Gegend.
in einer historischen Gegend.
Es ist eine Industriestadt/Universitätsstadt.
Es gibt viel Industrie/viele technische Firmen.
Die Gegend hat viele Wälder/schöne Strände.
Ich finde die Gegend schön/hässlich/langweilig.

3b Wie ist die Stadt und die Gegend? Schreib Sätze mit Hilfe der Bilder.

Beispiel: *1 Das ist eine Großstadt und sie liegt im Nordosten. Es gibt etwa 300 000 Einwohner …*

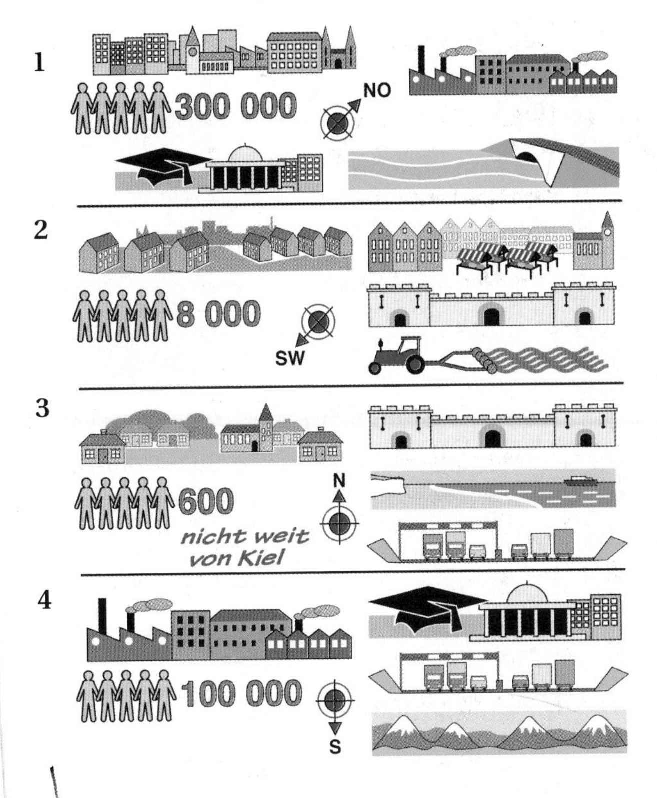

3c Du bist dran! Wo wohnst *du*? Wo liegt das? Wie ist deine Stadt oder deine Gegend? Schreib Sätze und mach ein Poster oder eine Broschüre von deiner Gegend.

Hier ist viel los!

- talk about what there is to do in your town or area
- say what you like and what you prefer
- use *man kann* + infinitive

See also *Noch mal!* page 188.

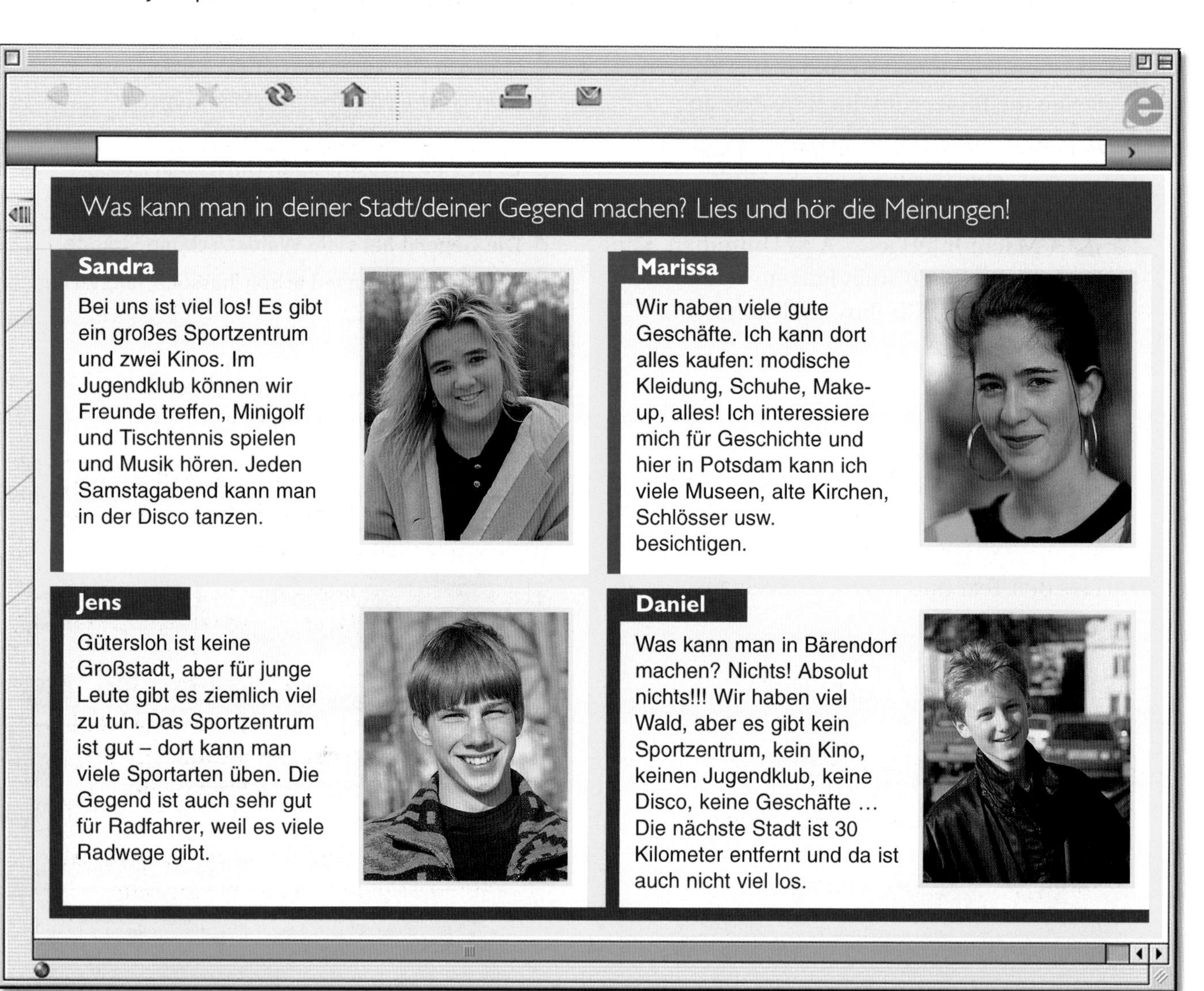

1a Hör zu und lies mit.

1b Ist das richtig (**R**), falsch (**F**) oder nicht im Text (**N**)?

1. Sandra kann Freunde im Jugendklub treffen.
2. Jens wohnt in einer kleinen Stadt.
3. Es gibt ein neues Hallenbad in Gütersloh.
4. Marissa kann keine neue Kleidung kaufen.
5. In Potsdam gibt es viele Museen.
6. In Bärendorf kann man gute Filme sehen.

1c Wer wohnt hier?

1. Das ist ein Dorf. Es gibt nicht viel für junge Leute.
2. Man kann ins Sportzentrum und in zwei Kinos gehen.
3. Man kann mit dem Rad zum Sportzentrum fahren.
4. Man kann hier gut einkaufen und auch viele historische Gebäude besichtigen.

Grammatik im Fokus *können*

The verb *können* ('to be able', 'can') is used together with another verb which is sent to the end of the sentence in its infinitive form.

können		**+ Infinitiv**
Ich kann	in der Disco	tanzen.
Du kannst	Kleidung	kaufen.
Er/Sie/Es/Man kann	Konzerte	hören.
Wir können	Tischtennis	spielen.
Ihr könnt	Freunde	treffen.
Sie/sie können	Filme	sehen.

1 Look at page 80 and find as many examples as you can of the verb *können*.

2 Copy the sentences and fill in the correct form of *können*.

1 Man … jeden Tag Tennis spielen.
2 Wir … gute Filme im neuen Kino sehen.
3 Ihr … viele schöne Städte in Deutschland besichtigen.
4 Du … Musik im Jugendklub hören.
5 Maria … hier keine neue Kleidung kaufen.
6 Was … man in deiner Gegend machen?

2 Schaut die Webseite auf Seite 80 an. **A** stellt Fragen, **B** wählt eine Person und antwortet. Dann ist **B** dran.

Beispiel:
A *Wie heißt du?*
B *Ich heiße Sandra.*
A *Was gibt es in deiner Stadt?*
B *Es gibt ein großes Sportzentrum und zwei Kinos.*
A *Was kann man machen?*
B *Man kann Freunde im Jugendklub treffen.*
A *Kann man dort tanzen?*
B *Ja, am Samstagabend kann man in der Disco tanzen.*

Hilfe

Es gibt	(k)einen	schönen	Wald.
	(k)eine	alte	Kirche.
	(k)ein	gutes	Theater.
	keine	guten	Radwege.
	zwei/viele	moderne	Kinos.

Man kann	(nicht) ins Kino gehen.
	(keinen) Sport treiben.
	(nicht) sehr gut Rad fahren.

In meiner Stadt	kann man	am Samstagabend in der Disco tanzen.
In meiner Gegend		auf gute Popkonzerte gehen.
Im Jugendklub		jeden Tag Tischtennis spielen.

3a Was kann man in eurer Stadt oder Gegend machen? Stellt Fragen und macht zusammen eine Liste.

Beispiel: **A** *Kann man in … gut einkaufen?*
B *Ja, es gibt gute moderne Geschäfte.*

3b Macht eine Webseite für eure Stadt/Gegend. Ihr könnt die Arbeit teilen: Bist du sportlich? Dann kannst du über die Sportmöglichkeiten schreiben usw.

3c Macht dann Radiowerbung für eure Stadt/Gegend. Macht eine Kassette.

Ich wohne gern hier

- talk about the advantages and disadvantages of your town or area
- give opinions
- use *etwas/nichts/viel* + adjective

See also *Extra!* page 203.

Joscha

Ich finde, dass Zürich sehr gut für Jugendliche ist. Es gibt viel zu sehen und zu tun. Meiner Meinung nach ist die Stadt ideal – im Sommer ist das Wetter sehr schön und im Winter kann man Ski fahren und Schlittschuh laufen. Ich wohne gern hier!

Katja

In meinem Dorf gibt es nichts Interessantes für junge Leute, aber die Stadt Rostock ist nicht weit entfernt und da ist immer etwas los. Ich wohne gern in dieser Gegend, weil wir an der Küste sind – ich glaube, dass es immer etwas Schönes zu sehen gibt.

Ümmihan

Ich wohne sehr gern in Graz. Unsere Wohnung liegt direkt in der Stadtmitte. Das finde ich sehr praktisch, weil ich gern Einkaufsbummel mache. Und ich meine, dass die Stadt viel für junge Leute anbietet. Hier gibt es immer etwas Neues. Klasse, nicht?

Kai

Meiner Meinung nach ist es hier so langweilig! Ich wohne am Stadtrand von Würzburg und da gibt es nichts Interessantes für Teenager. Ich möchte mal in Berlin wohnen, weil da immer etwas los ist!

1a Hör zu und lies mit.

1b Finde die passenden Fotos für die Texte in Übung 1a.

1

2

3

4

2a Hör zu. Ines, Meike, Steffi, Oliver, Khaled und Norbert beantworten die Frage: „Was hältst du von deiner Stadt oder deiner Gegend?" Welcher Titel passt jeweils?

Beispiel: *Ines – b*

a **Ich langweile mich!**

b **Historisch und modern!**

c **Hier ist gar nichts los!**

d **Freunde sind alles!**

e **Keine jungen Leute?**

f **GUTE ZEITEN, SCHLECHTE ZEITEN!**

2b Hör noch einmal zu. Wer sagt das? Schreib den Namen.

Beispiel: *1 Steffi*

1 In unserem Dorf ist nichts los. Wir müssen in die nächste Stadt fahren.

2 Ich glaube, dass man sich überall vergnügen kann – man braucht nur gute Freunde.

3 Ich meine, dass unsere Stadt sehr langweilig ist. Es gibt nichts Interessantes für mich.

4 Ich finde es gut, dass unsere alte Stadt auch viel Modernes hat. Ich wohne gern hier.

5 Meiner Meinung nach muss die Stadt auch im Winter interessant sein.

6 Ich glaube, dass Erwachsene viel machen können, aber für junge Leute gibt es nichts.

3a Schau die Texte in Übung 1 an.
Was sind die Vorteile und Nachteile?
Schreib zwei Listen.

Beispiel:

Vorteile	Nachteile
es gibt viel zu sehen und zu tun	es gibt nichts Interessantes für junge Leute

Hilfe

Ich wohne gern/nicht gern in ..., weil ...
Es gibt hier viel zu tun/zu sehen.
Es gibt nichts Interessantes für junge Leute.
Hier gibt es immer etwas Neues.
In ... ist immer etwas los.
Ich finde/glaube/meine, dass ...

3b **A** stellt Fragen und **B** ist eine der Personen in Übung 1. **A** muss raten, wer **B** ist.

A *Wohnst du gern in deiner Stadt oder deiner Gegend?*
B *Nein, ich wohne nicht sehr gern hier.*
A *Was gibt es zu tun oder zu sehen?*
B *Es gibt nichts Interessantes für junge Leute.*
A *Was hältst du von deiner Stadt oder deiner Gegend?*
B *Ich finde, dass es hier sehr langweilig ist.*
A *Bist du Kai?*
B *Ja, richtig!*

Tipp

More on opinions

On pages 82–83 you have met some more ways of expressing opinions. Try to use them to say what you think about other topics as well (people, pocket money, leisure activities, holidays, etc.). Think carefully about the word order.

Meiner Meinung nach ...
(the verb comes next, then the subject)

Ich meine, dass ...
Ich glaube, dass ...
Ich finde es gut/schlecht, dass ...
(the verb goes to the end of the sentence)

4 Du bist dran! Wie ist *deine* Stadt oder *deine* Gegend? Was hältst du von deiner Stadt oder deiner Gegend? Schreib deine Meinungen.

Beispiel: *Ich wohne nicht gern in ...(Stadt)..., weil es nichts Interessantes für junge Leute gibt.*

Grammatik im Fokus — *etwas/nichts/viel* + Adjektiv

To say 'something good', 'nothing interesting', 'lots of new things', etc. in German, use *etwas* (something), *nichts* (nothing) or *viel* (lots) + an adjective. Just add *-es* to the adjective and give it a capital letter.

Im Jugendklub gibt es immer **etwas Gutes**.
Hier kann man **nichts Interessantes** machen.
Die Stadt hat auch **viel Neues**.

1 Give the German for each phrase, using an adjective from the box.

Example: *1 etwas Altes*

1 something old
2 nothing new
3 lots of boring things
4 nothing dirty
5 something funny
6 lots of modern things
7 nothing stupid
8 something green

alt dumm langweilig grün
lustig modern neu schmutzig

216

Früher und jetzt

- compare a town with how it used to be
- use the comparative and superlative
- use past and present tenses together

1a Lies die Broschüre. Wie ist die Stadt und die Gegend? Was kann man dort tun?

Zusammen entdecken wir … Lügnerstadt

12 Vorschläge für junge Leute – von jungen Leuten

Die Gegend

1 Wir machen lange Wanderungen im grünen Wald.
2 Wir fahren auf schönen Radwegen durch die Gegend.
3 Wir sehen die wunderbare Natur dieser Gegend.

Die Stadt

4 Wir besichtigen viele alte Gebäude in der historischen Altstadt.
5 Wir kaufen in modernen Geschäften ein.
6 Mit einer schnellen Straßenbahn kommen wir überall hin.

Unterkunft

7 Wir wohnen in einem komfortablen Hotel.
8 Wir essen regionale Spezialitäten in guten Restaurants.
9 Wir tanzen in einer tollen Disco.

Sport und Freizeit

10 Wir schwimmen in einem sauberen, warmen Schwimmbad.
11 Vielleicht spielen wir Minigolf auf einem großen Minigolfplatz.
12 Oder wir machen eine ruhige Schifffahrt auf dem Fluss.

1b Schau diese Adjektive an und finde die Gegenteile in der Broschüre. (Vorsicht! Die Adjektive in der Broschüre haben Endungen.)

Beispiel: *1 neu – alt (viele **alte** Gebäude)*

1 neu	6 kalt
2 langsam	7 hässlich
3 schmutzig	8 kurz
4 klein	9 schlecht
5 historisch	10 furchtbar

2a Was stimmt nicht in der Broschüre? Hör gut zu und schreib die Nummern auf.

Beispiel: *1, …*

Extra! Schreib auch den Grund.

Beispiel: *1 Sie hat nur eine **kurze** Wanderung gemacht.*

2b Was ist jetzt anders in Lügnerstadt? Lies die E-Mail, schau deine Antworten für Übung 2a an, hör noch einmal zu und mach Notizen.

Beispiel:

	früher	jetzt
(1)	Wald: klein	viele Bäume
(6)	Straßenbahn: langsam	…

Es tut mir Leid, dass Sie mit Ihrem Besuch nicht zufrieden waren. Wir haben viel geändert und wir glauben, dass die Stadt nun besser ist. Es gibt weniger Verkehrsprobleme – die Busse sind schneller, aber die Straßenbahn ist jetzt am schnellsten.

Das Wasser im Schwimmbad war wirklich kalt und schmutzig, aber jetzt ist es wärmer und sauberer. Der Wald ist noch nicht größer geworden, aber wir haben viele Bäume gepflanzt und die Wanderungen sind interessanter und schöner.

Vielleicht kommen Sie nächstes Jahr zurück – dann sehen Sie, dass Lügnerstadt am besten ist!

Manfred Grosz

Verkehrsamt Lügnerstadt

pflanzen – to plant

2c A stellt Fragen über Lügnerstadt, B arbeitet im Verkehrsamt und antwortet.

Beispiel: *A Wie ist das Wasser im Schwimmbad?*
B Es ist sauber und warm.

Grammatik im Fokus — Komparative und Superlative

- The comparative is used to say that something is 'faster', 'older', 'better', etc. It is formed in a similar way to English – just add *-er* to the adjective: *schnell – schneller*
- If the adjective only has one syllable, it usually adds an Umlaut to the vowel: *alt – älter*
- There are some exceptions. Here is one that is also irregular in English: *gut – besser*
- To say something is the 'fastest', 'oldest', 'best', etc. add *-(e)sten* to the adjective and put *am* in front of it. The rule about adding an Umlaut applies here, too: *am schnellsten, am ältesten, am besten*

1 Find all the examples of comparatives and superlatives in the e-mail on page 84.

2a Write out the comparative and superlative of the ten adjectives in Übung 1b.

Example: *1 neu – neuer – am neusten*

2b Use some of the adjectives to make up four sentences with comparatives and superlatives.

Example: *Mein Vater ist alt, aber mein Lehrer ist älter und der Direktor ist am ältesten!*

217

Tipp

Using present and past tenses together

You have learnt how to use the present and past (perfect and imperfect) tenses. Practise using them together – comparisons are a good way of doing that. Here are some examples:

*Vorher **war** das Schwimmbad schmutzig und kalt, aber jetzt **ist** es sauber und warm.*

*Ich **fahre** jetzt mit der Straßenbahn, aber früher **bin** ich zu Fuß **gegangen**.*

*Normalerweise **kaufe** ich keine Musik, aber gestern **habe** ich zwei CDs **gekauft**.*

Notice how to say 'there **is**' or 'there **are**' (*es gibt*) and 'there **was**' or 'there **were**' (*es gab):*

*Es **gibt** jetzt zwei Kinos, aber früher **gab** es kein Kino.*

Wiederholung *ist/sind → war/waren*

Das Schwimmbad **ist** sauber. Es **war** früher schmutzig.

Die Geschäfte **sind** modern, aber sie **waren** alt.

222

3a Schaut die zwei Bilder an. Wie war diese Stadt früher? Wie ist sie jetzt? Macht Notizen.

Beispiel:

	früher	jetzt
Stadt	altmodisch	modern
Schule	furchtbar	besser

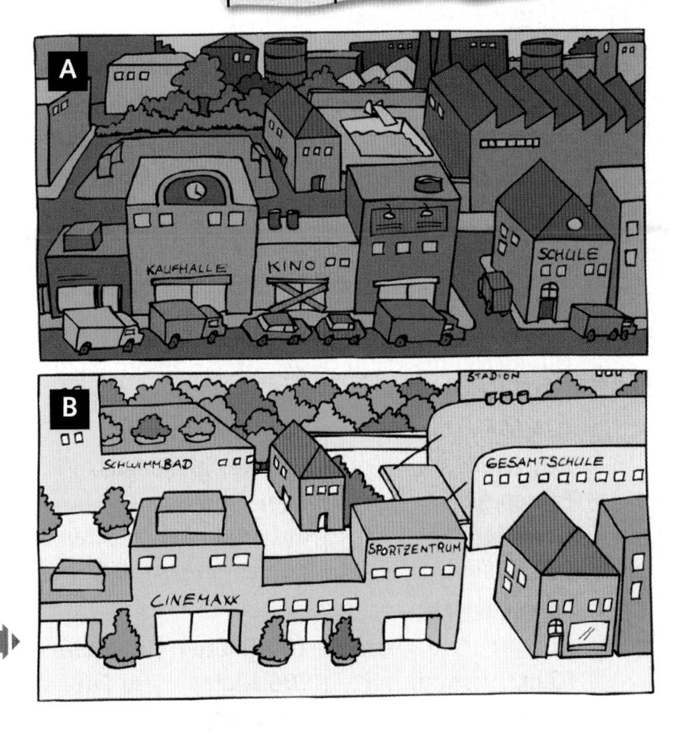

3b Vergleiche die zwei Bilder. Schreib Sätze.

8 Wie komme ich dahin?

- ask for directions
- talk about buildings and places
- use the imperative

1a Hör gut zu. Wohin gehen sie? Schau den Plan an und schreib die passenden Buchstaben auf. Schreib auch die Wörter auf.

***Beispiel:** 1 E, Bahnhof*

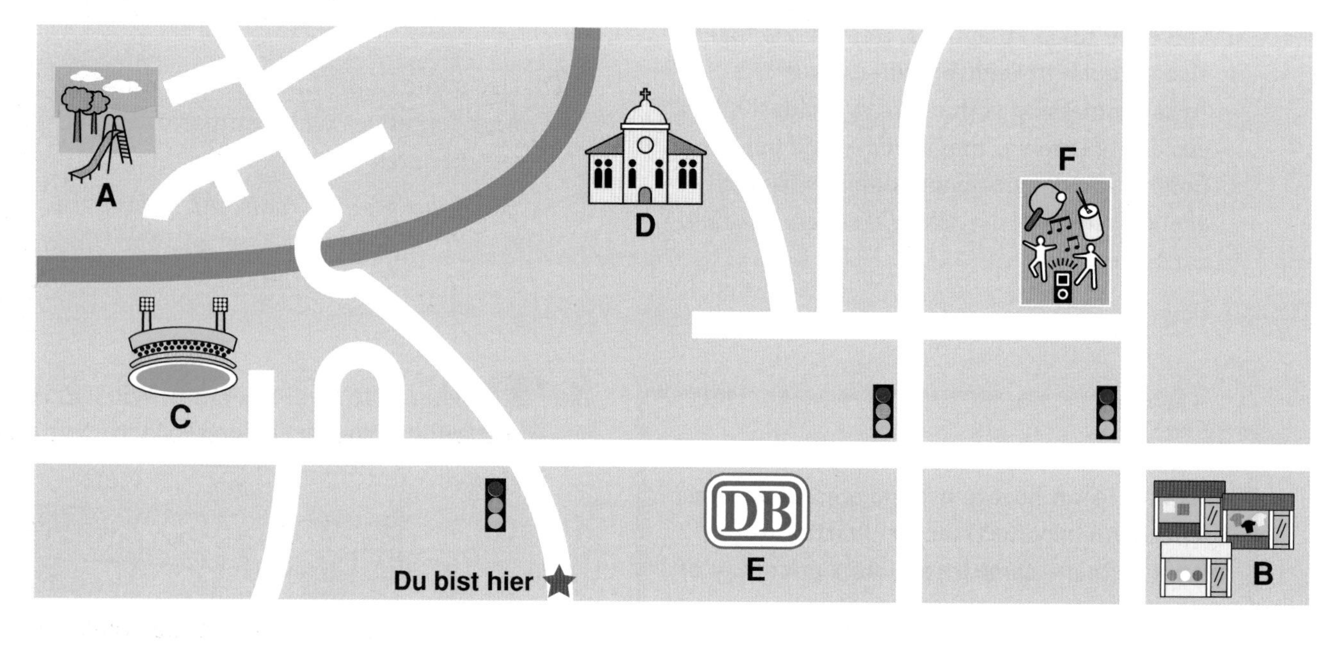

Hilfe

Wie komme ich/kommen wir am besten	zum	Bahnhof?
	zur	Kathedrale?
	zu den	Geschäften?

Wo ist	der	Bahnhof/Park?
	die	Kathedrale?
	das	Stadion/Jugendzentrum?
Wo sind	die	Geschäfte?

Nimm/Nehmt	die zweite Straße rechts.
Nehmen Sie	die erste Straße links.
Geh/Geht/Gehen Sie	nach links/rechts.
Fahr/Fahrt	(immer) geradeaus.
Fahren Sie	über die Brücke.
Der/Die/Das ... ist	auf der linken/rechten Seite.
Die ... sind	an der Ecke/Ampel/Kreuzung.

Ist das weit?

Ja,	etwa	10 Minuten	mit dem Bus.
Nein,	nur	500 Meter.	zu Fuß.
		3 Kilometer.	

1b Verbinde die Fragen.

1 Wo ist
2 Wie komme ich am besten
3 Wir suchen das Jugendzentrum. Wie
4 Wo sind
5 Wie kommen wir am
6 Ich suche den Park. Wie komme

a kommen wir dahin?
b ich dahin?
c der Bahnhof, bitte?
d besten zur Kathedrale?
e die Geschäfte, bitte?
f zum Stadion?

1c Ist alles richtig? Hör noch einmal zu.

2 Schaut den Stadtplan in Übung 1 an. **A** wählt einen Ort und stellt eine Frage von Übung 1b, **B** antwortet. Dann ist **A** dran.

Beispiel:

A (wählt C, das Stadion) *Wie komme ich am besten zum Stadion?*

B Nimm die erste Straße links, dann …

3 Wie kommt man in *deiner* Stadt dahin? **A** wählt ein Gebäude in der Stadt/Gegend, **B** beschreibt, wie man dahin kommt.

Beispiel:

A Ich bin vor der Schule. Wie komme ich zu den Geschäften?

B Nimm die erste Straße rechts, dann die zweite Straße links. Die Geschäfte sind auf der linken Seite.

A Ist das weit?

B Nein, etwa fünf Minuten zu Fuß.

Wiederholung **zum/zur …**

m./n.	**zum** (= zu dem) Bahnhof/Stadion	
f.	**zur** (= zu der) Kathedrale	
pl.	**zu den** Geschäften	

215

4 **Mikro-Welle.** Hör gut zu und mach Notizen. Was suchen die Leute? Wie kommen sie dahin?

Beispiel: *1 Rathaus: links, an der Kreuzung rechts, …*

Extra! Was sagt man noch? Zum Beispiel, wie weit ist das? Mach Notizen.

Grammatik im Fokus — Der Imperativ

You use the imperative to give instructions or commands:

to a friend:

gehen: ~~du~~ geh~~st~~ → geh!
Geh nach links!

to more than one friend:

nehmen: ~~ihr~~ nehmt → nehmt!
Nehmt die zweite Straße rechts.

to someone you don't know:

fahren: Sie fahren → Fahren Sie!
Fahren Sie über die Brücke.

1 Look at the examples of the imperative in the *Hilfe* box (page 86). Write them down with the English meaning and their infinitive.

Example: *geh! – go! – gehen*

2 Give the three different forms of the imperative for these verbs.

Example: *1 geh / geht / gehen Sie*

1 gehen	3 kommen	5 geben
2 nehmen	4 spielen	6 sehen

Extra! Make up sentences using one form of the imperative for each verb.

Example: *Gehen Sie in die Stadt.*

221

In der Stadtmitte

- recognize some shops and other places in town
- use prepositions with the accusative and dative cases

1a Annika arbeitet im Zoo und sie sucht einen Affen, der entkommen ist. Wo ist der Affe? Hör zu und folge seinem Weg durch die Stadt.

1b Hör noch einmal zu und notiere, wo er ist und wohin er geht. Schreib die passenden Buchstaben auf.

Beispiel: *d, b, …*

a über den Briefkasten (springen)
b in der Bäckerei (fressen*)
c vor ein Auto (laufen)
d in die Bäckerei (gehen)
e zwischen den Polizisten (stehen)
f unter das Auto (laufen)
g auf das Rathaus (steigen)
h hinter einem Baum (stecken)
i an der Ecke (warten)
j neben einer alten Dame (sein)
k auf dem Rathaus (sitzen)
l in den Brunnen (fliegen)

*__fressen__ (to eat) is just like __essen__, but you use it to talk about animals eating

2a Schau die Verben in Übung 1b an. Was macht der Affe? Schreib die Verben im Präsens (3. Person).

Beispiel: *d er geht (in die Bäckerei)*
b er frisst (Kuchen in der Bäckerei)

2b Ist alles richtig? Hör noch einmal zu.

3a Schaut das Bild an und erzählt, was passiert. Benutzt die Sätze von Übung 2a.

Beispiel: *A Der Affe geht in die Bäckerei.*
B Dann frisst er Kuchen in der Bäckerei.

3b Schreib einen kurzen Bericht.

Beispiel: *Der Affe geht in die Bäckerei, dann frisst er die Kuchen in der Bäckerei …*

Extra! Schreib den Bericht im Perfekt. (Vorsicht! Ist das *haben* oder *sein*? Sieh Seite 63.)

Beispiel: *Der Affe ist in die Bäckerei gegangen, dann hat er die Kuchen in der Bäckerei gefressen …*

Hilfe

Er	springt	über den Briefkasten.
Der Affe	fliegt	in den Brunnen.
Sie	geht	in die Bäckerei.
Annika	läuft	unter das Auto.
		vor ein Auto.
	steigt	auf das Rathaus.
	steckt	hinter einem Baum.
	frisst	in der Bäckerei.
	ist	neben einer alten Dame.
	wartet	an der Ecke.
	sitzt	auf dem Rathaus.
	steht	zwischen den Polizisten.

Grammatik im Fokus: Präpositionen + Akkusativ oder Dativ

Some prepositions can use the accusative or the dative case. This changes their meaning slightly.

For example, followed by the **accusative**, *in* tells you where someone or something **is going**.

Followed by the **dative**, *in* tells you where someone or something **is**.

Compare these two sentences:

(acc.)	Er geht **in die** Bäckerei.	**(into** the)
(dat.)	Er kauft Brot **in der** Bäckerei.	**(in** the)

These are the prepositions which take the accusative or the dative: *an, auf, hinter, in, neben, über, unter, vor, zwischen*

Notice these shortened forms for *in*:
ins = in das; im = in dem

Remember that in the dative case, you often need to add *-(e)n* to plural nouns:

mit meinen Brüdern
hinter den Geschäften

1a Look at the phrases in Übung 2a. Make two lists – accusative and dative.

1b Which of your two lists contains verbs that show *movement* from one place to another?

2 Choose the correct article (*der/die/das*, etc.).
Example: 1 die

1. Die Lehrerin kommt in (der/die/dem) Klasse.
2. Die Bäckerei ist zwischen (den/das/der) Bank und (dem/die/das) Rathaus.
3. Die Kinder springen in (dem/der/das) Wasser.
4. Ich stelle die Teller auf (den/der/dem) Tisch.
5. Der Parkplatz ist hinter (der/den/dem) Geschäften.
6. Die Autos sind über (der/die/das) Brücke gefahren.

215

Wir gehen einkaufen!

- shop for clothes
- describe items of clothing
- use adjectives with *der*, *dieser*, *jeder*, *welcher*

See also *Extra!* page 204.

1a S Steffi kauft ein neues Hemd. Hör zu und lies mit.

Hilfe-Dialog

Verkäuferin: Kann ich Ihnen helfen?
Steffi: Ja, ich suche ein Hemd. (1)
Verkäuferin: Welche Größe?
Steffi: Größe 40. (2)
Verkäuferin: Dieses grüne Hemd ist sehr schön.
Steffi: Die Farbe gefällt mir nicht. (3) Haben Sie das in Blau? (4)
Verkäuferin: Nein, leider haben wir das nur in Grün und Rot.
Steffi: Kann ich dieses rote Hemd anprobieren? (5)
Verkäuferin: Ja, sicher.
Steffi: Wo ist bitte die Umkleidekabine? (6)
Verkäuferin: Da drüben in der Ecke.

Später ...
Steffi: Das gefällt mir. (7) Das nehme ich. (8) Was kostet es? (9)
Verkäuferin: 25 Euro. Zahlen Sie bitte an der Kasse.

1b Finde die passenden Bilder für die Sätze im Hilfe-Dialog.

Beispiel: *1 (ich suche ein Hemd) – Bild d*

1c Ist alles richtig? Macht Dialoge. **A** wählt ein Bild, **B** sagt den richtigen Satz. Dann ist **B** dran.

Beispiel: **A** *Bild e!*
B *Was kostet das?*

2a Was kauft man? Hör zu und füll die Tabelle aus.

	Kleidung	Größe	Farbe	Preis
1	Hose	40	schwarz	50 Euro

2b Schaut die Antworten für Übung 2a und den Hilfe-Dialog an. Macht Dialoge.

Beispiel: *A Kann ich Ihnen helfen?*
B Ja, ich suche eine Hose.
A Welche Größe?
B Größe 40.

Hilfe

Haben Sie das in	**Weiß/Schwarz/Gelb/Rosa?** **Größe 38?** **Klein/Mittelgroß/Groß?**
Dieser Rock **Diese Hose** **Dieses T-Shirt**	**gefällt mir (nicht).**
Diese Schuhe	**gefallen mir (nicht).**

Den/Die/Das/Die nehme ich (nicht).

Grammatik im Fokus — Adjektive mit *der, dieser, jeder, welcher*

When you use an adjective after the definite article (*der*), you add either *-e* or *-en*:

	Masculine	Feminine	Neuter	Plural
Nom.	**Der** blaue Pullover ist schick.	**Die** grüne Hose sieht gut aus.	**Das** rote Hemd ist preiswert.	Die schwarzen Schuhe gefallen mir.
Acc.	Ich nehme **den** blau**en** Pullover.	Ich kaufe **die** grüne Hose.	Kann ich **das** rote Hemd anprobieren?	Ich nehme **die** schwarz**en** Schuhe.
Dat.	Siehst du den Jungen mit **dem** blau**en** Pullover?	Das ist der Typ mit **der** grün**en** Hose!	Sie mag den Mann mit **dem** rot**en** Hemd.	Das Mädchen mit **den** schwarz**en** Schuhen ist nett.

The same pattern applies to demonstratives: *dieser* (this), *jeder* (every), *welcher?* (which?). Here are a few examples:

m. Ich nehme **diesen** schwarz**en** Rock.
f. **Diese** grüne Jacke gefällt mir nicht.
n. **Jedes** gelbe Hemd, das ich anprobiere, ist zu groß.
pl. **Welche** neu**en** Schuhe nimmst du?

See page 217 for a full list of the different forms.

1 Choose the correct colour.

1 Ich nehme das (blaue/grünen) Kleid.
2 Kaufst du den (schwarze/weißen) Pullover?
3 Die (graue/gelben) Schuhe gefallen mir.
4 Jens ist der Junge mit der (roten/braune) Jacke.
5 Die (blaue/schwarzen) Jeans sehen gut aus.

2 Copy these sentences and add the correct adjective endings.

1 Ich kaufe in den groß__ Geschäften ein.
2 Welcher lang__ Rock gefällt dir am besten?
3 Ich mag diese hässlich__ Farbe überhaupt nicht!
4 Ich bin in dieser klein__ Umkleidekabine.
5 Sie hat jedes schwarz__ Kleid anprobiert!

217

Sonderangebot!

- recognize signs and notices in shops
- talk about which shops you buy things in
- recognize cognates

1a Hör gut zu. Welches Schild ist das?

Beispiel: 1 – e

1b Schau die Schilder noch einmal an. Ist das richtig (**R**), falsch (**F**) oder nicht im Text (**N**)?

a Hier gibt es einen Lift.
b Man muss für die Toiletten bezahlen.
c Man kann zwei Hähnchen zum Preis von einem Hähnchen kaufen.
d Der Notausgang muss frei bleiben.
e Die Bäckerei ist sonntags geschlossen.
f Es gibt Geschenke im Erdgeschoss.
g Das Musikgeschäft ist geschlossen.
h Am Montag kann man Blumen kaufen.
i Sommerkleidung ist jetzt teurer.
j Bananen kosten heute nur 1 Euro das Kilo.
k Die Pizzeria ist donnerstags geschlossen.
l Hunde müssen draußen bleiben.
m An der Kasse stehen viele Leute.
n Schuhe sind jetzt viel billiger.

2a Schau die Einkaufsliste und die Geschäfte an. Wo kauft man das? Schreib eine Liste.

Beispiel: *1 Bananen: im Obst- und Gemüseladen*
2 Brötchen: in der Bäckerei

1	Bananen	6	Kuli
2	Brötchen	7	Rosen
3	Cola	8	Sandalen
4	Harry-Potter-Buch	9	Schweinekoteletts
5	Jeans	10	Zahnpasta

a Bäckerei-Konditorei
b Blumengeschäft
c BUCHHANDLUNG
d Drogerie
e Fleischerei
f Lebensmittelgeschäft
g Modegeschäft
h Obst- und Gemüseladen
i Schreibwarengeschäft
j Schuhgeschäft

2b **A** will etwas von der Einkaufsliste in Übung 2a kaufen. **B** sagt, wo man das kauft. Dann ist **B** dran. (Tipp: Der Supermarkt ist heute geschlossen!)

Beispiel: **A** *Ich möchte Brötchen.*
B *Brötchen kauft man in der Bäckerei.*

Extra! Macht eine andere Einkaufsliste und wählt von dieser Liste.

3a Hör gut zu und mach Notizen.

- Was braucht man?
- Wohin muss man gehen?

Beispiel: *1 Brot, Kuchen: Bäckerei*

3b Schreib dann volle Sätze.

Beispiel: *1 Ich brauche Brot und Kuchen.*
Ich muss zur Bäckerei gehen.

Tipp

Cognates

This is the term given to words that look or sound the same or almost the same as the ones we use in English, e.g. *aktiv, Bäckerei, Butter, Eis, Orange, Pizza, Reis, Restaurant, Schuhe, Supermarkt, Tomate, …*

If you don't already know the word, you can usually have a reasonable guess at its meaning:

- **Look out for different parts of verbs, e.g.**
  ***rollen* (to roll), *gerollt* (rolled)**
  ***backen* (to bake), *gebacken* (baked)**
- **Many cognates are English words that have been adopted in German, e.g. *Designer, Manager, fit, Teenager, telefonieren, …***
- **But beware of a few 'false friends' – they look like English words but mean something different, e.g.**
  ***bekommen* = to get (*werden* = to become)**
  ***die Chips* (pl) = crisps**
  (*die Pommes frites* = chips)
  ***die Dose* = can, tin (*die Dosierung* = dose)**
  ***der Fotograf* = photographer**
  (*das Foto* = photograph)
  ***der Keks* = biscuit (*der Kuchen* = cake)**

1 What do you think these words mean in English? They all have something to do with eating and drinking. Use a dictionary to check your answers.

1	die Artischocke	**6**	kochen
2	die Avocado	**7**	die Kresse
3	die Blaubeere	**8**	die Leber
4	das Gelee	**9**	die Soße
5	das Heringsfilet	**10**	der Tintenfisch (clue: Tinte = ink)

Extra! See if you can find some more cognates. Try looking in a German magazine or newspaper.

Wir haben Hunger!

- shop for food
- use quantities and prices when shopping

See also *Noch mal!* page 189.

1a Was kann man essen und trinken? Findet so viele Wörter wie möglich – auf Deutsch natürlich! Macht Listen für die verschiedenen Kategorien. Die Bilder helfen.

Beispiel:

Obst	Gemüse	Fleisch/Fisch	Milchprodukte	Getränke	Sonstiges
die Orange	die Kartoffel	das Hähnchen	die Butter	die Limonade	das Brot

1b Schreib für jeden Buchstaben etwas zu essen oder zu trinken.

Beispiel:
A – Apfel, B – Bohnen, C – Cola, D – …

2a S Hör zu und lies mit.

2b Macht dann den Dialog.

Hilfe-Dialog

Verkäuferin:	**Guten Tag. Was darf es sein?**
Frau:	**Guten Tag. Ich möchte** eine Flasche Mineralwasser **und** 500 Gramm Butter**, bitte.**
Verkäuferin:	**Hier bitte. Sonst noch etwas?**
Frau:	**Ja, ich möchte noch** einen Liter Milch, …
Verkäuferin:	**Bitte schön.**
Frau:	… ein Glas Marmelade **und** eine Packung Kaffee.
Verkäuferin:	**Es tut mir Leid. Wir haben** keinen Kaffee **mehr.**
Frau:	**Das ist nicht so schlimm. Was macht das zusammen, bitte?**
Verkäuferin:	**Das macht** 4,10 Euro.
Frau:	**Hier sind** 5 Euro.
Verkäuferin:	**Danke. Und Sie bekommen** 90 Cent **zurück. Auf Wiedersehen.**
Frau:	**Auf Wiedersehen.**

3a Kai organisiert eine kleine Fete. Seine Freunde kaufen ein. Hör gut zu. Welche drei Einkaufslisten sind das?

***Beispiel:** 1 – d*

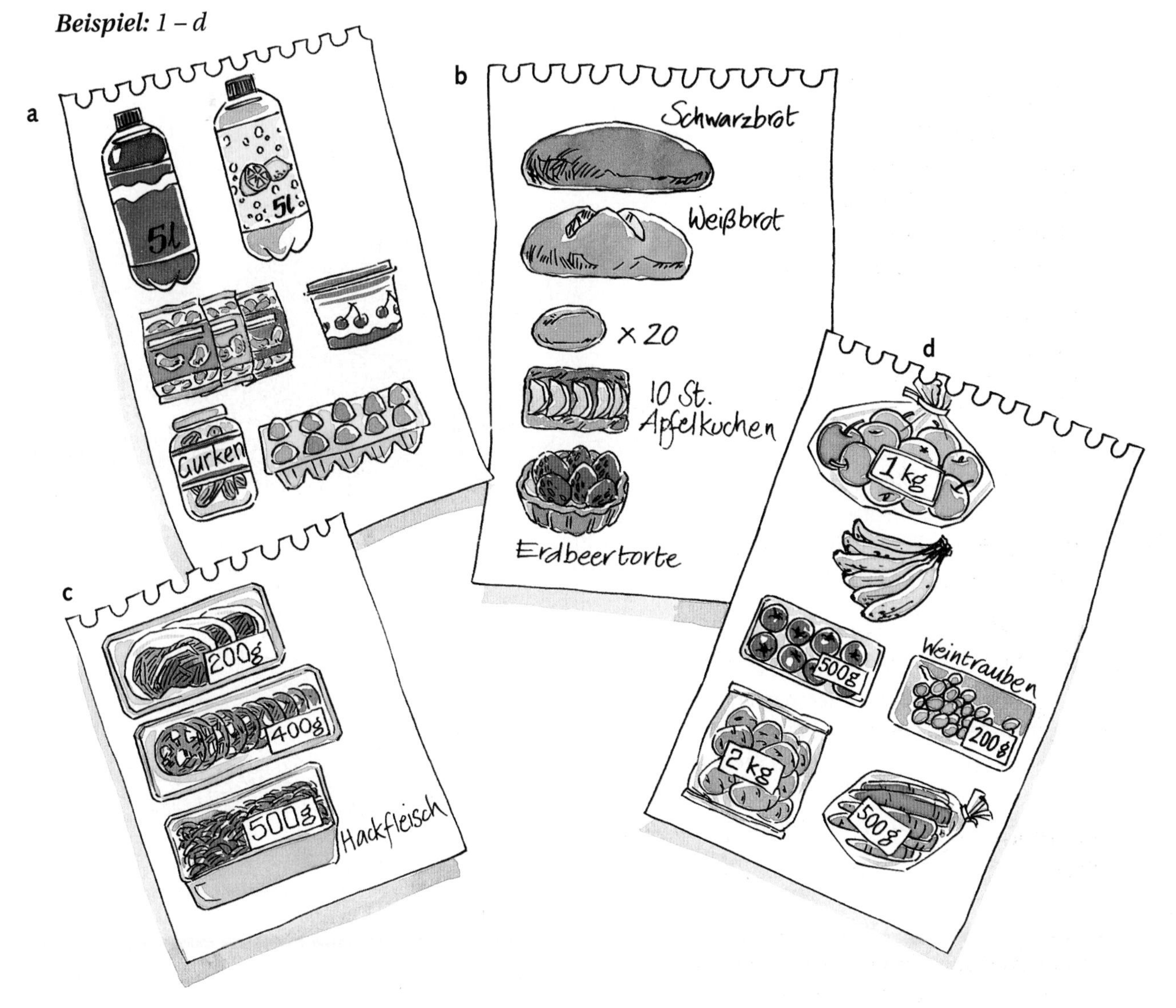

3b In welche Geschäfte geht man mit den Einkaufslisten?

4a Schaut Einkaufsliste **a** an und macht einen Dialog für ein Lebensmittelgeschäft. Schaut den Dialog in Übung 2a an und ändere die Wörter in Rot.

4b Schreibt den Dialog auf und macht dann eine Kassette.

Hilfe

Was darf es sein?
Ich möchte/hätte gern …
einen/zwei Becher/(halben) Liter …
eine/zwei Flasche(n)/Dose(n)/Tüte(n) …
eine/zwei Packung(en)/Scheibe(n) …
ein/zwei Kilo/Stück/Glas …
500 Gramm …
Es tut mir Leid, wir haben kein(e)(n) … mehr.
Sonst noch etwas?
Ja, ich möchte …/geben Sie mir …
Nein danke. Das ist alles.

Wir gehen essen

- book a table in a restaurant
- understand a menu
- order a meal
- speak politely

See also *Noch mal!* page 189.

1 S Hör zu und lies mit.

Hilfe-Dialog

Frau:	Gasthof ‚Zum Wildschwein', guten Abend.
Herr Walinski:	Guten Abend. Ich möchte einen Tisch reservieren.
Frau:	Ja, wann möchten Sie kommen? Heute Abend?
Herr Walinski:	Nein, am Freitag, dem 28. März.
Frau:	Um wie viel Uhr?
Herr Walinski:	Um 19.30 Uhr.
Frau:	Alles klar. Und für wie viele Personen?
Herr Walinski:	Für vier Personen.
Frau:	Gut. Welcher Name ist das bitte?
Herr Walinski:	Walinski.
Frau:	Können Sie das bitte buchstabieren, Herr Walinski?
Herr Walinski:	Ja, das ist W-A-L-I-N-S-K-I.
Frau:	Gut, danke. Bis Freitagabend, 19.30 Uhr. Auf Wiederhören.
Herr Walinski:	Auf Wiederhören.

2a Hör zu. Zwei weitere Personen rufen im Restaurant an. Mach Notizen.

Wann
- Tag
- Datum
- Uhrzeit

Wie viele Leute?
Name

2b Schaut den Hilfe-Dialog an und macht die Dialoge für Übung 2a.

2c Ist alles richtig? Hör noch einmal zu.

Wiederholung Das Datum

am 1. (ersten) Januar/Februar/März usw.
2.–19. (...ten) (3. = **dritten**; 7. = **siebten**)
20.–31. (...**sten**)

230

Tipp

Responding politely and appropriately

Here are a few useful phrases you can use in a restaurant or shop:

Guten Morgen/Tag/Abend.
Entschuldigen Sie bitte, .../Entschuldigung, ...
Darf ich bitte ...?/Könnte ich bitte ...?
Danke (sehr/schön)./Vielen Dank.
Bitte (sehr/schön).
Auf Wiedersehen./Auf Wiederhören.

Remember to use the appropriate form of address:

du you (to a friend)
ihr you (to more than one friend)
Sie you (to one or more adults/strangers)

3a Lies die Speisekarte und schlag unbekannte Wörter im Wörterbuch nach. (Schau auch den Tipp auf Seite 93 an.)

3b S Herr Walinski bestellt sein Essen im Restaurant. Hör zu und lies mit.

Hilfe-Dialog

Kellner: Möchten Sie jetzt bestellen? Haben Sie schon gewählt?
Herr W: Ja. Als Vorspeise nehme ich die Zwiebelsuppe ... und als Hauptgericht möchte ich Rumpsteak mit Pommes frites und Salat.
Kellner: Und als Nachtisch?
Herr W: Was können Sie empfehlen?
Kellner: Die Schwarzwälder Kirschtorte schmeckt sehr gut.
Herr W: Ja, ich nehme die Schwarzwälder Kirschtorte.
Kellner: Und zu trinken?
Herr W: Ich hätte gern ein Glas Rotwein.

Später ...
Herr W: Zahlen, bitte!
Kellner: Das macht 82,50 Euro.
Herr W: Kann ich mit Kreditkarte zahlen?
Kellner: Ja, gern!

Gasthof
Zum Wildschwein

Speisekarte

		Preise (Euro)
Vorspeisen		
1	Zwiebelsuppe	2,50
2	Salatteller	4,30
3	Krabbencocktail	4,30
4	Melone	3,00
5	Schinkenröllchen mit Spargel und Toast	6,90
Hauptgerichte		
6	Schweinesteak, Pommes frites, Salat	10,30
7	Schweinemedaillons, Bratkartoffeln, Bohnen	13,80
8	Putenschnitzel, Currysauce, Reis, Salat	10,30
9	Kalbsfrikassee mit Reis und Buttererbsen	10,80
10	Rumpsteak, Pommes frites und Salat	13,80
11	Gulasch ‚Stroganoff', Spätzle, gemischter Salat	14,80
12	Wildschweinbraten mit Kartoffelklößen	13,30
13	Forelle ‚Müllerin Art', Salzkartoffeln, Salat *für Vegetarier*	10,80
14	Gemüseplatte, dazu Salzkartoffeln oder Kroketten	7,80
15	Omelett, Champignons, Röstkartoffeln, Salat	8,80
Nachspeisen		
16	Portion gemischtes Eis mit Sahne	3,00
17	Obst nach Wahl	3,00
18	Eisbecher mit heißen Kirschen und Sahne	4,30
19	Schwarzwälder Kirschtorte	4,30
20	Käsekuchen	4,30
Getränke		
21	Rotwein (20 cl)	1,70
22	Weißwein (20 cl)	1,70
23	Bier (33 cl)	1,50
24	Mineralwasser (25 cl)	1,30
25	Limonade/Cola/Saft (25 cl)	1,40

3c Hör zu. Was bestellen Frau Walinski und die Kinder, Walter und Waltraut? Schreib die passenden Nummern auf.

Beispiel: *Frau W: 2, ...*

4a Schaut die Bilder an und macht Dialoge.

Beispiel:
A *Zahlen, bitte!*
B *Das macht 34 Euro.*
A *Kann ich mit Kreditkarte zahlen?*
B *Nein, wir akzeptieren keine Kreditkarten. Sie müssen mit Scheck oder bar zahlen.*

1 €34 → ? → ✗
2 €52 → ? → ✓
3 €47 → ? → ✓

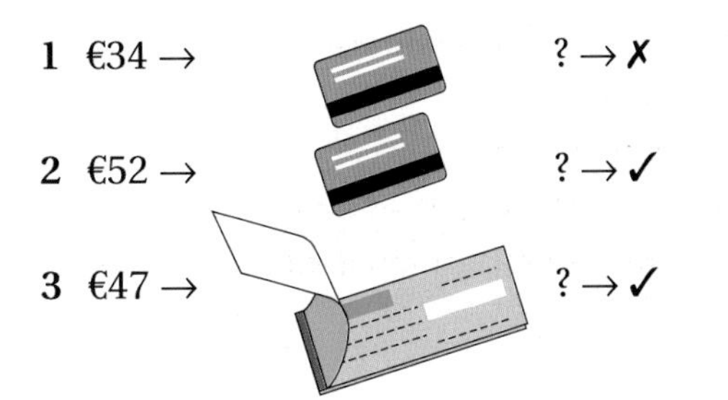

4b Schaut die Speisekarte und den Dialog (Übung 3b) an. **A** bestellt ein Essen und zahlt, **B** ist der/die Kellner(in). Dann ist **B** dran.

Wie ist das Wetter?

- talk about weather and the climate
- compare different climates

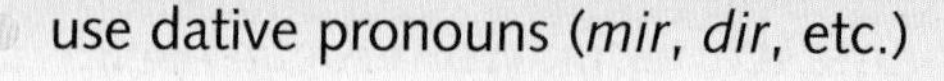

- use dative pronouns (*mir*, *dir*, etc.)

See also *Noch mal!* page 190.

1a Hör gut zu und finde die passenden Fotos.

Beispiel: *1 – b*

1b Hör noch einmal zu und schau die Symbole an. Wie ist das Wetter? Welches Symbol passt zu welcher Jahreszeit?

	Frühling	Sommer	Herbst	Winter
1	–	*c, e*		

a		Es ist sonnig.
b	30°C	Es ist heiß.
c	25°C	Es ist warm.
d	3°C	Es ist kalt.
e		Es ist windig./Es gibt viel Wind.
f		Es ist stürmisch./Es gibt Gewitter.
g		Es ist neblig.
h		Es ist wolkig.
i		Es regnet./Es ist regnerisch./Es gibt viel Regen.
j		Es schneit./Es gibt viel Schnee.
k	-5°C	Es friert.

2a Schaut die Wetterkarte an. Wie ist das Wetter?

Beispiel: ***A*** *Wie ist das Wetter in Villach?*
B *Es friert.*

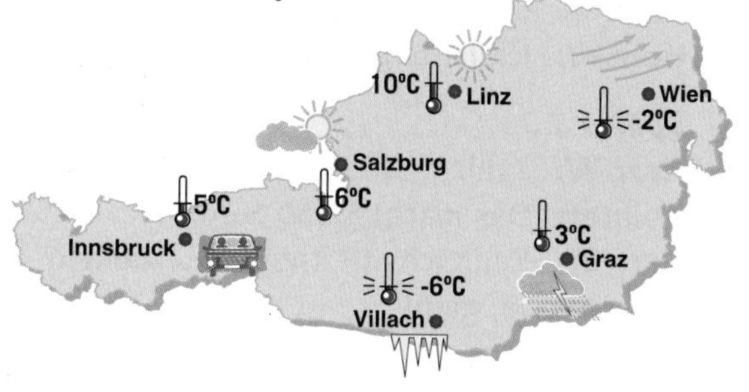

2b Schau die Wetterkarte noch einmal an. Vergleiche die folgenden Städte. Schreib Sätze.

Beispiel: *1 Wien – kalt – Salzburg*
In Wien ist es kälter als in Salzburg.

1 Wien – kalt – Salzburg
2 Linz – sonnig – Salzburg
3 Innsbruck – neblig – Graz
4 Wien – windig – Linz
5 Salzburg – warm – Villach

Hilfe

In … ist es kälter/wärmer/heißer als in … .
Im Sommer/Herbst/Winter/Frühling …
… ist das Wetter meistens regnerisch/wolkig, aber manchmal …
… gibt es Gewitter/viel Regen/Schnee/Wind.

3a Zwei Teenager besprechen das Wetter und die Jahreszeiten. Hör zu und füll die Lücken im Text aus.

Karl

Der Frühling gefällt mir am besten – im ...(1)... ist es mir oft zu ...(2)... und im Winter zu kalt. Im ...(3)... bin ich meistens gut gelaunt. Meiner Freundin geht es auch so: Sehr heißes ...(4)... gefällt ihr nicht.

Anita

Ich hasse den ...(5)... und bei kaltem Wetter bin ich immer ...(6)... gelaunt. Ich liebe warmes Wetter und ...(7)... . Aber mein Bruder Paul ist ganz anders: Im Sommer hat er furchtbaren Heuschnupfen. Der Arzt gibt ihm Tabletten dagegen. Im Winter geht es ihm viel besser und er liebt den ...(8)... .

Frühling heiß schlecht Schnee Sonne
Sommer Wetter Winter

3b **A** sagt einen Satz, **B** rät, wer das ist (Karl, Anita oder Paul). Dann ist **B** dran.

Beispiel: ***A*** *Der Frühling gefällt mir.*
B *Du bist Karl.*
A *Richtig!*

4 Dein(e) Brieffreund(in) stellt diese Fragen. Schreib eine kurze Antwort.

- Wie ist das Wetter bei dir?
- Welches Wetter gefällt dir (nicht)?
- Welche Jahreszeit magst du (nicht)?

Extra! Sag warum! (*Weil ...*)

Hilfe

Ich liebe/mag/hasse	kaltes Wetter/den Herbst/den Schnee.

Der Regen gefällt mir/dir (nicht).
Es geht ihm (nicht) gut.
Der Arzt gibt ihr/uns/euch Tabletten gegen Heuschnupfen.
Es ist ihnen zu kalt im Winter.

Bei heißem Wetter bin ich gut gelaunt.
Bei nebligem Wetter bin ich schlecht gelaunt.

Grammatik im Fokus – Pronomen im Dativ

Use the dative pronouns to mean 'me', 'you', 'him', etc.:

- **as the indirect object:**

Der Arzt gibt **ihm** Tabletten gegen Heuschnupfen.
*The doctor gives **him** tablets for hayfever.*

- **with verbs that take the dative case:**

Der Winter gefällt **ihnen** nicht. *They don't like winter. (It doesn't please **them**.)*

- **after prepositions that take the dative case:**

Bei **uns** regnet es viel. *It rains a lot with **us**.*

1 Find all the dative pronouns in the *Hilfe* box on this page. Match them to the correct subject pronouns (*ich, du,* etc.).

Beispiel: *ich – mir*

2 Complete these sentences with dative pronouns.

Beispiel: *1 dir*

1 Wie geht's ____? (*you*)
2 Es geht ____ nicht gut. (*me*)
3 Dieser Regen gefällt ____ nicht. (*us*)
4 Hier ist es ____ zu heiß im Sommer. (*them*)
5 Welche Jahreszeit gefällt ____, Linda und Jens? (*you*)
6 Der Frühling gefällt ____ (*him*) und alle Jahreszeiten gefallen ____. (*her*)

218

Es lebe das Auto?

- talk about transport issues
- discuss advantages and disadvantages of public transport

1a Joscha beschreibt den Verkehr in seiner Stadt (Zürich). Hör zu und lies mit.

1 Bei uns in Zürich gab es früher zu viel Verkehr in der Stadtmitte. Es war laut, schmutzig und gefährlich.
2 Parken war ein großes Problem – alle Parkplätze und Parkhäuser waren voll.
3 Und die Abgase von Autos und Lastwagen waren furchtbar!
4 Jetzt ist es viel besser. Es gibt viele Straßenbahnlinien – sie sind schnell, sauber und sicher.
5 Und die Busse sind ziemlich billig. Sie sind auch ziemlich umweltfreundlich.
6 Einige Großstädte haben eine teure U-Bahn, aber das brauchen wir nicht in Zürich.
7 Es gibt viele Radwege und bei gutem Wetter fahre ich immer mit dem Rad in die Stadt.
8 Wir haben auch mehr Fußgängerzonen in der Stadtmitte – das ist viel gesünder und sicherer.

1b Hör noch einmal zu und finde die passenden Fotos für die Sätze in Übung 1a.

***Beispiel:** 1 – c*

a

b

c

d

e

f

g

h

1c Was für Verkehr gibt es in der Stadt? Welche Verkehrsmittel erwähnt Joscha? Schreib eine Liste mit Übersetzungen.

***Beispiel:** das Auto(s) – car*

1d Finde die Gegenteile im Text.

***Beispiel:** ruhig – laut*

1 ruhig
2 gefährlich
3 langsam
4 sauber
5 teuer
6 ungesund
7 umweltfeindlich

Extra! Finde passende Adjektive für jedes Verkehrsmittel.

***Beispiel:** Auto: schmutzig, laut, ...*

2a **Mikro-Welle.** Hör zu und schau die Fotos (Übung 1b) noch einmal an. Welche Fotos sind das?

Beispiel: *1 – c, …*

2b Wie ist der Verkehr in Berlin, Mannheim, im Dorf und in Celle? Was sind die Probleme? Was ist gut? Hör noch einmal zu und mach Notizen.

Beispiel: ***1*** *Berlin – Verkehr = furchtbar; …*

3a Was passt zusammen? Schreib ganze Sätze.

Beispiel: 1 – d, *Bei uns ist der Verkehr furchtbar!*

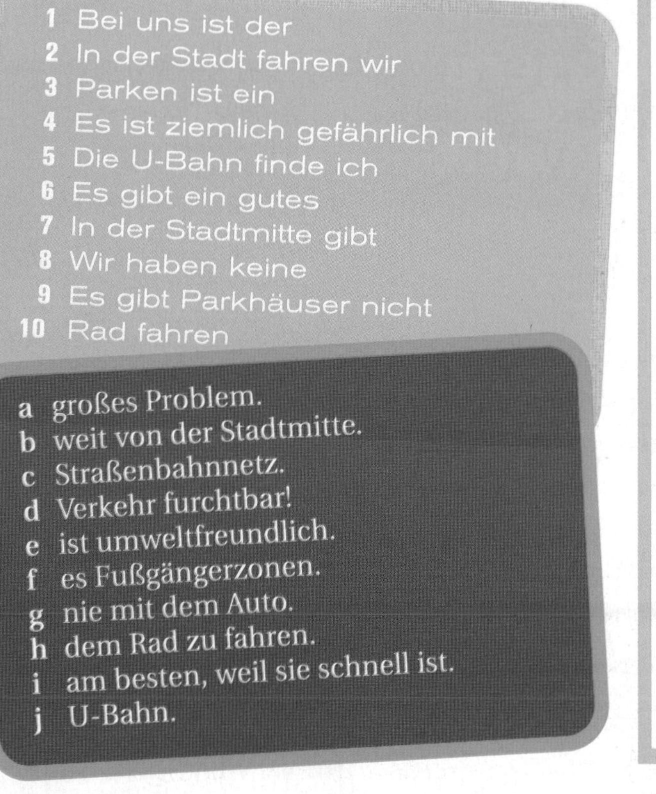

1 Bei uns ist der
2 In der Stadt fahren wir
3 Parken ist ein
4 Es ist ziemlich gefährlich mit
5 Die U-Bahn finde ich
6 Es gibt ein gutes
7 In der Stadtmitte gibt
8 Wir haben keine
9 Es gibt Parkhäuser nicht
10 Rad fahren

a großes Problem.
b weit von der Stadtmitte.
c Straßenbahnnetz.
d Verkehr furchtbar!
e ist umweltfreundlich.
f es Fußgängerzonen.
g nie mit dem Auto.
h dem Rad zu fahren.
i am besten, weil sie schnell ist.
j U-Bahn.

3b **A** ist eine Person von Übung 2a, **B** stellt Fragen. Dann ist **B** dran. Hier sind einige Fragen:

- Wie ist der Verkehr in deiner Stadt?
- Kann man gut parken?
- Gibt es eine Straßenbahn oder eine U-Bahn?
- Gibt es Radwege?
- Wie fährst du meistens?
- Gibt es Fußgängerzonen?

3c Wähle eine andere Person aus Übung 2a. Schreib einen kurzen Bericht über den Verkehr in ihrer Stadt. Mach dann eine Kassette.

4a Wie ist der Verkehr in *eurer* Stadt? Diskutiert in Gruppen und macht Notizen.

4b Schreib einen kurzen Bericht über den Verkehr in deiner Stadt oder deiner Gegend.

Beispiel: *Bei uns ist der Verkehr furchtbar.*
Parken is ein großes Problem.

Hilfe

Bei uns ist der Verkehr	furchtbar/zu laut. sehr gut.

Wir fahren	immer meistens nie	mit dem Auto. mit der Straßenbahn. mit dem Rad.

Parken ist kein Problem.

Lastwagen sind ein großes Problem.

Es ist	ziemlich gefährlich umweltfreundlich	mit dem Rad zu fahren. zu Fuß zu gehen.

Die U-Bahn Den Bus	finde ich am besten, weil	sie schnell ist. er günstig/billig ist.

Wir haben Es gibt	keine U-Bahn. ein gutes Straßenbahnnetz. Fußgängerzonen. Parkhäuser nicht weit von der Stadtmitte.

Alles im Eimer

- discuss environmental issues
- talk about ways of improving the environment
- use a dictionary effectively

See also *Noch mal!* page 190 and *Extra!* page 205.

1a Schau das Poster und die Bilder an. Welche Überschrift passt zu welchem Bild?

Beispiel: *a – 6*

1b Ist alles richtig? Macht Dialoge.

Beispiel: **A** *Bild g!*
B *Wir benutzen zu viele Plastiktüten.*

2 Diese Leute besprechen Umweltprobleme. Hör gut zu und finde die richtige Reihenfolge für die Bilder in Übung 1a.

Beispiel: *d, …*

3a Wie kann man helfen, die Umwelt zu schützen? Hör gut zu und finde die passenden Sätze in der Hilfe-Box.

Beispiel: *e, …*

Hilfe

- **a** Alle können Wasser sparen.
- **b** Alle sollen Stofftaschen benutzen.
- **c** Man muss Tiere und Pflanzen schützen.
- **d** Man soll den Müll trennen und recyceln.
- **e** Man soll öfter Rad fahren oder zu Fuß gehen.
- **f** Wir sollen Energie sparen.
- **g** Wir sollen Pfandflaschen und Gläser benutzen.

3b Schau das Poster (Seite 102) und die Hilfe-Box an. Was passt zusammen?

Beispiel: *1 – d*

4a **A** wählt ein Umweltproblem von Übung 1a, **B** sagt, was man tun kann. Dann ist **B** dran.

Beispiel: **A** *Wir benutzen zu viele Plastiktüten.*
B *Man soll Stofftaschen zum Supermarkt mitnehmen.*

Extra! Macht Sätze mit *weil, sodass* oder *damit*.

Beispiel: *Man soll Stofftaschen mitnehmen, sodass man weniger Plastiktüten benutzt.*

4b Wie kann man umweltfreundlich sein? Was soll man für die Umwelt tun? Mach ein Poster oder eine Broschüre. Brauchst du Hilfe? Schau im Wörterbuch nach.

Beispiel:

Es gibt zu viel Müll.
Man soll weniger Verpackung benutzen.

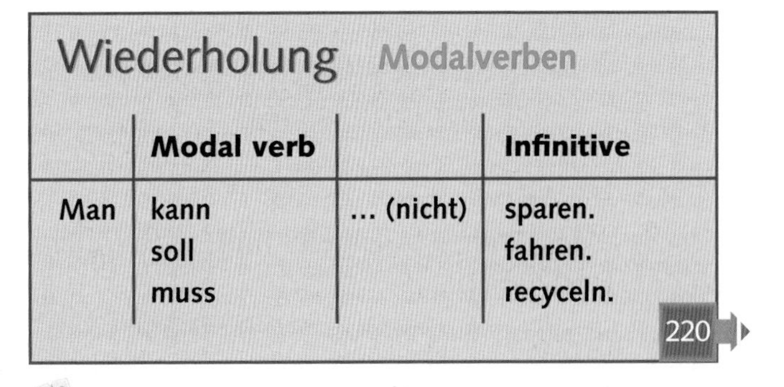

Wiederholung Modalverben

	Modal verb		Infinitive
Man	kann soll muss	… (nicht)	sparen. fahren. recyceln.

220

Tipp

Using a dictionary effectively

- **Find words quickly by using the word at the top of the page.**
- **If you're not sure which meaning is correct, check in the German–English part of the dictionary.**
- **Make use of the grammatical information.**

1 Match these abbreviations to their explanation.

1 *n m*
2 *n f*
3 *n nt*
4 *v*
5 *irreg*
6 *refl*
7 *adj*
8 *adv*
9 *conj*
10 *pron*

a a conjunction joins two sentences together
b a neuter noun (*das*)
c an adjective (a word that describes a noun)
d an adverb tells you more about the verb
e pronouns replace nouns so you don't have to repeat the nouns too often
f this is a reflexive verb (it needs *sich*, etc.)
g a masculine noun (*der*)
h this is a verb
i this noun is feminine (*die*)
j this verb is irregular in some way

- **Look up the last part of a compound noun to find its gender or plural.**

2 What are the gender and plural of these words?
Bierflasche, Spraydose, Elektroauto, Gemüsegarten

- **Look for useful phrases that include the word (and try to use them yourself).**

Kursarbeit: Meine Heimat

- talk about the good and bad points of your town or area
- adapt a text to produce your own written work

1 Andrea beschreibt ihre Stadt. Hör zu und lies mit.

Lage

Ich wohne in einem Vorort von Hamburg. Das ist eine Handels- und Industriestadt in Norddeutschland. Sie liegt an der Elbe, etwa 80 Kilometer von der Nordsee. Die Stadt hat etwa zwei Millionen Einwohner.

Verkehr

Die Busverbindungen sind ausgezeichnet und man kann auch mit der U-Bahn und der S-Bahn fahren. Es gibt viele Radwege, aber es gibt auch viel Verkehr und Radfahren ist immer noch ziemlich gefährlich.

Wetter und Klima

Im Sommer ist es meistens sonnig und ziemlich heiß, aber im Herbst regnet es und es ist manchmal neblig. Es schneit im Winter und es ist oft sehr kalt – minus 10 oder 15 Grad!

Umwelt

Die Stadt macht viel Recycling. Man trennt den Müll und es gibt überall Container für Altglas, Altpapier, Kleidung usw. Die Elbe war früher ein schmutziger Fluss, aber man hat viel für die Umwelt getan und sie ist jetzt viel sauberer.

Unterhaltung

In Hamburg gibt es viele gute Kinos und moderne Geschäfte, aber in unserem Vorort gibt es nicht viel für junge Leute. Wir haben einen Jugendklub und ein Sportzentrum, aber es gibt kein Schwimmbad. Einmal im Monat gibt es eine Disco, aber sie ist nicht sehr gut. Man soll auch mehr für junge Leute in den Vororten tun – es gibt dort zu wenig Unterhaltungsmöglichkeiten.

Änderungen

Das Verkehrssystem ist gut, aber es gibt immer noch zu viel Verkehr und das ist ungesund. Wir brauchen mehr Radwege.

Meinung

Ich wohne gern hier, weil es eine moderne, lebendige Stadt ist. Manchmal finde ich Hamburg ein bisschen zu groß, aber die Gegend gefällt mir – es gibt keine Berge und die See ist nicht zu weit weg.

Tipp

Adapting a text

Look at Andrea's personal portrait of Hamburg. There are lots of phrases you can use to describe your own area and express your own opinions. All you need to do is change a few words. Here are a few possibilities. Perhaps you can think of many more options.

Lage (siehe Seite 78)
in einem Vorort/Dorf
nicht weit von …
eine Kleinstadt/Hafenstadt …
in Südwestengland/Nordostschottland
an einem See/in den Bergen
hunderttausend Einwohner

Verkehr (siehe Seite 101)
Zugverbindungen
ausgezeichnet/gut/schlecht/furchtbar
mit der U-Bahn/S-Bahn/Straßenbahn
nicht viele/keine Radwege
zu viel Verkehr
Radfahren ist sehr sicher

Wetter und Klima (siehe Seite 98)
meistens regnerisch
ziemlich kalt
manchmal stürmisch
sehr wolkig

Umwelt (siehe Seite 103)
kein/wenig Recycling
es gibt keine/wenige Container
ein sauberer/schmutziger Fluss

Unterhaltung (siehe Seite 81)
viele gute/schlechte Geschäfte, keine modernen Discos.
in unserem Vorort/Dorf/Stadtteil
nicht viel/gar nichts/ziemlich viel/sehr viel für junge Leute
zweimal im Jahr/in der Woche
(nicht) sehr gut/ziemlich laut/…

Änderungen (siehe Seite 84)
Die Fußgängerzone ist gut, aber …
mehr Geschäfte
mehr für alte Leute
in der Stadtmitte/im Dorf
zu wenig/zu viel

Meinung (siehe Seite 83)
sehr gern/ziemlich gern/nicht gern/lieber als in …
eine alte, historische Stadt/ein freundliches Dorf …
ein bisschen zu groß/viel zu klein
gefällt mir (nicht)
es gibt keine Berge/Wälder/keinen Fluss/See/zu viele Felder …

1a Form six groups. Each group looks at a different section of the account on page 104 (excluding the *Meinung* section) and adapts it to suit your town or area.

1b Then each group tells the rest of the class their version. If you don't understand something, ask questions in German.

2a Now make your own notes on each section and add the final section – your opinion of your town or area.

2b Work with a partner. Tell each other your information in turn. You could ask each other some questions. (See the *Hilfe* box.)

Hilfe

Wo liegt das?
Wie viele Einwohner gibt es?
Wie ist das Wetter im Sommer/Winter?
Was gibt es dort zu tun?
Wie ist der Verkehr?
Was macht man für die Umwelt?
Was soll anders sein?
Wie findest du die Stadt/die Gegend?

3 Finally, write a portrait of your town or area. If possible, illustrate it and make a display. You could perhaps make a web page for a German-speaking school to look at.

Grammatik im Fokus

Die Fälle (1)

- recognize and use the nominative case
- recognize and use the accusative case

What are the cases and when do I use them?

There are four cases in German. They show what part a particular noun plays in a sentence. This is usually shown by changes in the words for 'the', 'a', 'my', 'this', etc.

- **nominative**
  – the subject of a sentence
  – to name something
- **accusative**
  – the direct object of a sentence
  – with certain prepositions
- **genitive**
  – to mean 'of' (possession)
  – with certain prepositions
- **dative**
  – the indirect object of a sentence
  – with certain prepositions

How do I recognize and use the nominative case?

This is the part of a noun that is normally given in a dictionary. The words for 'the' and 'my' are in the table below. Look in the grammar section (page 213) for words that follow similar patterns.

Masculine	Feminine	Neuter	Plural
der Bus	**die** Bahn	**das** Auto	**die** Flugzeuge
mein Garten	**meine** Stadt	**mein** Haus	**meine** Freunde

- Use the nominative as the **subject** – the person or thing doing the action of the verb.

> **Der Bus kommt um 10 Uhr.**
> **Meine Stadt ist sehr umweltfreundlich.**

- Use the nominative to name something – this is usually after the verbs *sein* (to be) and *werden* (to become).

> **Die Lehrerin ist eine Freundin von meinen Eltern.**
> **Mein Onkel wird der neue Direktor.**

213

1 Complete the words for 'the' or 'my'. If necessary, use a dictionary to check genders.

1 D___ Sommer ist mein___ Lieblingsjahreszeit.
2 Mein___ Haus liegt in der Stadtmitte.
3 D___ Berge sind schön im Winter.
4 Mein___ Schwester hat einen Pullover gekauft.
5 Wo ist d___ Umkleidekabine?

How do I recognize and use the accusative case?

The words for 'the' and 'my' in the accusative case are shown below. The only difference from the nominative is in the masculine form.

Masculine	Feminine	Neuter	Plural
den Bus	die Bahn	das Auto	die Flugzeuge
meinen Garten	meine Stadt	mein Haus	meine Freunde

- Use the accusative as the **direct object** – the person or thing the verb does the action to.

> Ich sehe **den Bus.**
> Ich trenne **meinen Müll.**

213

- Always use the accusative with these prepositions: *durch, für, gegen, ohne, um, entlang.*

> Wir gehen **durch den Park.**
> Autos sind schlecht **für die Umwelt.**

- Use the accusative with these prepositions when indicating **direction**: *an, auf, hinter, in, neben, über, unter, vor, zwischen.*

> Ich steige **in das Auto.**
> Du fährst **über eine Brücke.**

215

2 Write complete sentences.

1 Er hat den	**a** grüne Jacke kaufen.
2 Ich besuche morgen	**b** Hamburger.
3 Ich nehme einen	**c** das Rathaus?
4 Siehst du	**d** Bus verpasst.
5 Ich möchte eine	**e** meine Freunde.

3a Choose the correct word in the brackets.

1. Der Fluss fließt durch (der/die/dem) Stadtmitte.
2. Ich fahre ohne (meinen/mein/meine) Eltern nach Berlin.
3. Diese Socken sind für (meinen/meine/mein) Vater.
4. Es gibt eine Mauer um (das/der/die) Haus.
5. Morgen spielen wir gegen (einer/eine/einem) Mannschaft aus Köln.

3b Which of these phrases are in the accusative? Make a list.

an meine Freundin (denken)
auf den Tisch (stellen)
hinter dem Baum (stecken)
in die Stadtmitte (gehen)
neben der Bank (stehen)
über eine Brücke (laufen)
unter den Bäumen (liegen)
vor das Haus (fahren)
zwischen der Straße und den Häusern (sein)

Extra! Try to make up a full sentence with each of the phrases in your list.

Die Fälle (2)

- recognize and use the genitive case
- recognize and use the dative case

How do I recognize and use the genitive case?

The words for 'the' and 'my' in the genitive case are shown below.
Notice that the masculine and neuter nouns usually add *-s* or *-es*.

Masculine	Feminine	Neuter	Plural
des Busses	der Bahn	des Autos	der Flugzeuge
meines Gartens	meiner Stadt	meines Hauses	meiner Freunde

- Use the genitive to mean 'of':

Ein Vorteil **der Bahn** ist ihre Pünktlichkeit.
Am Ende **meines Gartens** habe ich viel Gemüse.

214

1 Match the German phrases with the English.

1 der Preis des Hemdes
2 das Hemd meines Freundes
3 die Angebote dieser Woche
4 ein Freund der Tiere
5 am Anfang des Tages
6 am Ende der Woche

a this week's offers
b the animals' friend
c at the end of the week
d at the beginning of the day
e my friend's shirt
f the shirt's price

- Use the genitive with these prepositions:
wegen, während, trotz. (See Unit 9 *Extra!*, page 205.)

Wegen der Sonne ist es sehr heiß.
Während des Tages gibt es viel Verkehr.

215

2 Match the caption to the correct picture.

1 Während des Tages schlafe ich, aber dann gehe ich essen!
2 Wegen der Hitze habe ich kein Eis mehr.
3 Trotz der Farbe habe ich die Jacke wegen des Preises gekauft.

How do I recognize and use the dative case?

The words for 'the' and 'my' in the dative case are shown below. Notice that the noun in the dative plural usually adds *-n* or *-en*.

Masculine	Feminine	Neuter	Plural
dem Bus	**der** Bahn	**dem** Auto	**den** Flugzeugen
meinem Garten	**meiner** Stadt	**meinem** Haus	**meinen** Freunden

- Use the dative as the **indirect object** – 'to' a person or thing. This is used especially with verbs such as *geben, schicken, reichen, servieren, schreiben, sagen, zeigen*.
- Notice that the dative (*dem Fahrer, meiner Freundin*) goes before the accusative (*meine Fahrkarte, eine Postkarte*).

Ich gebe **dem Fahrer** meine Fahrkarte.
Ich schicke **meiner Freundin** eine Postkarte.
Er gibt **dem Hund** den Ball.
Er schreibt **seinen Eltern** einen Brief.

213 ▸

3 These sentences all have a direct object and an indirect object. Make a list of the indirect objects (dative case).

1 Mein Freund zeigt seiner Mutter den Altglascontainer.
2 Der Kunde schreibt dem Manager einen Brief.
3 Der Verkäufer hat der Dame die falsche Jacke gegeben.
4 Kannst du bitte deinem Brieffreund ein Poster schicken?
5 Die Kellnerin serviert den Kindern den Nachtisch.

- Always use the dative with these prepositions: *aus, bei, mit, nach, seit, von, zu, gegenüber.*

nicht weit von **der** Küste
gegenüber **einer** Tankstelle
seit **einem** Monat
nach **dem** Essen

- Use the dative with these prepositions when indicating **position**: *an, auf, hinter, in, neben, über, unter, vor, zwischen.*

Ich sitze **in dem (im)** Auto.
Du stehst **auf einer** Brücke.

215 ▸

4 Choose a suitable preposition from the box to complete the sentences.

Example:* 1 *Ich bin* mit *der Straßenbahn gefahren.

auf gegenüber in mit von zu zwischen

1 Ich bin ______ der Straßenbahn gefahren.
2 Das Hotel war ______ einem Platz ______ dem Bahnhof.
3 Wir haben ______ der Disco getanzt.
4 Wir sind ______ dem Freibad gegangen.
5 Der Wald liegt nicht weit ______ meiner Wohnung.
6 Sie finden die U-Bahn-Station ______ der Stadthalle und einer Bank.

Lesepause

1a Die Klasse 10b hat einen Austausch mit einer englischen Schule gemacht. Eine Schülerin hat einen Rap geschrieben. Hör zu und lies oder mach mit.

Der Austausch

Wir waren zehn Tage in England.
Wir haben viel Englisch gelernt.
Jetzt sind wir wieder zu Hause
Und weit von der Insel entfernt.

In Deutschland fahre ich Rad,
Aber England war nicht so ‚grün'.
Wir sind mit dem Bus gefahren
Und mit dem Auto. Nicht schön!

Wir sind links gefahren, nicht rechts.
Komisch, findest du nicht?
Das Abendessen war früh, um sechs,
Und zu Hause esse ich um acht!

Bei uns beginnt die Schule sehr früh.
In England war das viel später.
Aber nachmittags haben wir Schule gehabt.
Ich meine, bei uns ist es besser.

Ich habe die Stadt besichtigt.
Das mache ich hier nicht gern.
Ich habe auch viel ferngesehen.
Zu Hause sehen wir selten fern.

Wir waren zehn Tage in England.
Der Austausch ist aber vorbei.
Ich habe mich sehr amüsiert.
Es war interessanter als hier!

1b Wie ist es in Deutschland und wie war es in England? Macht Notizen.

Beispiel:

Deutschland	England
Ich fahre Rad.	Wir sind mit dem Bus gefahren.

1c **A** ist im Austausch nach Deutschland gefahren. **B** fragt: „Was hast du in Deutschland gemacht? Was machst du hier?"

Die geldlose Gesellschaft

2a Schau den Cartoon auf Seite 110 an und beantworte die Fragen.

Bild 1 In welches Geschäft geht Herbert? Was kauft er? Wie bezahlt er?
Bild 2 Wohin geht er dann? Was macht er? Wie bezahlt er?
Bild 3 Was fährt er? Was für ein Auto ist das? (modern, schnell, rot …)
Bild 4 Gehen sie in ein billiges Restaurant?
Bild 5 Was ist das Problem?
Bild 6 Was müssen Herbert und Claudia machen? Sind sie zufrieden?

2b Was sagt man im Modegeschäft und im Blumengeschäft? Was bestellen sie im Restaurant? Macht Dialoge.

3a ‚Autofrei': Hör dem Lied zu und lies oder sing mit.

3b Wie viele Verkehrsmittel sind im Lied? Mach eine Liste.

3c Finde das Gegenteil im Lied.

***Beispiel:** dreckig – sauber*

dreckig kurz leicht leise
umweltfeindlich unbequem unwichtig

3d Wie oft fährst du Auto? Warum?

***Beispiel:** es ist schneller, es ist besser bei Regen …*

Autofrei

1

Das Auto bleibt zu Hause.
Ich fahre mit dem Bus.
Ich mag die Luft nur sauber,
Weil jeder atmen muss.

2

Das Auto bleibt zu Hause.
Ich fahre mit der Bahn.
Auf langen Strecken lohnt sich's.
Da sitz ich schön bequem.

3

Das Auto bleibt zu Hause.
Ich fahre mit dem Rad
Durch Stadt und Land und Berge.
Das find' ich nicht so hart.

4

Das Auto bleibt zu Hause.
Ich gehe jetzt zu Fuß.
Das ist so umweltfreundlich.
Und Autos? Keine Lust!

5

Kein Auto mehr zu Hause.
Ich hab' es schon verkauft.
Die U-Bahn und die Busse
Sind preiswert und nicht laut.

6

Das Auto war mal wichtig.
Ich bin oft gern gefahr'n.
Doch wichtiger ist die Umwelt.
Wir schützen sie zusammen.

Lisa und Markus machen Urlaub auf dem Campingplatz. Sie lesen im Aufenthaltsraum ein Poster von der Radiosendung *Tipptop* für junge Leute.

1a Lisa und Markus wollen ihre Umfrage in der Stadt machen. Aber wie kommen sie dorthin? Sie fragen Jan. Schreib den Dialog in der richtigen Reihenfolge auf.

a Links – und dann rechts. Danke. Ist das weit?
b Nehmt die zweite Straße links. Das Jugendzentrum ist auf der rechten Seite.
c Geht immer geradeaus. Die Innenstadt ist hinter der Brücke.
d Danke. Und wo ist das Jugendzentrum?
e Nein, nur 5 Minuten zu Fuß.
f Jan, wie kommen wir am besten zur Stadtmitte?

1b Ist alles richtig? Hör gut zu.

2a Hör gut zu. Kopiere den Fragebogen und füll ihn für die drei Jugendlichen aus.

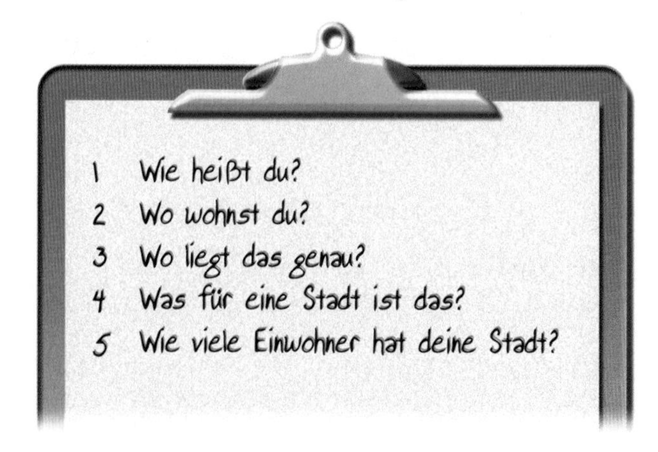

2b Du bist dran! Beantworte die Fragen für dich.

3a Hier sind die nächsten Fragen. Hör gut zu und schreib die Antworten für die drei Jugendlichen auf.

6 Wie ist das Wetter in deiner Stadt?
7 Wie ist der Verkehr in deiner Stadt?
8 Was kann man in deiner Stadt machen?

3b **A** stellt die Fragen, **B** antwortet. Dann ist **B** dran.

4a Wie finden die drei Jugendlichen von Übung 3 ihre Stadt? Lies die Sätze. Wer sagt was? Schreib die passenden Namen auf.

1 Ich finde, dass es hier zu langweilig ist. Diese Stadt ist zu klein für mich. Ich möchte in einer Großstadt wohnen.

2 Meine Stadt ist zwar groß und sehr schön für Touristen, aber es gibt nichts Interessantes für junge Leute.

3 Meine Stadt ist alt, aber sie ist nicht altmodisch! Ich wohne gern in meiner Stadt – dort ist immer etwas los!

4b Du bist dran! Wie findest du *deine* Stadt/Gegend? Schreib deine Meinung auf.

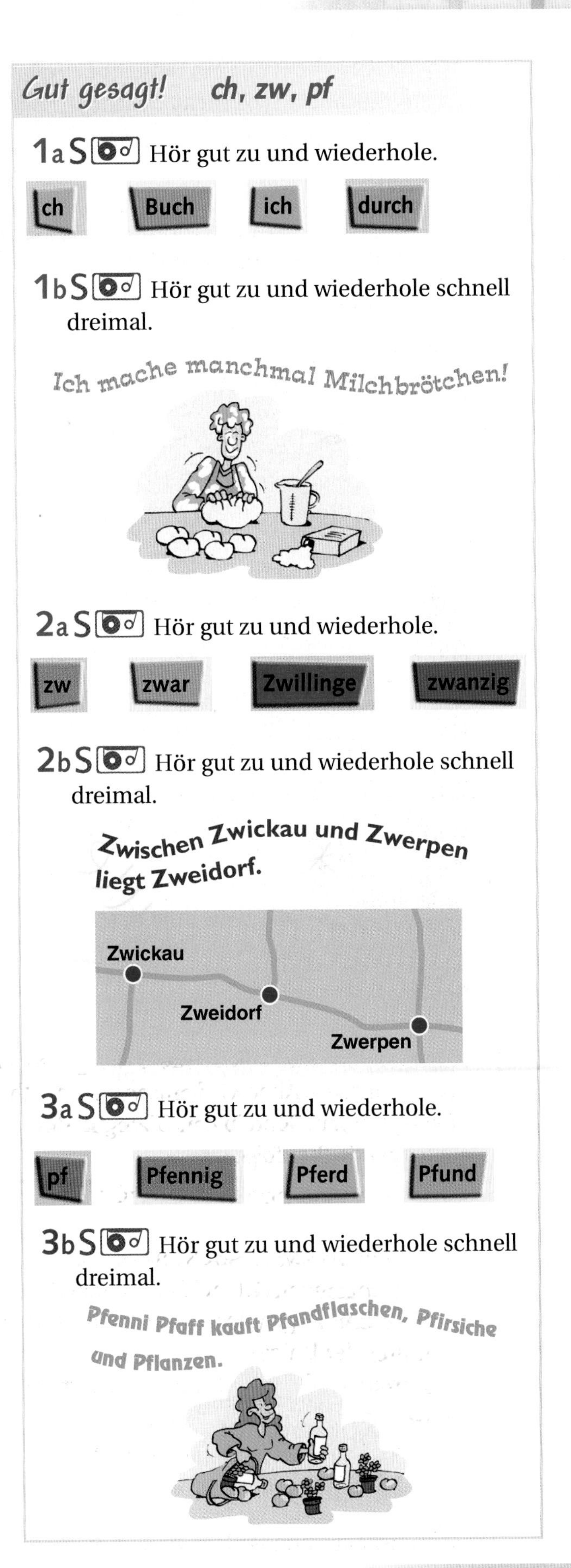

10 Mein Schultag

- describe a typical day at school
- prepare for the listening exam

See also *Noch mal!* page 191.

1a Hör gut zu und lies mit.

Hier ist meine Schule, die Hauptschule Löwentor. Meine Schule ist ziemlich modern und auch ziemlich groß – es gibt 800 Schüler und Schülerinnen. Meine Schule beginnt jeden Tag um 8 Uhr. Ich fahre immer mit dem Rad zur Schule.

Ich habe sechs Stunden pro Tag. Eine Stunde dauert 45 Minuten. Heute habe ich Englisch – das ist mein Lieblingsfach. Ich habe auch gute Noten in Kunst. Gestern habe ich Mathe und Physik gehabt – schrecklich!

Während der Pause esse ich ein Butterbrot und erzähle mit meinen Freunden.

Die Schule endet um 13.15 Uhr aber es gibt viele AGs nach dem Unterricht – Theater, Fußball, Kunst ... ich bin in der Volleyball-AG. Gestern haben wir gegen eine andere Schule gespielt. Wir haben gewonnen!

1b Richtig (**R**), falsch (**F**) oder nicht im Text (**N**)?

1. Katjas Schule ist sehr alt.
2. Die Schule endet um 8 Uhr.
3. Katja hat 5 Stunden pro Tag.
4. Sie mag Englisch sehr gern.
5. Sie mag Mathe nicht.
6. Sie hat schlechte Noten in Mathe.
7. In der Pause geht sie in die Schulbibliothek.
8. Sie spielt zweimal in der Woche Volleyball.

1c **A** ist Katja, **B** stellt die Fragen. Dann ist **B** dran.

1. Wie heißt deine Schule?
2. Wie viele Schüler und Schülerinnen gibt es?
3. Wann beginnt die Schule?
4. Wie fährst du zur Schule?
5. Wie viele Stunden hast du pro Tag?
6. Wie lange dauert eine Stunde?
7. Was ist dein Lieblingsfach?
8. Was hast du gestern gehabt?
9. Was machst du während der Pause?
10. Wann endet die Schule?
11. Welche AGs gibt es in der Schule?
12. Was hast du gestern nach der Schule gemacht?

Wiederholung Präsens oder Perfekt?

Make sure that you are using the correct tense to answer the questions! Which two questions in Übung 1c are in the past tense?

Remember:

Ich **fahre** mit dem Rad. = present tense
Ich **habe** Volleyball **gespielt**. = past tense

221

2 Wie ist *deine* Schule? **A** stellt die Fragen von Übung 1c und **B** antwortet. Dann ist **B** dran.

3 Beschreib deine Schule wie Katja. Benutze den Text in Übung 1a und ändere die Wörter in Rot.

4a Joscha beschreibt seine Schule. Hör gut zu und finde die passenden Antworten.

1 Joschas Schule ist
a groß. **b** nicht sehr groß. **c** klein.
2 Es gibt … Schüler/innen.
a 1500 **b** 50 **c** 500
3 Die Schule beginnt um … Uhr.
a 8.45 **b** 7.45 **c** 8.15
4 Joscha ist gestern
a zu Fuß zur Schule gegangen.
b mit dem Auto zur Schule gefahren.
c nicht zur Schule gegangen.

4b Hör noch einmal zu und füll die Lücken aus.

Joscha hat (1) ________ Stunden jeden Tag und jede Stunde dauert (2) ________.
Er mag (3) ________ gern, aber (4) ________ mag er überhaupt nicht. Gestern hat er (5) ________, (6) ________, (7) ________ und (8) ________ gehabt.
Während der Pause spielt er (9) ________ oder er erzählt mit (10) ________.

4c Hör noch einmal zu und beantworte die Fragen auf Deutsch.

1 Wann endet der Schultag?
2 Was macht Joscha oft nach der Schule?
3 Nenne zwei AGs an seiner Schule.
4 Mit wem ist Joscha zur Theater-AG gegangen?

Hilfe

Meine Schule heißt …
Es gibt … Schüler/Schülerinnen.
Die Schule beginnt/endet um …
Ich fahre mit dem Bus/mit dem Rad/mit dem Auto zur Schule.
Ich gehe zu Fuß zur Schule.
Ich habe … Stunden pro Tag.
Eine Stunde dauert 45 Minuten.
Mein Lieblingsfach ist …
Ich habe gute/schlechte Noten in …
In der Pause esse ich/erzähle ich mit Freunden/spiele ich Fußball/gehe ich in die Schulbibliothek.
Es gibt viele AGs nach dem Unterricht.

Prüfungstipp

Preparing for the listening exam

In the listening exam you will have to deal with some longer passages of German as well as having to answer lots of different types of questions.

Before listening:
- First of all read through the questions carefully. Make sure you know what they mean and what you are being asked to do in each task.

While listening:
- Make rough notes of the main points.
- Listen to the speaker's voice – does it tell you anything? Does the person sound happy, angry, sad, etc.?

Answering questions:
- In multiple-choice questions, the key words for both choices are often mentioned. Don't be caught out by this!
- For gap-fill tasks, the passage you have to fill in may not be identical to that on the recording. Often you will find different words which have a similar meaning.
- When answering questions in German, you do not usually have to write in full sentences. Do make sure, though, that your answer matches the question and don't write down big chunks from the passage which may not be relevant.

Wie ist deine Schule?

- learn about the school systems in German-speaking countries
- compare schools in German-speaking countries and Britain
- describe your own school

See also *Noch mal!* page 191 and *Extra!* page 206.

1a Hör gut zu und lies mit.

Joscha: Ich besuche ein gemischtes Gymnasium. Meine Schule hat 500 Schüler und Schülerinnen. Ich bin in der 10. Klasse. Meine Lieblingsfächer sind Kunst und Deutsch und ich habe darin gute Noten.

Kai: Ich besuche eine gemischte Gesamtschule. Ich mag Deutsch und Sport, aber ich habe schlechte Noten in Geschichte und Mathe. Vielleicht werde ich dieses Jahr sitzen bleiben! Meine Schule ist ziemlich groß und hat ein Schwimmbad und eine große Turnhalle. Es gibt keinen Speisesaal, weil wir um 13 Uhr nach Hause gehen.

Ümmihan: Ich besuche eine Realschule für Mädchen. Meine Schule befindet sich in der Stadtmitte und ich fahre jeden Tag mit dem Bus dorthin. Ich bin jetzt in der 10. Klasse. Dieses Jahr mache ich die mittlere Reife.

Katja: Ich besuche eine Hauptschule. Hier lernen wir viele praktische Fächer. Mein Lieblingsfach ist Englisch und ich habe darin gute Noten. In der Schule trage ich Jeans und ein T-Shirt. In Deutschland gibt es keine Schuluniform.

1b Füll die Lücken aus.

Klasse · Gesamtschule · Noten · Hauptschule · Turnhalle · Gymnasium · mittlere Reife · Realschule · Schwimmbad · sitzen bleiben · Schuluniform

1. Joscha besucht ein ________________ .
2. Er hat gute ________________ in Kunst und Deutsch.
3. Kai besucht eine ________________ .
4. Er wird vielleicht ________________, weil er schlechte Noten hat.
5. Kais Schule hat ein ________________ und eine ________________ .
6. Ümmihan besucht eine ________________ .
7. Sie ist in der zehnten ________________ .
8. Dieses Jahr macht sie die ________________ .
9. Katja besucht eine ________________ .
10. Sie trägt keine ________________ .

2a Ist das Deutschland oder Großbritannien?

1 Die Schule beginnt um 9 Uhr.
2 Es gibt keine Schuluniform.
3 Schüler mit schlechten Noten bleiben sitzen.
4 Es gibt meistens einen Speisesaal in der Schule.
5 Die Schule endet um 13 Uhr.

2b Ist alles richtig? Hör gut zu.

2c Wie ist die Schule in Großbritannien und in Deutschland? Hör noch einmal zu und mach Notizen.

Beispiel:

Großbritannien	Deutschland
Gesamtschule	nicht viele

- Was für eine Schule ist das?
- Wann beginnt der Schultag und wann endet er?
- Wo isst man zu Mittag?
- Trägt man eine Schuluniform?
- Kann man sitzen bleiben?

Extra! Beschreib die Unterschiede zwischen Schulen in Deutschland und in Großbritannien.

Beispiel:
In Deutschland endet die Schule um 13 Uhr, aber in Großbritannien endet sie erst um 15.30 Uhr.

3a **A** wählt eine der Schulen von Übung 1a und beschreibt sie, **B** stellt die Fragen in Übung 2c. Dann ist **B** dran.

3b Beschreib dann die anderen Schulen. Schreib Sätze.

4 Du bist dran! Beschreib deine eigene Schule. Die Hilfe-Box hilft dir.

Hilfe

Meine Schule ist eine Gesamtschule/eine Hauptschule/eine Realschule/ein Gymnasium.
Meine Schule befindet sich in der Stadtmitte/am Stadtrand/in einem Dorf.
Die Schule hat ... Schüler und Schülerinnen und ... Lehrer und Lehrerinnen.
Die Schule hat einen Kiosk/einen Speisesaal/eine Turnhalle/ein Schwimmbad.
Es gibt eine Schuluniform.
In der Schule trage ich ...

Meiner Meinung nach ...

- give your opinion about your school
- use *weil*, *dass* and *obwohl* to give opinions

See also *Extra!* page 206.

1a Hör gut zu und lies mit.

Joscha

Ich gehe gern zur Schule, weil ich viele Freunde dort habe. Ich verstehe mich gut mit meinen Klassenkameraden und ich finde die Lehrer meistens fair und freundlich. Ich finde es auch gut, dass es so viele AGs gibt. Man kann Kunst, Musik, Theater usw. nach der Schule machen. Ich mag die meisten Fächer, aber Latein finde ich ziemlich nutzlos. Meine Schule gefällt mir, obwohl wir zu viele Hausaufgaben bekommen und ich oft keine Zeit für meine Freunde und Hobbys habe.

Kai

Ich gehe ziemlich gern zur Schule, obwohl ich ein paar Fächer hasse. Mathe kann ich überhaupt nicht leiden. Ich finde das Schulgelände schön. Das Schulgebäude ist ziemlich modern und die Sportmöglichkeiten sind prima, denn wir haben eine Turnhalle und ein Schwimmbad. Wir haben auch viele Computer. Das Negative ... es gibt zu viele Regeln. Ich habe auch viel Stress, weil ich immer gute Noten bekommen muss.

1b Wer sagt ... ?

1 Es gibt viele Computer in der Schule.
2 Ich mag meine Schule.
3 Es gibt gute Sportmöglichkeiten.
4 Man kann viele Aktivitäten nach der Schule machen.
5 Ich muss zu viel zu Hause lernen.
6 Das Schulgebäude ist ziemlich neu.

Hilfe

Ich gehe gern/nicht gern zur Schule.
Ich finde die Lehrer fair/freundlich/streng.
Es gibt viele Computer/eine Turnhalle/viele AGs/ gute Klassenfahrten.
Ich finde ... nutzlos/interessant/langweilig.
Ich verstehe mich gut mit den Lehrern/meinen Klassenkameraden.
Es gibt zu viele Regeln.
Ich habe zu viele Hausaufgaben.
Ich habe zu wenig Zeit für Freunde und Hobbys.
Ich habe Stress, weil ich immer gute Noten bekommen muss.

2 Hör gut zu. Sind die Sätze richtig (**R**) oder falsch (**F**)?

Sandra

1 Sandra besucht ein Gymnasium.
2 Sandras Schule ist ziemlich klein.
3 Sandra versteht sich nicht gut mit den Lehrern.
4 Sie hat keine Zeit für ihre Freunde.
5 Sie muss sehr viel zu Hause arbeiten.
6 Sie mag Naturwissenschaften nicht sehr.

Ingo

1 Ingo geht gern zur Schule.
2 Er findet die meisten Fächer nützlich.
3 In der Schule ist es im Winter kalt.
4 Er versteht sich nicht gut mit seinem Klassenlehrer.
5 Er findet seine Klassenkameraden sympathisch.
6 Er ist sportlich.

3 Wie findest du die Schule? Mach eine Umfrage in deiner Gruppe.

Beispiel:
A Wie findest du die Schule?
B Die Schule gefällt mir, weil ich viele Freunde habe.

4 Wie findest *du* die Schule? Schreib fünf Sätze. Benutze *weil, dass* und *obwohl.*

Beispiel: *Meine Schule gefällt mir, weil wir eine Turnhalle und ein Schwimmbad haben.*

Extra! Beschreib deine ideale Schule!

Beispiel: *Meine ideale Schule beginnt um 10 Uhr und endet um 12 Uhr. Es gibt keine Regeln ...*

Grammatik im Fokus — Konjunktionen

Some 'linking words' like *weil* (because), *dass* (that) and *obwohl* (although) change the word order of the sentence. They send the verb to the end:

> Ich gehe gern zur Schule. Die Lehrer sind freundlich.
> Ich gehe gern zur Schule, **weil** die Lehrer freundlich **sind**.

These words are very helpful when you want to give your opinion about something.

1 Read the texts on page 118 again and see how many sentences using *weil, dass* and *obwohl* you can find.

2 Copy the sentences and fill the gaps with *weil, dass* or *obwohl.*

1 Ich mag die Schule, ________ ich gute Noten bekomme.
2 Ich finde es gut, ________ wir ein Schwimmbad haben.
3 Ich gehe gern zur Schule, ________ ich viele Hausaufgaben habe.
4 Ich mag die Lehrer, ________ sie nett sind.

3 Link the following sentences with *weil, dass* or *obwohl.*

Example: *1 Es gefällt mir, dass die Lehrer sehr nett sind.*

1 Es gefällt mir. Die Lehrer sind sehr nett.
2 Ich gehe gern zur Schule. Ich verstehe mich gut mit meinen Klassenkameraden.
3 Ich mag meine Schule. Ich finde einige Fächer nicht gut.
4 Meine Schule gefällt mir nicht. Die meisten Fächer sind nutzlos.
5 Ich finde es gut. Es gibt viele AGs.
6 Es gefällt mir nicht. Wir haben immer viele Hausaufgaben.

225

Ein Betriebspraktikum

- talk about your work experience
- use reflexive and separable verbs in the perfect tense

1 Finde die passenden Wörter für die Bilder.

1 im Kindergarten
2 im Büro
3 in einem Geschäft
4 in einem Supermarkt
5 in einem Hotel
6 bei einer Zeitung

a

b

c

d

e

f

2 Wo haben diese Jugendlichen ihr Betriebspraktikum gemacht? Finde die passenden Texte in Übung 1.

1 Ich habe die Regale aufgefüllt und an der Kasse gearbeitet.
2 Ich habe mit den Kindern gespielt und dem Lehrer geholfen.
3 Ich habe abgewaschen und die Kunden bedient.
4 Ich habe den Kunden geholfen und an der Kasse gearbeitet.
5 Ich habe das Telefon beantwortet, Faxe geschickt und fotokopiert.
6 Ich habe am Computer gearbeitet und ein Interview gemacht.

3a Hör gut zu und füll die Tabelle aus.

Name	Wo?	Arbeitsstunden	Aufgaben?	Meinung?
Thorsten	Büro	9–17 Uhr	am Computer gearbeitet, fotokopiert, E-Mails geschickt	eine gute Erfahrung, sehr interessant

3b Macht Dialoge. **A** stellt Fragen, **B** antwortet mit den Informationen von der Tabelle. Dann ist **B** dran.

- Wo hast du dein Betriebspraktikum gemacht?
- Was hast du gemacht?
- Wie war das Praktikum?

Hilfe

Ich habe mein Betriebspraktikum in ... gemacht.
Meine Arbeitsstunden waren von ... bis ... Uhr.
Meine Kollegen waren nett/freundlich/hilfsbereit.
Das Betriebspraktikum war interessant/prima/eine gute Erfahrung/langweilig/nutzlos.

4a Lies Kais Tagebuch.

Mein Betriebspraktikum

Montag
Heute bin um 6 Uhr aufgestanden – sehr früh für mich. Aber es war der erste Tag meines Betriebspraktikums. Ich habe mich geduscht, mich sehr schick angezogen und bin um 8 Uhr losgefahren. Ich bin um 8.40 Uhr beim Hotel Weiler angekommen. Ich habe mit Paul Heiner zusammengearbeitet. Er ist ziemlich jung und sehr freundlich. Heute habe ich am Empfang gearbeitet. Ich habe Reservierungen aufgeschrieben und das Telefon beantwortet. Gäste aus Amerika haben angerufen und ich habe Englisch gesprochen!

Dienstag
Heute habe ich in der Küche gearbeitet. Ich habe abgewaschen und dem Koch Werner geholfen. Es hat mir nicht sehr gut gefallen, weil es in der Küche sehr heiß war. Aber Werner war sehr lustig und ich habe mich gut mit ihm verstanden.

Mittwoch
Heute habe ich im Restaurant gearbeitet. Ich habe die Gäste bedient und die Bestellungen aufgeschrieben. Es war sehr hektisch!

Donnerstag
Heute habe ich im Büro gearbeitet. Ich habe fotokopiert und am Computer gearbeitet.

Freitag
Heute war mein letzter Tag. Meine Woche hier im Hotel war toll. Ich habe mich prima unterhalten!

4b An welchem Tag hat Kai das gemacht?

Grammatik im Fokus – Das Perfekt

Reflexive verbs are just like any other verbs in the perfect tense – just don't forget the reflexive pronoun (*mich*, *dich*, etc.) and make sure you put it in the correct place:

> Ich habe **mich** im Hotel gut **unterhalten.**

1 Find three more sentences like the example above in Kai's diary (Übung 4a).

2 Rewrite these sentences in the correct order.

1 mich / ich / für die Arbeit / habe / interessiert / .
2 angezogen / mich / habe / schnell / ich / .
3 um 8 Uhr / mich / habe / geduscht / ich / .
4 mit Werner / ich / verstanden / mich / gut / habe / .

With separable verbs, the separable prefix joins on to the past participle:

> ich wasche – ich habe gewaschen
> ich wasche **ab** – ich habe **ab**gewaschen

3 Find the perfect tense forms of these sentences in the text.

1 Gäste aus Amerika rufen an.
2 Ich stehe um 6 Uhr auf.
3 Ich schreibe Bestellungen auf.
4 Ich fahre um 8 Uhr los.

222

5 Schreib einen Bericht über dein Betriebspraktikum (100–150 Wörter) und mach dann eine Kassette.

Beispiel:
Ich habe mein Betriebspraktikum in einem Büro in der Stadtmitte gemacht ...

11 Wie sieht die Zukunft aus?

- talk about future plans
- use the future tense to talk about your plans

See also *Noch mal!* page 192.

1a Hör gut zu und lies mit.

Joscha

Ich werde nächstes Jahr in die Oberstufe kommen und dann Abitur machen. Ich werde wahrscheinlich Englisch und Deutsch als Leistungskurse wählen. Danach werde ich auf die Uni gehen und Deutsch und Englisch studieren. Das Problem ist, dass man am Ende viele Schulden hat.

Kai

Ich weiß noch nicht, was ich nach der Schule machen werde: Vielleicht werde ich auf die Universität gehen oder vielleicht eine Lehrstelle finden. Zuerst werde ich aber ein Jahr Pause machen. Ich werde um die Welt reisen und viele Länder besuchen.

Ümmihan

Ich mache dieses Jahr die mittlere Reife. Ich werde nächstes Jahr auf die Berufsschule gehen und eine Ausbildung als Bankkauffrau machen. Ich werde Unterricht haben, aber auch ein Praktikum in einer Bank machen. Ich freue mich darauf, weil ich etwas Praktisches machen möchte.

Katja

Ich werde die Schule verlassen und eine Lehre im Bereich Tourismus machen. Ich möchte an der Küste arbeiten und werde vielleicht später eine Ausbildung als Segellehrerin machen. Ich möchte nicht länger auf der Schule bleiben. Ich möchte so bald wie möglich einen Job haben und Geld verdienen.

die mittlere Reife – equivalent of GCSEs
wahrscheinlich – probably
Unterricht – lessons
im Bereich Tourismus – in the field of tourism

1b Finde diese Vokabeln auf Deutsch im Text.

1. main subjects
2. sixth form
3. debts
4. vocational school
5. training course
6. I'm looking forward to it
7. to leave school
8. an apprenticeship

1c Wer sagt … ?

1. Ich habe meine Zukunft noch nicht geplant.
2. Ich möchte so bald wie möglich die Schule verlassen.
3. Ich werde auf der Schule bleiben.
4. Ich möchte eine praktische Ausbildung machen.

2 Hör zu. Sind die Sätze richtig (**R**) oder falsch (**F**)?

1 Anna wird nächstes Jahr in der Oberstufe sein.
2 Sie wird die Schule verlassen.
3 Nach der Schule wird sie studieren.
4 Markus wird nächstes Jahr auf die Realschule gehen.
5 Er wird eine Ausbildung als Elektriker machen.
6 Markus wird die meiste Zeit in der Firma verbringen.

Grammatik im Fokus – Das Futur

The future tense is formed with the present tense of the verb *werden* and the infinitive, which is sent to the end of the sentence:

Ich **werde** in die Oberstufe **kommen**.

Here are the present tense forms of *werden*:

ich werde	wir werden
du wirst	ihr werdet
er/sie/es/man wird	sie/Sie werden

1 Look back at the texts in Übung 1a and write a list of all the verbs that are in the future tense.

2 Copy the sentences and fill in the gaps.

***Example:** 1 Ich **werde** Geschichte studieren.*

1 Ich ___________ Geschichte studieren.
2 Susi ___________ auf der Schule bleiben.
3 Wir ______________ die Schule verlassen.
4 Was ______________ du machen?
5 Kai ____________ um die Welt reisen.

3 Write these sentences in the future tense.

***Example:** 1 Markus wird auf die Berufsschule gehen.*

1 Markus geht auf die Berufsschule.
2 Wir suchen einen Job.
3 Ich mache eine Lehre.
4 Carola und Sandra machen Abitur.
5 Du gehst auf die Universität.

223

Hilfe

Ich werde (nächstes Jahr) …
in die Oberstufe kommen.
Abitur machen.
Prüfungen machen.
Englisch als Leistungskurs wählen.
auf die Berufsschule/Universität gehen.
eine Lehre/Ausbildung machen.
die Schule verlassen.
ein Jahr Pause machen.
einen Job finden.
um die Welt reisen.

Ich möchte …
nicht mehr lernen.
etwas Praktisches machen.
Geld verdienen.
auf die Uni gehen.

3 Macht eine Umfrage in der Klasse: „Was wirst du in der Zukunft machen?"

***Besipiel:** Ich werde die Schule verlassen.*

4 Du bist dran! Was wirst *du* in der Zukunft machen? Warum? Schreib Sätze.

***Beispiel:** Ich werde eine Lehre machen – ich möchte etwas Praktisches machen.*

Extra! Schreib Sätze mit *weil*.

***Beispiel:** Ich werde eine Lehre machen, weil ich etwas Praktisches machen möchte.*

5 **Mikro-Welle**. Alex und Eva besprechen ihre Zukunftspläne. Notiere ihre Pläne und die Gründe.

Pause machen!

- learn about military/civilian service in Germany
- use *um ... zu* to join sentences together
- focus on strategies for answering questions in the reading exam

1 Lies den Text.

In Deutschland müssen alle Jungen entweder für 10 Monate zur Bundeswehr gehen oder 10 Monate lang Zivildienst machen. Ich bin zur Bundeswehr gegangen und bin jetzt im sechsten Monat dort. Bei der Bundeswehr kann man viele Jobs machen und ich arbeite in der Küche. Meine Kaserne ist an der Küste und das gefällt mir. Ich gehe oft zum Strand, um zu surfen. Ich habe auch Freunde hier. Aber im Allgemeinen ist es hier langweilig. Ich bin froh, dass es bald zu Ende ist.

Karsten

Ich habe den Zivildienst gewählt, weil ich nicht zur Bundeswehr gehen wollte. Die Arbeit gefällt mir. Ich arbeite in einem Heim für Behinderte. Ich arbeite in der Küche, helfe beim Essen und fahre die Busse. Zwei andere Jungen machen auch Zivildienst hier und wir verstehen uns gut. Ich habe ein Behindertenheim gewählt, um etwas Neues zu lernen. Ich habe vorher keinen Kontakt zu Behinderten gehabt. Wenn ich studiere, werde ich vielleicht in den Sommerferien hier arbeiten.

Daniel

Mädchen müssen weder Wehrdienst noch Zivildienst machen. Aber ich wollte ein Jahr Pause vor dem Studium machen und mache ein freiwilliges soziales Jahr. Ich arbeite seit zwei Monaten an einem Umweltprojekt auf der Insel Sylt in Norddeutschland. Ich arbeite im Besucherzentrum. Ich arbeite meistens mit Schulklassen. Wir machen Ausflüge, um die Seehunde zu sehen, und ich spreche über die Arbeit hier. Die Arbeit mit den Kindern gefällt mir gut – es ist nie langweilig und macht oft echt Spaß!

Monika

In Germany young men have to do military service which lasts 10 months, or 10 months' service in the community. Typical jobs might be in a hospital, an old people's home or working with handicapped people.

entweder ... oder – either ... or
weder ... noch – neither ... nor
Bundeswehr – army
Wehrdienst – military service
Zivildienst – civilian service
Kaserne – barracks
ich wollte – I wanted (imperfect tense)
Behindertenheim – home for handicapped people
ein freiwilliges soziales Jahr – a voluntary year
Seehunde – seals

Grammatik im Fokus *um ... zu*

um ... zu **means 'in order to':**

Wir machen Ausflüge, um die Seehunde zu sehen.
We go on trips in order to see the seals.

1 Rewrite these sentences using *um ... zu*.

Example: 1 Ich gehe zum Strand, um zu surfen.

1 Ich gehe zum Strand. Ich möchte surfen.
2 Ich arbeite in der Küche. Ich möchte Koch werden.
3 Ich mache ein soziales Jahr. Ich möchte etwas Neues lernen.
4 Ich mache Zivildienst. Ich möchte mit Behinderten arbeiten.

224

Prüfungstipp

Answering reading questions in the exam

Before you try to answer any questions you should read the passage through carefully. Then read the questions carefully. This will help you to find the parts of the text you need to concentrate on to find the correct answer.

There are a variety of different types of reading exercises you may have to do in the exam:

Usually the questions will not use the same wording as in the text. First of all read the question carefully and decide what it means. Then look through the text again to see if you can spot the answer.

Read Karsten's text again and do activity 1.

1 Richtig (**R**), falsch (**F**) oder nicht im Text (**N**)?

1 Karsten ist seit einem halben Jahr bei der Bundeswehr.
2 Er glaubt, dass er später Soldat werden möchte.
3 Er muss oft am Wochenende arbeiten.
4 Er freut sich auf das Ende seiner Zeit bei der Bundeswehr.

In some exam questions you have to fill in missing words in order to complete a sentence. Before you begin, look at the sentences and decide what kind of word should come in the gap: is it likely to be a noun? a day of the week? a price?

2 Discuss likely answers in your group, then read Karsten's text again and fill in the gaps with words from the text.

1 Der Zivildienst in Deutschland dauert ____________.
2 Karsten wohnt an der ____________.
3 Er kann am ____________ surfen.
4 Er hat viele neue ____________ gefunden.

In 'joining-up' tasks, you can use your understanding of grammar to help you, as well as the text.

3 Try to join up these sentence halves without looking at the text, then check them by reading Daniel's text again.

1 Daniel wollte nicht
2 Er arbeitet
3 Die Arbeit ist
4 Er mag
5 Er kommt mit
6 Er hofft in der Zukunft

a etwas Neues für ihn.
b zur Bundeswehr gehen.
c den anderen Jungen gut aus.
d wieder dort zu arbeiten.
e mit Behinderten.
f die Arbeit.

Often in multiple-choice tasks more than one of the choices will have appeared in the text (e.g. two different times or days), so you will need to check carefully that you have chosen the correct one.

4 Read Monika's text and find the correct answers.

1 Monika macht …
a Wehrdienst. **b** Zivildienst. **c** ein freiwilliges soziales Jahr.

2 Monika wird nach einem Jahr …
a auf der Insel bleiben. **b** ein Umweltprojekt machen. **c** auf die Universität gehen.

3 Monika wird … bleiben.
a zwei Monate **b** sechs Monate **c** ein Jahr

Wie würde deine ideale Zukunft sein?

- describe your ideal future
- use the conditional tense correctly

See also *Noch mal!* page 192 and *Extra!* page 207.

1a Hör gut zu und finde die passenden Bilder für die Sätze.

1 Ich würde in einem großen Haus wohnen.
2 Ich würde viel Geld verdienen.
3 Ich würde eine interessante Arbeit haben.
4 Ich würde heiraten und Kinder haben.
5 Ich würde viel reisen.
6 Ich würde im Ausland arbeiten.
7 Ich würde im Lotto gewinnen.
8 Ich würde ein schnelles Auto haben.
9 Ich würde berühmt sein.

1b Wie ist die ideale Zukunft für diese Leute? Hör gut zu und finde die passenden Bilder.

***Beispiel:** 1 c, …*

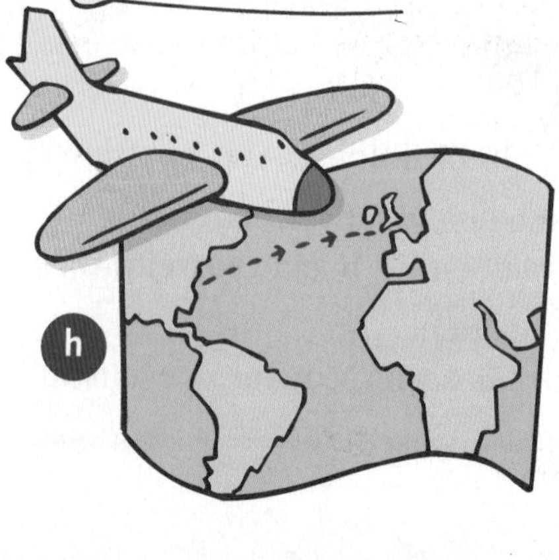

a

b

c

d

e

f

g

h

i

Grammatik im Fokus — Der Konditional

The conditional tense is formed in the same way as the future but with *würde* instead of *werde*. As for the future tense, the infinitive goes to the end of the sentence:

Ich **würde** im Ausland **arbeiten.**
I **would work** abroad.

Here are the different forms of *würde*:

ich würde	wir würden
du würdest	ihr würdet
er/sie/es würde	sie/Sie würden

1 Copy the sentences and fill in the gaps.

1 Er ______________ ein schnelles Auto haben.
2 Wir ______________ viel Geld verdienen.
3 Carola ______________ heiraten.
4 Ich ______________ fünf Kinder haben.

2 Write sentences.

224

2a Lies den Text.

Meine ideale Zukunft? Ich würde eine interessante Arbeit haben. Das ist sehr wichtig für mich. Ich würde im Sommer als Segellehrerin arbeiten und ich würde ein großes Haus an der Küste haben. Ich würde oft reisen, um neue Länder zu besuchen, und ich würde vielleicht ein paar Jahre im Ausland wohnen – vielleicht in Australien, das würde mir sehr gut gefallen.

Ich würde einen tollen Mann heiraten und Kinder haben – aber erst mit 35 Jahren oder so! Mein idealer Mann würde intelligent, ehrlich und liebevoll sein!

Katja

2b Wie ist Katjas ideale Zukunft? Finde die passenden Bilder in Übung 1.

2c Macht eine Umfrage in eurer Gruppe.

Beispiel:
A *Wie ist deine ideale Zukunft?*
B *Ich würde heiraten und viele Kinder haben.*

Ich würde heiraten.	III
Ich würde Kinder haben.	II
Ich würde viel Geld verdienen.	

3 Schreib Sätze über deine ideale Zukunft.

Beispiel: *Ich würde sehr reich sein …*

Kursarbeit: Meine Zukunft

- read and understand a description of school and future plans
- write about your own school and future plans
- use different tenses in your written work

See also *Noch mal!* page 192 and *Extra!* page 207.

1 Hör gut zu und lies mit.

Liebe Katja,

danke für deinen Brief, den ich gestern bekommen habe. Du hast gefragt, wie meine Schule ist. Ich besuche eine Realschule für Mädchen und ich gehe gar nicht gern dahin! Ich finde die Schule total langweilig und die Lehrer sind zu streng. Mein Lieblingsfach ist Mathe, obwohl es ziemlich schwierig ist. Ich lerne auch gern Informatik, weil ich gute Noten bekomme. Aber ich bin nicht gut in Erdkunde und Physik. Diese Fächer lerne ich überhaupt nicht gern. In der 9. Klasse bin ich deshalb sitzen geblieben.

Ich werde nächstes Jahr die Schule verlassen und auf die Berufsschule gehen. Ich werde dort eine Ausbildung als Bankkauffrau machen. Ich freue mich sehr darauf – ich möchte endlich etwas Praktisches lernen. Ich habe letztes Jahr ein Betriebspraktikum in einer Bank hier in der Stadt gemacht und es hat viel Spaß gemacht. Ich habe zwei Wochen dort gearbeitet und sehr viel gelernt. Ich habe den Kollegen an der Kasse geholfen, Faxe geschickt und am Computer gearbeitet. Es war ganz toll und meine Kollegen waren sehr nett. Ich werde vielleicht meine Ausbildung bei dieser Bank machen. Ich hoffe es! Ich würde dort sehr glücklich sein.

Und wie sehen deine Zukunftspläne aus? Wirst du das Abitur machen oder wirst du auch die Schule verlassen?

In den Ferien kann ich dich vielleicht besuchen. Hast du dann Zeit? Ich würde wahrscheinlich im Juli kommen. Ich würde mich sehr freuen, wenn es klappt.

Schreib mir bald!
Alles Liebe

Deine Ümmihan

2a Beantworte die Fragen für Ümmihan.

1. Was für eine Schule besuchst du?
2. Wie findest du die Schule?
3. Was lernst du gern? Warum?
4. Was lernst du nicht gern? Warum?
5. Was wirst du nächstes Jahr machen?
6. Wo hast du dein Betriebspraktikum gemacht?
7. Was hast du gemacht?
8. Wie war dein Betriebspraktikum?

2b **A** stellt die Fragen, **B** antwortet für sich selbst. Dann ist **A** dran.

3 Schreib an einen Brieffreund oder eine Brieffreundin und beschreib deine Schule und deine Zukunftspläne.

a Mach Notizen zu den Fragen 1–8 in Übung 2a.
b Lies den Prüfungstipp.
c Schreib den Brief.

Prüfungstipp

Using different tenses

In order to do well in coursework, you must show that you can use different tenses. In her letter Ümmihan uses four different tenses!

Read the letter again and write out the verbs she uses under the correct headings.

Present	Perfect	Future	Conditional
ich besuche	ich habe gemacht	ich werde verlassen	ich würde ... kommen

Use the following paragraph headings to plan your work and note what tense you could use for each one. This will not be the same for everyone – if you have not yet done work experience you may want to talk about it in the future tense.

a meine Schule
b ein typischer Tag
c was ich gestern in der Schule gemacht habe
d meine Meinung
e meine Zukunftspläne
f mein Betriebspraktikum
g welche Arbeit ich später machen möchte

Don't forget to use linking words and a variety of vocabulary. Look back at the Tipp on page 61 of Unit 5 to remind you of this.

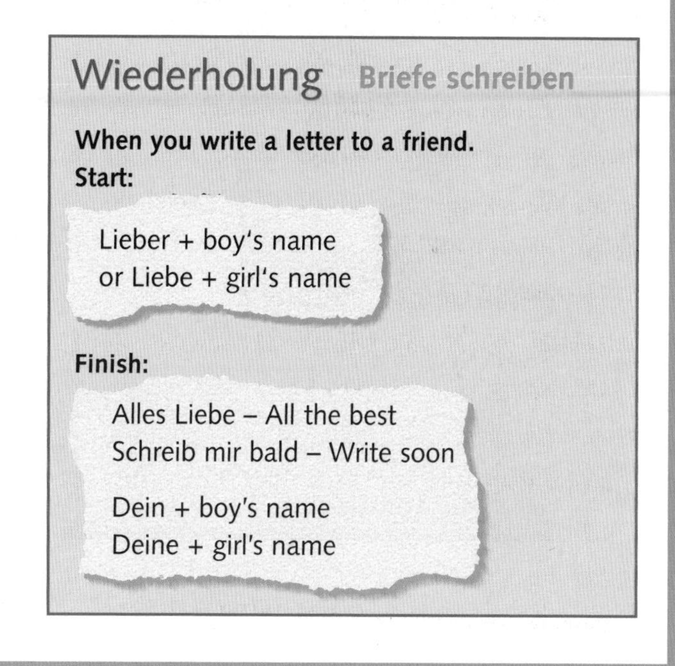

Wiederholung Briefe schreiben

When you write a letter to a friend.

Start:

Lieber + boy's name
or Liebe + girl's name

Finish:

Alles Liebe – All the best
Schreib mir bald – Write soon

Dein + boy's name
Deine + girl's name

12 Welchen Beruf?

- talk about the jobs people do
- discuss the pros and cons of particular careers
- practise giving your opinion

See also *Noch mal!* page 193.

1a Finde die Maskulin- oder Femininform für die Berufe.

1b Wie heißt das auf Englisch? Brauchst du Hilfe? Schau im Wörterbuch nach.

Grafikerin Friseur Pilot Tierarzt
Steward Sekretärin Lehrer Krankenpflegerin
Ärztin Bankkauffrau Computerfachmann
Verkäufer Polizistin Rechtsanwalt
Mechaniker Bauarbeiter Geschäftsfrau

2a Wie finden sie ihre Jobs? Hör gut zu und lies mit.

1 Ich heiße Eva und ich arbeite als Stewardess. Meine Arbeit gefällt mir. Ich arbeite gern im Team und mit anderen Leuten zusammen. Ich reise viel und kann viele Länder besuchen. Aber der Job hat auch Nachteile: Die Arbeitsstunden sind lang und oft schlecht für das Privatleben.

2 Ich heiße Miriam und ich bin Computerfachfrau bei einer großen Firma. Meine Arbeit hat viele Vorteile. Ich verdiene viel Geld und ich finde meine Arbeit interessant. Aber es ist manchmal stressig und ich muss oft alleine arbeiten. Das finde ich nicht so gut.

Wiederholung Berufe

Don't forget that jobs have masculine and feminine forms:

- **Feminine jobs usually have *–in* on the end, e.g. *Lehrerin***
- **Often you need to add an umlaut: *Ärztin***
- **Or you change *–mann* to *–frau* at the end: *Geschäftsfrau*.**
- **Remember that you don't use *ein* or *eine* when saying what your job is: *Ich bin Krankenpfleger*.**

3 Ich heiße Gerd und ich bin Lehrer. Ich arbeite gern mit jungen Leuten zusammen und ich habe lange Ferien – das sind die Vorteile meines Jobs. Es ist auch nie langweilig! Aber ich muss oft abends arbeiten und der Job ist anstrengend. Das gefällt mir nicht so gut.

4 Ich heiße Dirk und ich bin Bauarbeiter. Meine Arbeit gefällt mir, weil ich gern draußen arbeite. Ich arbeite auch gern im Team zusammen. Aber im Winter macht es keinen Spaß! Ein anderer Nachteil ist, dass ich nicht sehr viel Geld verdiene.

2b Hör noch einmal zu und füll die Tabelle aus.

Name	Beruf	Vorteile	Nachteile
Eva	Stewardess	Ich arbeite gern in Team.	Die Arbeitsstunden sind lang und schlecht für das Privatleben.

3a Hör gut zu. Welchen Beruf machen Veronika, Markus, Julia, Anna und Lars?

Beispiel: *Veronika – Verkäuferin*

3b Hör noch einmal zu. Wer sagt ... ?

1. Meine Arbeitsstunden sind gut.
2. Ich reise viel.
3. Meine Arbeit ist langweilig.
4. Meine Arbeit ist sehr interessant.
5. Ich verdiene nicht viel Geld.
6. Meine Arbeit ist stressig.
7. Ich arbeite gern mit anderen Leuten zusammen.
8. Ich verdiene viel Geld.
9. Meine Arbeitsstunden sind schlecht für das Privatleben.

Hilfe

Ich arbeite als ...
Man kann ...
viel reisen.
neue Leute kennen lernen.
Die Arbeitsstunden sind gut/lang/schlecht für das Privatleben.
Die Arbeit ist interessant/langweilig/stressig.
Ich habe lange/kurze Ferien.
Ich arbeite gern ...
im Team.
mit anderen Leuten zusammen.
Ich verdiene viel/nicht viel Geld.
Ich interessiere mich für Autos/Tiere/Computer.
Ich arbeite draußen.
Die Arbeit gefällt mir (nicht), weil ...
Ein Vorteil/Nachteil ist, dass ...

4 **A** wählt einen Job von Übung 2 oder 3, **B** muss ihn raten. Dann ist **B** dran.

Beispiel:
B *Kann man mit anderen Leuten arbeiten?*
A *Ja.*
B *Sind die Arbeitsstunden schlecht für das Privatleben?*
A *Ja.*
B *Bist du Arzt/Ärztin?*
A *Ja.*

5 Stell dir mal vor, du machst einen von den Berufen in Übung 1. Schreib Sätze.

Beispiel: *Ich arbeite als ...*
Die Arbeit gefällt mir, weil ...
Ein Vorteil ist, dass ...
Aber ein Nachteil ist, dass ...

Extra! Was machen deine Eltern? Wie finden sie das? Schreib Sätze und mach dann eine Kassette.

Beispiel: *Meine Mutter ist Krankenpflegerin.*
Die Arbeit gefällt Ihr, aber ...

Prüfungstipp

Adding opinions to your work

Don't forget to give your opinion whenever possible:

Das finde ich ...
Die Arbeit gefällt mir, weil ...
Ich mag meine Arbeit nicht, weil ...
Ein Vorteil/Nachteil ist, dass ...

Remember that *weil* and *dass* send the verb to the end of the sentence.

Die Qual der Wahl

- describe your career priorities
- use *zu* with the infinitive

1 Suche die neuen Vokabeln im Wörterbuch und wähle deine drei Prioritäten aus.

Ich möchte:

a reisen.
b viel Geld verdienen.
c mit anderen Leuten arbeiten.
d neue Leute kennen lernen.
e viel Verantwortung haben.
f mit Kindern arbeiten.
g mit Tieren arbeiten.
h etwas Kreatives machen.
i lange Ferien haben.
j keine Schichtarbeit machen.
k gute Arbeitsstunden haben.
l einen Firmenwagen haben.
m im Ausland arbeiten.
n mit Computern arbeiten.

2a Hör gut zu und lies mit.

Mehmet

Ich hoffe Tierarzt zu werden, weil ich gern mit Tieren arbeite. Ich habe vor viel Geld zu verdienen und ich möchte eine eigene Praxis haben.

Sara

Ich habe beschlossen in der Zukunft mit Computern zu arbeiten. Ich beabsichtige, bei einer großen Firma zu arbeiten, und viel Geld zu verdienen. Ich hoffe gute Arbeitsstunden zu haben und einen Firmenwagen zu bekommen. Vielleicht werde ich auch im Ausland arbeiten.

Timo

Ich habe mich noch nicht für einen Beruf entschieden. Ich habe aber vor, etwas Kreatives zu machen. Ich werde vielleicht als Grafiker arbeiten. Ich hoffe etwas Interessantes zu machen und mit anderen Leuten zusammenzuarbeiten.

Elke

Ich habe vor Fremdsprachen zu studieren, und hoffe im Ausland zu arbeiten. Ich möchte viel reisen und neue Leute kennen lernen. Ich möchte viel Verantwortung haben, aber auch gute Arbeitsstunden. Schichtarbeit ist nichts für mich.

2b Wer sagt was?

1 Ich möchte einen Firmenwagen.
2 Geld ist wichtig für mich.
3 Ich interessiere mich für Tiere.
4 Ich möchte in einem anderen Land arbeiten.
5 Ich bin kreativ.
6 Ich möchte nicht allein arbeiten.
7 Ich interessiere mich für Informatik.
8 Ich möchte gute Arbeitsstunden.

3 **Mikro-Welle.** Was werden Natalie, Werner und Paul in der Zukunft machen und warum? Mach Notizen.

Beispiel: *Natalie: Stewardess, viel reisen, …*

4 Was sind die Berufsprioritäten der Schüler in deiner Gruppe?

Beispiel:
A *Was hast du in der Zukunft vor?*
B *Ich habe vor, Arzt zu werden.*
A *Warum?*
B *Ich möchte anderen Menschen helfen.*

5 Schreib ein paar Sätze über deinen Traumjob.

Beispiel:
Ich hoffe … zu werden.
Ich habe vor … und habe beschlossen …
Ich möchte auch …

Extra! Schreib ein paar Sätze über deinen Horrorjob.

Beispiel:
Ich möchte nicht … werden.

Hilfe

Ich hoffe mit Tieren zu arbeiten.
Ich habe vor viel Geld zu verdienen.
Ich beabsichtige etwas Kreatives zu machen.
Ich habe beschlossen zu reisen.
Ich möchte im Ausland arbeiten.
Ich werde mit Kindern arbeiten.

Konstruktionen mit Infinitiv

Verbs of hoping and intending (e.g. *hoffen, vorhaben, beabsichtigen*) are used with *zu* and the infinitive of another verb: *zu* and the infinitive go to the end of the sentence:

> Ich *hoffe* viel Geld **zu** *verdienen.*

You have already met other uses of the infinitive which **do not** use *zu*:

- with modal verbs:

> Ich **möchte** viel Geld verdienen.

- in the future and conditional tenses:

> Ich werde/würde viel Geld verdienen.

1 Copy these sentences, inserting *zu* where needed.

1 Ich habe vor eine Lehre machen.
2 Ich werde keine Schichtarbeit machen.
3 Ich beabsichtige im Team arbeiten.
4 Ich hoffe Tierarzt werden.
5 Ich möchte anderen Leuten helfen.
6 Ich habe beschlossen im Ausland arbeiten.

2 Now write sentences of your own. The pictures below may give you some ideas.

1 Ich habe beschlossen …
2 Ich habe vor …
3 Ich hoffe …
4 Ich beabsichtige …

224

Auf der Jobsuche

- make a job application

1a Lies die Anzeigen und finde die passenden Bilder.

a

Aupair gesucht!
Eine freundliche Familie sucht Aupairmädchen/jungen für die Sommerferien. Sie werden helfen unsere Kinder Anne (6) und Moritz (4) zu betreuen – und das alles am schönen Bodensee. 20 Arbeitsstunden die Woche. Bewerben Sie sich bei: Familie Schuster, Lindauerweg 20, 78465 Konstanz

b

Hotel in den Bergen sucht Kellner/in für die Sommerferien.
40 Arbeitsstunden pro Woche. Wochenendarbeit erforderlich. Fremdsprachenkenntnisse erwünscht.
Hotel Adler, Hauptstraße 23, Garmisch-Partenkirchen

c

Ferienjobs!
Reiseleiter/innen für Jugendgruppen gesucht. Wenn Sie gern reisen und auch gern mit Jugendlichen arbeiten, haben wir den Job für Sie! Sie müssen gut organisiert, humorvoll und zuverlässig sein. Sie sollen auch mindestens zwei Fremdsprachen können.

1

2

3

1b Hör gut zu und lies mit. Für welchen Job sollen sich diese Leute bewerben?

Beispiel: *1 – b* oder *c*

1 Ich kann Englisch und Spanisch.
2 Ich arbeite gern mit Kindern.
3 Ich möchte feste Arbeitsstunden.
4 Ich kann auch nachts und am Wochenende arbeiten.
5 Ich möchte andere Länder besuchen.
6 Ich arbeite gern mit anderen Menschen.
7 Ich möchte nicht zu viel arbeiten.

1c „Welchen Job möchtest du? Warum?" Macht Dialoge.

Beispiel:
A Welchen Job möchtest du?
B Ich möchte den Job als Aupair.
A Warum?
B Ich möchte nicht zu viel arbeiten.

2a Lies den Bewerbungsbrief.

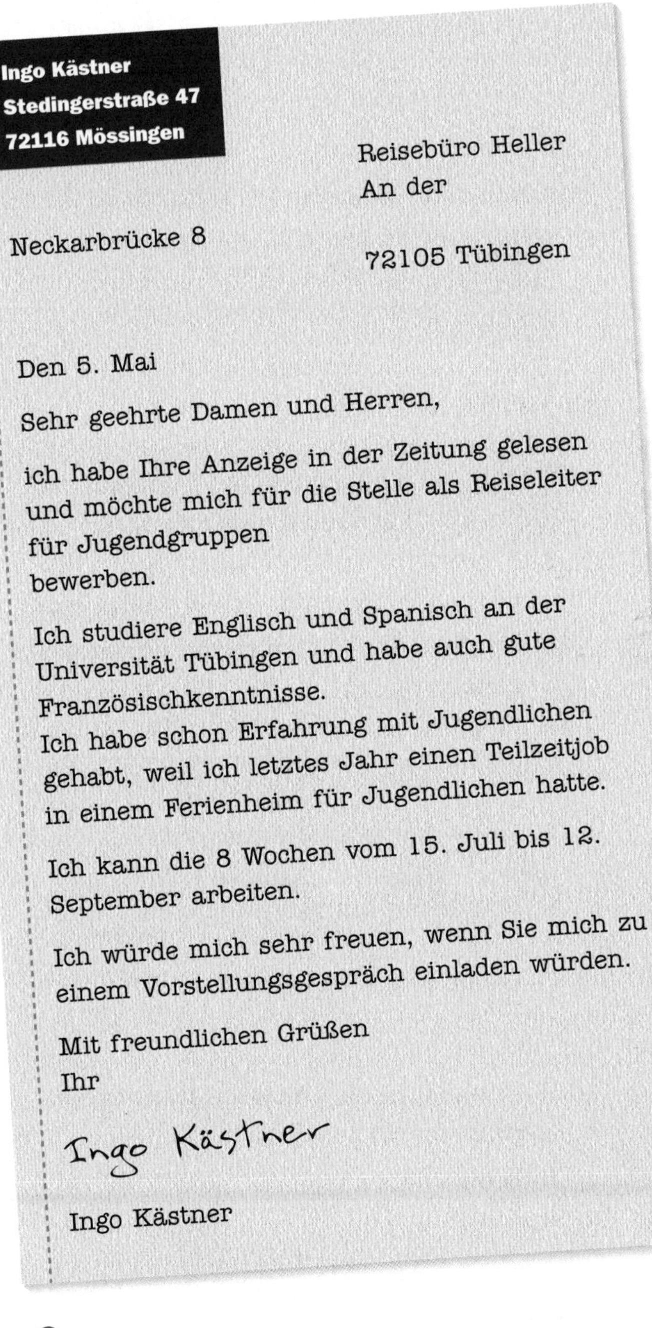

Ingo Kästner
Stedingerstraße 47
72116 Mössingen

Reisebüro Heller
An der
Neckarbrücke 8
72105 Tübingen

Den 5. Mai

Sehr geehrte Damen und Herren,

ich habe Ihre Anzeige in der Zeitung gelesen und möchte mich für die Stelle als Reiseleiter für Jugendgruppen bewerben.

Ich studiere Englisch und Spanisch an der Universität Tübingen und habe auch gute Französischkenntnisse.
Ich habe schon Erfahrung mit Jugendlichen gehabt, weil ich letztes Jahr einen Teilzeitjob in einem Ferienheim für Jugendlichen hatte.

Ich kann die 8 Wochen vom 15. Juli bis 12. September arbeiten.

Ich würde mich sehr freuen, wenn Sie mich zu einem Vorstellungsgespräch einladen würden.

Mit freundlichen Grüßen
Ihr

Ingo Kästner

Ingo Kästner

2b Beantworte die Fragen.

1 Wo wohnt Ingo?
2 Wo hat er die Anzeige gesehen?
3 Welchen Job möchte er?
4 Welche Sprachen kann er?
5 Welche Erfahrung mit Jugendlichen hat er?
6 Wann möchte er arbeiten?

2c Adaptiere Ingos Brief und bewirb dich um eine der Stellen in Übung 1a.

3a Carola möchte in den Ferien im Hotel Adler arbeiten. Sie hat ein Vorstellungsgespräch. Hör gut zu und füll das Formular aus.

3b Rollenspiel. **A** hat ein Vorstellungsgespräch für den Job von Übung 2, **B** macht das Interview. Dann ist **B** dran.

B Guten Morgen. Wie heißen Sie?
A Ich ...
B Und wie alt sind Sie?
A Ich ...
B Sind Sie Schüler(in)?
A Ich ...
B Welche Hobbys haben Sie?
A Ich ...
B Was sind Ihre Eigenschaften?
A Ich bin ...
B Haben Sie Berufserfahrung?
A Ja, ...
B Haben Sie Fragen an mich?
A Was sind die Arbeitsstunden?
B Sie arbeiten ...
A Und wie ist der Lohn?
B Sie bekommen ...
A Danke.
B Ich werde Sie bis Freitag anrufen.
A Danke. Auf Wiedersehen.

Männerberufe ... Frauenberufe?

- discuss equal opportunities
- use the imperfect tense to describe the past

See also *Extra!* page 208.

1a Hör gut zu und lies mit.

Ich bin Pilotin bei der Lufthansa. Viele denken, das ist ein Männerberuf, aber warum? Heute haben Mädchen die gleichen Chancen wie Jungen und können die gleichen Jobs machen. Mädchen können studieren, Schwerarbeit machen, und viel mehr Frauen arbeiten, auch wenn sie Kinder haben. Sie verdienen auch genauso viel wie Männer. Außerdem haben viel mehr Frauen Führungspositionen, also warum können sie nicht typische Männerberufe wie Pilot oder Soldat ausüben? Ich bin froh, dass ich nicht vor 50 Jahren gelebt habe. Jetzt ist die Welt besser für Frauen.

Sara

Ich bin Saras Großmutter. Vor 50 Jahren war alles ganz anders. Mädchen hatten nicht die gleichen Chancen wie Jungen. Viel weniger Frauen studierten und Männer hatten immer die besten Jobs. Sie verdienten mehr Geld als Frauen und fast keine Frauen hatten Führungspositionen. Viel weniger Frauen mit Kindern arbeiteten und Frauen machten Schwerarbeit nur zu Hause. Es gab damals keine Wasch- oder Spülmaschinen. Viele Berufe wie Soldat oder Pilot waren nur für Männer. Ja, damals war es ganz anders für Frauen.

Ilse

1b Finde diese Vokabeln auf Deutsch im Text.

heavy work   just as much as   top positions   pleased   the same chances

1c Füll die Lücken aus.

selten   Pilotin   besser   Männerberufe   Chancen   Geräte   Frauen

1. Sara ist ____________________ von Beruf.
2. Heute haben Mädchen und Jungen die gleichen ____________.
3. Pilot oder Soldat sind typische __________.
4. Sara findet, dass Frauen es heutzutage ____________________ haben.
5. Vor 50 Jahren studierten nicht so viele ____________________.
6. Frauen mit Kindern arbeiteten ____________________.
7. Es gab weniger elektrische ____________________.

1d Wie ist alles heute und wie war es vor 50 Jahren? Schreib zwei Listen.

Beispiel:

Heute	Vor 50 Jahren
Mädchen und Jungen haben die gleichen Chancen.	Mädchen hatten nicht die gleichen Chancen wie Jungen.

Grammatik im Fokus — Das Imperfekt

The perfect and imperfect tenses in German are more or less interchangeable, but the perfect is more common in speech and the imperfect used more for written German.

You form the imperfect tense of weak (regular) verbs like this:

ich mach**te**	wir mach**ten**
du mach**test**	ihr mach**tet**
er/sie/es mach**te**	sie/Sie mach**ten**

In order to form the imperfect tense of strong (irregular) verbs, you need to look up the imperfect stem from the verb list on pages 227–229 and then add the endings like this:

ich war	wir war**en**
du war**st**	ihr war**t**
er/sie/es war	sie/Sie war**en**

1 Find all the verbs in the imperfect tense in the texts in Übung 1a.

2 Put the verbs in these sentences into the imperfect tense.

1. Frauen (verdienen) weniger Geld als Männer.
2. Ich (studieren) nicht.
3. Wir (haben) nicht dieselben Chancen.
4. Eine Frau (können) nicht auf einer Baustelle arbeiten.

3 Sara's grandfather describes his life 50 years ago. Put the verbs in brackets into the imperfect tense.

Ich (arbeiten) in einer Fabrik in der Stadt. Ich (arbeiten) jeden Tag von 8 bis 17 Uhr, aber ich (verdienen) nicht viel Geld. Ilse und ich (haben) 3 Kinder und Ilse (arbeiten) nicht. Wir (haben) keinen Fernseher, nur ein Radio, und wir (machen) nur in Deutschland Urlaub. Wir (reisen) nie ins Ausland – wir (haben) kein Geld dafür. Das Leben (sein) hart, aber es (machen) Spaß. Nicht alles (sein) schlimmer als heute. Es (geben) keine Probleme wie Drogen oder so.

222

2a **A** ist Saras Großmutter oder Großvater, **B** ist Interviewer(in) und macht Notizen. Dann ist **B** dran.

- Wo arbeiteten Sie?
- Was machten Sie?
- Was hatten Sie damals nicht?
- Was war anders für Frauen?
- Was war besser als heute?

2b Schreib dann den Bericht auf.

Beispiel: *Saras Großvater arbeitete in einer Fabrik. Er arbeitete ...*

Wortstellung

- get to grips with word order

German often appears to have very complex word order rules. However, there are some key rules which can help you to get it right:

- **The verb is almost always second or at the end of the clause: the only exception is in questions, e.g. *Hast du Geschwister?***

1 Put the sentences in the right order. Start with the underlined word or phrase.

Example: 1 Nach der Schule spiele ich Tennis.

1 nach der Schule / Tennis / ich / spiele / .
2 am Samstag / ich / in / gehe / die Stadt / .
3 mache / nach dem Essen / meine / ich / Hausaufgaben / .
4 habe / ich / einen Termin / um zwei Uhr / beim Arzt / .
5 wir / nach / fahren / Hamburg / .

- **Another important rule is Time–manner–place. Look at the sentence below:**

Time		Manner	Place
Am Samstag	fahre ich	mit dem Zug	in die Stadt.

In other words: when before how before where.

2 Rewrite the sentences, adding in the phrase in brackets in the correct position.

Example: 1 Ich gehe um acht Uhr zu Fuß zur Schule.

1 Ich gehe um acht Uhr zur Schule. (zu Fuß)
2 Ich fahre mit dem Zug nach Hamburg. (jedes Wochenende)
3 Wir fahren in den Ferien nach Italien. (mit dem Auto)
4 Dieses Jahr fahren wir mit der Fähre. (nach Frankreich)
5 Ich gehe mit meiner Freundin in die Bibliothek. (in der Pause)

- **In the perfect tense, the auxiliary verb (part of *haben* or *sein*) comes second and the past participle comes at the end:**

Ich habe in den Ferien Tennis gespielt.
Wir sind zu Hause geblieben.

3 Unjumble these sentences, beginning with the underlined words.

Example: 1 Letzte Woche habe ich meine Großmutter besucht.

1 meine Großmutter / ich / besucht / habe / letzte Woche / .
2 Georg / gefahren / ist / in den Ferien / nach Spanien / .
3 Unterwegs / ich / ein tolles Buch / habe / gelesen / .
4 im Restaurant / Pizza / danach / haben / gegessen / wir / .
5 sie / ins Kino / am Samstag / gegangen / sind / .

- **In the future tense and after modal verbs, the infinitive comes at the end of the sentence:**

Nächstes Jahr werde ich in die Oberstufe gehen.
Ich muss immer meine Hausaufgaben machen.

4 Complete the sentences.

Example: *1 Am Montag werde ich Tennis spielen.*

1 Am Montag werde ich  .

2 Am Dienstag muss ich .

3 Am Mittwoch werde ich .

4 Am Donnerstag soll ich .

5 Am Sonntag werde ich .

- **Some linking words like *weil*, *wenn*, *dass* and *obwohl* change the word order by sending the verb to the end of the sentence. Look at these examples in the different tenses:**

Present: Ich lerne gern Englisch, weil es interessant **ist**.
Perfect: Das Picknick war schön, obwohl es geregnet **hat**.
Future: Ich bleibe auf der Schule, weil ich das Abitur machen **werde**.

5 Join up these sentences using the linking words in brackets.

Example: *1 Meine Schule gefällt mir, obwohl ich die Schuluniform hasse.*

1 Meine Schule gefällt mir. Ich hasse die Schuluniform. (obwohl)
2 Ich verstehe mich nicht gut mit meinem Bruder. Er ist nervig. (wenn)
3 Das Essen hat mir gefallen. Es hat gut geschmeckt. (weil)
4 Die Disco war prima. Der DJ hat gute Musik gespielt. (weil)
5 Ich gehe jetzt nach Hause. Ich muss meine Hausaufgaben machen. (weil)
6 Ich finde es gut. Es gibt in meiner Stadt viel zu tun. (dass)
7 Ich bleibe zu Hause. Das Wetter ist schlecht. (wenn)
8 Ich lerne Fremdsprachen. Ich werde im Ausland arbeiten. (weil)

6 Look at the words below. How many sentences in German can you make? You may use words as often as you want, but make sure you put them in the right order.

Example: *In den Ferien bin ich nach Spanien gefahren.*

in **interessant** **nächstes**
fahre Spanien **ich** Stadt
es **obwohl** fahren
den Ferien Wochenende
bin **die** **Russland**
sonnig *werde*
Jahr **nach** nach jedes
weil kalt ist gefahren

Lesepause

Hausaufgaben. O je!

Alle Schüler müssen sie machen. Aber sind sie sinnvoll? Wir haben Schüler zum Thema Hausaufgaben befragt.

Gymnasien in Deutschland sind selten Ganztagsschulen. Um 13 Uhr ist die Schule aus. Der Nachmittag ist frei – oder ist für Hausaufgaben. Schüler in den Klassen 7 bis 10 sollten nicht mehr als zwei Stunden Hausaufgaben pro Tag aufbekommen. Aber halten sich alle Lehrer daran? Manche Schüler beschweren sich, weil sie zu viele Hausaufgaben machen müssen und ihre Freizeit dadurch bedroht ist. „Wenn ich sehr viele Hausaufgaben habe, mache ich alles sehr schnell", sagt Jan (16). „Oft verstehe ich die Arbeit nicht richtig und bekomme schlechte Noten." Lisa (16) löst das Problem anders: „Ich arbeite nie mehr als zwei Stunden. Dann höre ich auf, weil ich mich nicht mehr konzentrieren kann." Welche Hausaufgaben sind besonders unbeliebt? „Texte auswendig lernen", sagen die meisten. An der Gesamtschule in der Stadt Brühl können Schüler jedoch Hausaufgaben in der Schule machen. An zwei Tagen in der Woche gibt es eine Hausaufgaben-AG. Lehrer sind da und helfen den Schülern die Hausaufgaben zu machen. Die Schüler können auch die Computer oder die Bibliothek in der Schule benutzen. Für Ingo ist es eine sehr positive Sache: „Früher habe ich meine Hausaufgaben oft nicht gemacht und meine Noten waren schlecht. Meine Eltern konnten mir auch nicht helfen. Die Hausaufgaben-AG ist eine tolle Idee. Ich kann mit Freunden zusammen lernen und die Lehrer helfen uns, wenn wir Probleme haben."

1 Was bedeuten diese Ausdrücke? Wähle die richtige Antwort.

1 Halten sich alle Lehrer daran?
   a Do all teachers stick to this?
   b Do the teachers mark the homework?
   c Do the teachers agree with this?

2 Manche Schüler beschweren sich.
   a Some pupils like this.
   b Some pupils complain.
   c Some pupils think it is too difficult.

3 bedroht
   a extended **b** threatened **c** organised

4 lösen
   a to solve **b** to see **c** to describe

5 unbeliebt
   a difficult **b** common **c** unpopular

6 auswendig
   a regularly **b** by heart **c** carefully

7 ich höre auf
   a I have a break **b** I get up **c** I stop

2 Richtig (**R**), falsch (**F**) oder nicht im Text (**N**)?

1. Schüler in den Klassen 7 bis 10 bekommen bis auf 2 Stunden Hausaufgaben pro Woche auf.
2. Schüler in der Oberstufe bekommen oft 3 Stunden Hausaufgaben pro Tag auf.
3. Die meisten Schüler lernen nicht gern Texte auswendig.
4. In der Hausaufgaben-AG arbeiten die Schüler allein.
5. Es gibt jeden Tag eine Hausaufgaben-AG.

3 Beantworte die Fragen auf Deutsch.

1. Warum beschweren sich manche Schüler? (1)
2. Warum arbeitet Lisa nie länger als zwei Stunden? (1)
3. Wie oft gibt es die Hausaufgaben-AG an der Gesamtschule in Brühl? (1)
4. Wer hilft den Schülern die Hausaufgaben zu machen? (1)
5. Warum findet Ingo die Hausaufgaben-AG eine gute Idee? (2)

4a Hör gut zu und lies das Lied mit.

4b Finde diese Vokabeln auf Deutsch im Text.

1. What should I become?
2. I've still got time.
3. So much to decide.

4c Welche Überschrift passt zu welcher Strophe?

a Was soll ich in der Zukunft machen?
b Ich brauche Berufsberatung.
c Ich gehe gern in die Schule.

4d Übersetze die erste Strophe ins Englische.

4e Wie würdest du den Sänger beschreiben? Wähle drei Adjektive und gib Gründe an.

Beispiel: *Ich finde ihn sportlich, weil er gern Sport treibt.*

faul fleißig lustig unentschieden hilflos dumm intelligent sportlich

Die Zukunft

1 Ich habe meine Zukunft noch nicht geplant
Was soll ich werden? Keiner gibt mir Rat.
Die Eltern fragen ständig: „Was machst du nächstes Jahr?
Du musst daran denken, die Arbeitswelt ist nah."
Ich habe noch Zeit!

Ich mache, was ich will. Ich mache, was ich kann.
Nur eine Frage bleibt: Was mach' ich wann?

2 In der Schule ist es klasse! Mein Lieblingsfach ist Sport.
Bin nicht so gut in Englisch, da sag' ich kaum ein Wort.
Physik, Chemie und Mathe, interessieren mich,
Aber möcht' ich sie studieren? Ich glaube nicht!

(Refrain)

3 Bleibst du in der Schule? Machst du Abitur?
Gehst du auf die Uni? Sitzt du vor der Tür?
Ich möchte Geld verdienen, aber wann, wo und wie?
So viel zu entscheiden! Ich glaub', ich schaff' es nie!

(Refrain)

1a Ina schreibt abends eine E-Mail an ihre Freundin. Lies die Nachricht und füll die Lücken aus.

angerufen	fotokopiert	geschrieben
losgefahren	beantwortet	gemacht
gesprochen	geschickt	gearbeitet
angekommen		

Hallo, Vera!
Mein erster Tag auf dem Campingplatz war sehr interessant! Ich bin um 8 Uhr von zu Hause 1__________ und ich bin um Viertel vor neun auf dem Campingplatz 2__________. Heute habe ich im Büro 3__________. Ich habe Faxe 4__________ und das Telefon 5__________. Eine Lehrerin hat aus Frankreich 6__________ – und ich habe Französisch 7__________!
Ich habe auch 8__________, aber das war langweilig. Was habe ich noch 9__________?
Nachmittags habe ich Antwortbriefe auf Reservierungen 10__________ – mit dem Computer natürlich.

1b Ist alles richtig? Hör gut zu.

2 Ina fragt William: „Wie war dein erster Tag?". Hör gut zu und lies die Sätze. Sind sie richtig (**R**) oder falsch (**F**)?

1 William hat in der Küche geholfen.
2 Frau Weiler hat abgewaschen und die Regale aufgefüllt.
3 Die Arbeit in der Küche war toll.
4 Am Nachmittag hat er mit Kindern gearbeitet.
5 Er kam mit Herrn Hoffmann gut aus.
6 Er hat von neun bis sieben Uhr gearbeitet.

Ina aus Hamburg und William aus Manchester machen ein Praktikum auf dem Campingplatz. Heute ist ihr erster Tag ...

3a William möchte etwas über Inas Schule in Deutschland wissen. Hör gut zu und beantworte die Fragen für Ina.

1 Wie viele Schüler und Schülerinnen gibt es?
2 Wann fängt die Schule an?
3 Wie viele Stunden hast du pro Tag?
4 Wie lange dauert eine Stunde?
5 Was ist dein Lieblingsfach?
6 Was machst du während der Pause?
7 Wann ist die Schule zu Ende?
8 Welche AGs gibt es in der Schule?

3b Du bist dran! **A** stellt die Fragen von Übung 3a, **B** antwortet. Dann ist **A** dran.

4 William beschreibt seine Schule in England. Hör gut zu und lies die Sätze. Sie sind alle falsch. Korrigiere sie!

1 Williams Schule ist ein Gymnasium.
2 Der Unterricht fängt um acht Uhr an.
3 Die Schule endet um Viertel nach eins.
4 William isst mittags zu Hause.
5 Er muss keine Schuluniform tragen.
6 Schüler mit schlechten Noten bleiben sitzen.

5a Ina und William sprechen über ihre Zukunftspläne. Hör gut zu und lies die Sätze. Wer sagt was?

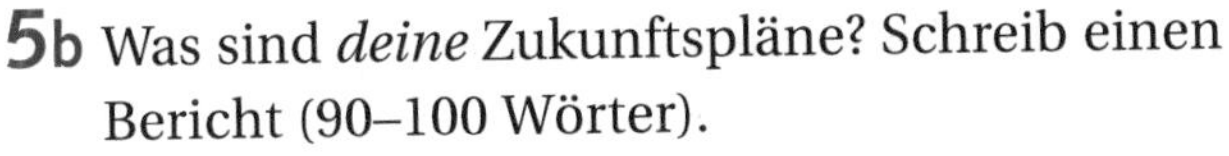
5b Was sind *deine* Zukunftspläne? Schreib einen Bericht (90–100 Wörter).

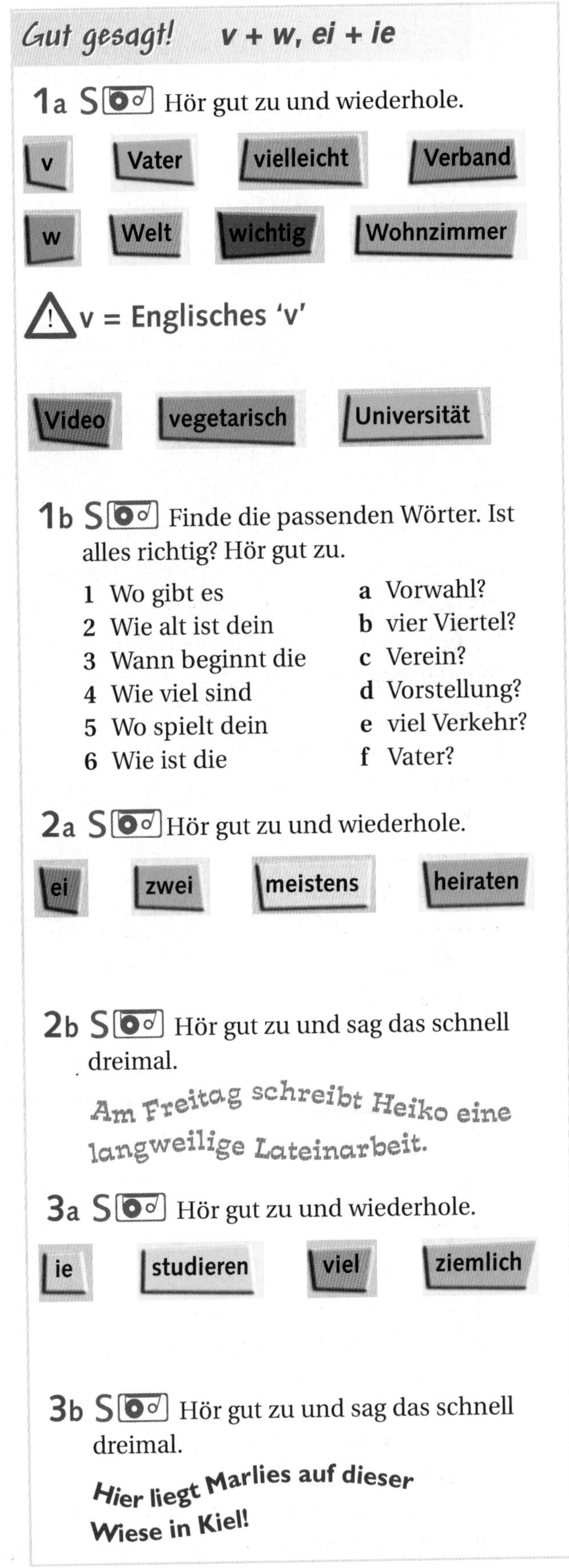
Gut gesagt! ***v + w, ei + ie***

1a S Hör gut zu und wiederhole.

v | Vater | vielleicht | Verband

w | Welt | wichtig | Wohnzimmer

⚠ v = Englisches 'v'

Video | vegetarisch | Universität

1b S Finde die passenden Wörter. Ist alles richtig? Hör gut zu.

1 Wo gibt es
2 Wie alt ist dein
3 Wann beginnt die
4 Wie viel sind
5 Wo spielt dein
6 Wie ist die

a Vorwahl?
b vier Viertel?
c Verein?
d Vorstellung?
e viel Verkehr?
f Vater?

2a S Hör gut zu und wiederhole.

ei | zwei | meistens | heiraten

2b S Hör gut zu und sag das schnell dreimal.

Am Freitag schreibt Heiko eine langweilige Lateinarbeit.

3a S Hör gut zu und wiederhole.

ie | studieren | viel | ziemlich

3b S Hör gut zu und sag das schnell dreimal.

Hier liegt Marlies auf dieser Wiese in Kiel!

13 Essen und trinken

- talk about eating habits and preferences in different countries
- revise some countries and nationalities
- understand direct object pronouns (*mich*, *ihn*, etc.)

See also *Noch mal!* page 194.

1a Schau die Fotos an und finde den richtigen Text.

1 2 3 4 5

a *Was hältst du von chinesischem Essen?*

b *Ich esse gern indisches Essen.*

c *Ich ziehe italienisches Essen vor.*

d *Ich esse lieber deutsches Essen.*

e *Amerikanisches Essen esse ich am liebsten.*

1b Hör zu. Ist alles richtig?

1c **A** sagt einen Satz, **B** sagt, welches Bild das ist. Dann ist **B** dran.

Beispiel:
A *Ich esse gern indisches Essen.*
B *Das ist Bild 4.*

Extra! **A** sagt, was auf einem Bild ist, **B** sagt, welches Bild das ist.

Beispiel:
A *Ich esse gern Curry mit Reis.*
B *Das ist Bild 4.*

2a Mikro-Welle. Hör zu und mach Notizen.

Beispiel:

	Was?	Meinung?
1	Pizza	super

2b A wählt etwas zu essen oder zu trinken, B sagt, was er/sie davon hält. Dann ist A dran.

Beispiel:

A *Was hältst du von Pizza?*

B *Ich esse gern Pizza (Ich esse* ***sie*** *gern), aber ich ziehe Pasta vor.*

3a Stellt und beantwortet Fragen.

- Was isst und trinkt man in deiner Gegend?
- Was ist eine Spezialität der Gegend?
- Was isst und trinkst du gern?

Extra! Sag, warum du etwas gern oder nicht gern isst.

Beispiel: *Ich esse gern indisches Essen, weil es oft sehr scharf ist.*

3b Wie ist das Essen in deiner Gegend/deinem Land? Was hältst du davon? Finde Fotos und schreib einen kurzen Bericht.

Beispiel:

Hilfe

Was hältst du von (Nudeln)?
Wie findest du (chinesisches Essen)?
Magst du (indisches Essen)?
Ich esse/trinke gern/lieber/am liebsten ...
Ich esse gern italienisch, chinesisch, indisch.
Ich ziehe (italienisches Essen) vor.
Das schmeckt (nicht) super/lecker.
schlecht/furchtbar/ekelhaft.
(zu) scharf/fade/süß/sauer/bitter/fettig.

Grammatik im Fokus: Pronomen im Akkusativ

m. Magst du **den Fisch**?
Ja, ich mag **ihn** sehr.

f. Wo ist **die Milch**?
Ich sehe **sie** nicht.

n. Hast du **mein Butterbrot**?
Ja, ich habe **es** hier.

pl. Ich esse gern **Brötchen**.
Ich kaufe **sie** jeden Tag.

1 Fill in the correct pronouns.

Example: *Ich suche* ***die Limonade****. Hast du* ***sie*** *gesehen?*

1 Dieser holländische Käse schmeckt gut. Hast du ___ probiert?
2 Ich mag das englische Frühstück. Ich esse ___ jeden Tag.
3 Frische Brötchen sind lecker! Wir kaufen ___ jeden Sonntagmorgen.
4 In Spanien ist das Abendessen ziemlich spät. Man isst ___ oft gegen 22 Uhr.
5 Die Franzosen produzieren guten Wein. Sie exportieren ___ weltweit.

218

Du bist, was du isst

- talk about which foods are healthy and unhealthy
- understand adverts for healthy eating
- focus on revising and learning by heart

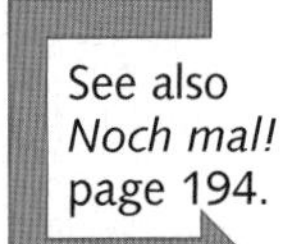
See also *Noch mal!* page 194.

1a Schau die Bilder an. Wie heißt das? Brauchst du Hilfe? Schau im Wörterbuch nach.

1b Ist das gesund oder ungesund? Macht zusammen drei Listen:
gesund ✓, ungesund ✗, weiß nicht **?**

1c Hör gut zu und schau das Poster an. In welcher Reihenfolge sagt man das? Schreib die Nummern auf.

Beispiel: 7, ...

8 Tipps für gesundes Essen

1 Iss täglich drei Mahlzeiten.
2 Trink etwa 1,5 Liter Wasser pro Tag.
3 Iss nicht zu viel Fett.
4 Iss jeden Tag fünf Portionen Obst.
5 Iss viel Gemüse.
6 Iss und trink nicht zu viel Süßes.
7 Iss und trink regelmäßig.
8 Iss von allem ein bisschen.

1d Füll die Lücken aus.

bisschen Fett Gemüse Obst
regelmäßig Süßigkeiten täglich Wasser

1 Am besten isst man _____ drei Mahlzeiten.
2 Normalerweise trinkt man nicht genug _____.
3 Ein bisschen _____ ist in Ordnung, aber nicht zu viel.
4 _____ schmeckt gut – man soll jeden Tag fünf Portionen davon essen.
5 Wir sollen viel _____ essen – Karotten, Kohl, Bohnen, usw.
6 Wir sollen nicht zu viele _____ essen.
7 Es ist wichtig, dass wir _____ essen und trinken.
8 Wir sollen nicht immer dieselben Sachen essen, sondern von allem ein _____ nehmen.

2a Hör gut zu. Kai sagt, was er an einem normalen Tag isst und trinkt. Mach Notizen.

2b Hör noch einmal zu. Ist das gesund (✓) oder ungesund (✗)?

Beispiel:

zum Frühstück	Isst nichts (X); trinkt …
zum Mittagessen	
zum Abendessen	
Sonstiges	11.00 – Marsriegel (X), …

2c Was isst und trinkst *du* an einem normalen Tag? Füll die Tabelle für dich aus. Ist das gesund oder nicht? Was meinst du?

Beispiel:

zum Frühstück	*Cornflakes (✓) mit Zucker (✗) und Milch (✓); eine Banane (✓); …*

2d Was esst ihr? Ist das gesund oder nicht? Stellt und beantwortet Fragen.

Beispiel: **A** *Was isst du normalerweise zum Frühstück?*
B *Zuerst esse ich Cornflakes mit Zucker und Milch, dann esse ich eine Banane.*
A *Denkst du, dass das gesund ist?*
B *Ich soll nicht so viel Zucker essen, aber die Banane ist gesund.*
A *Ja, und du sollst mehr Wasser trinken …*

Hilfe

Ich soll (nicht so) viel … essen.
Man soll mehr …/weniger … trinken.
… ist/sind gesund/ungesund.

Ich bin gesund,	weil ich	viel Milch trinke. ein bisschen Fett esse.
Ich esse nicht gesund	weil ich	zu viele Pommes frites esse. kein Obst esse. nicht genug Wasser trinke.

Prüfungstipp

Revising and learning by heart

Don't leave everything to the last minute! Little and often works best. Try these tips to see what works for you:

- write down key vocabulary and grammar points and look at them frequently.
- use the method of Look, Cover, Say (or Write), Check – this will help you learn *Hilfe* vocabulary and dialogues by heart.
- practise speaking with a partner and correcting each other's mistakes.
- record yourself, then listen back and make sure you can understand yourself!
- play word games with a partner to check spellings (Hangman is useful, or sentences with gaps to fill in).
- organise yourself – draw up a realistic revision plan and try to stick to it!

1 Make a note of any other useful tips you know. Swap them with a friend.

2e Bist du gesund oder nicht? Schreib einen kurzen Bericht.

Beispiel: *Ich bin gesund, weil ich viel Obst esse. Normalerweise esse ich jeden Tag fünf Portionen Obst. Aber ich esse doch nicht sehr gesund, weil ich nicht genug Wasser trinke …*

Trimm dich durch Sport

- talk about healthy and unhealthy lifestyles
- talk about sport and exercise
- use past and present tenses together

1a Wie bleibt man fit? Finde die passenden Hilfe-Sätze für die Bilder.

Beispiel: *a – 5*

Hilfe

1 Ich esse jeden Tag viel Obst und Gemüse.
2 Ich gehe jedes Wochenende wandern.
3 Ich fahre dreimal pro Woche Rad.
4 Ich mache zweimal pro Woche Aerobic.
5 Ich schwimme ein- oder zweimal pro Monat.
6 Ich esse keine Pommes frites und keinen Kuchen.
7 Ich gehe an Wochentagen früh ins Bett.
8 Ich rauche überhaupt nicht.

b

d

g

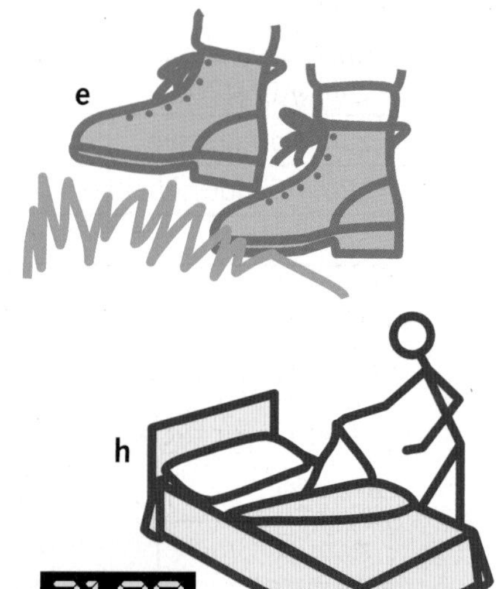

1b Hör gut zu und finde die passenden Bilder.

Beispiel: *1 b, f*

1c Was ist am wichtigsten für dich? Schreib die Hilfe-Sätze in der richtigen Reihenfolge für dich (1 = sehr wichtig usw.). Und was ist nicht auf der Liste? Was ist auch wichtig für dich? Schreib noch ein paar Sätze.

Beispiel: *Ich spiele (einmal pro Woche) Tennis.*
Ich trinke keinen Alkohol.

2 **Mikro-Welle**. Wie bleibst du fit? Hör zu und mach Notizen. Was machen diese Leute und wie oft?

Beispiel: *Tanja: treibt regelmäßig Sport; …*

3 Wie bleibt ihr fit? Stellt und beantwortet Fragen.

Beispiel:
A *Wie bleibst du fit?*
B *Ich spiele zweimal pro Woche Hockey.*
A *Und sonst?*

4a Was passt zusammen?

1 Früher bin ich sehr spät ins Bett gegangen.
2 Mit 13 Jahren habe ich jeden Abend drei Stunden ferngesehen.
3 Letztes Jahr konnte ich nicht schwimmen.
4 Vor drei Jahren habe ich meinen ersten Minimarathon gemacht.
5 Vor sechs Monaten gab es kein Fitnesszentrum in der Stadt.
6 Als ich jünger war, habe ich mich nicht für Sport interessiert.

a Seit sechs Monaten gehe ich zweimal pro Woche schwimmen.
b Jetzt gehe ich spätestens um 10 Uhr ins Bett.
c Heute haben wir drei Fitnesszentren.
d Heutzutage treibe ich dreimal pro Woche Sport.
e Dieses Jahr mache ich vier Marathons.
f Zur Zeit sehe ich nicht fern – ich spiele lieber Tennis.

4b **A** sagt einen Satz (1–6). **B** sagt den passenden Satz (a–f). Dann ist **A** dran.

Beispiel: ***A*** *Mit 13 Jahren habe ich jeden Abend drei Stunden ferngesehen.*
B *Zur Zeit sehe ich nicht fern – ich spiele lieber Tennis.*

4c Und *du*? Was hast *du* früher (vor drei Jahren/mit 11 Jahren/…) gemacht? Was machst du jetzt? Schreib Sätze.

Hilfe

früher	jetzt
letztes Jahr	heute
gestern	heutzutage
vor einem Jahr/Monat	im Moment
vor zwei/drei Jahren/Monaten/Tagen	diesen Monat/dieses Jahr
als Kind	seit einem Monat/Jahr
mit 13/14/15 Jahren	seit einer Woche

Grammatik im Fokus – Präsens und Vergangenheit

The past tenses (perfect and imperfect) are used to say what we did, the present tense shows what we do now.
For the past, you have mostly used the perfect tense:

Ich **habe** einen Marathon **gemacht.**
Ich **bin** früh ins Bett **gegangen.**

You have also used a few verbs in the imperfect:

Ich **lebte** ungesund.
Ich **hatte** keine Zeit.
Ich **konnte** nicht schwimmen.

1 Find all the past and present tense verbs in Übung 4 and make a list. Remember – some past tense verbs have two parts.

Example:

past	present
ich habe … ferngesehen	ich spiele

2 Fill in the gaps with the verb in the correct tense. Choose from the box.

bin esse gegessen gespielt habe
habe hatte konnte treibe war

1 Vor fünf Jahren _______ ich sehr faul und ich habe viel Schokolade ________, aber jetzt ______ ich viel Obst und ich __________ jeden Tag Sport.
2 Als Kind _______ ich keine Freunde, aber heute _______ ich viele Freunde im Sportverein.
3 Ich _______ zur Zeit in der Tennismannschaft, aber vor einem Jahr _______ ich nur Federball _______ – ich _______ Tennis nicht spielen.

222

Ungesunde Sünden

- talk about smoking, alcohol and drugs
- discuss problems

See also *Noch mal!* page 194.

1a Hör zu und finde die richtige Reihenfolge für die Hilfe-Sätze.

Beispiel: *b, …*

Hilfe

- **a** **Ich rauche nicht, weil es ungesund ist.**
- **b** **Er/Sie raucht Zigaretten, weil viele Jugendliche es tun.**
- **c** **Ich trinke keinen Alkohol, weil es zu teuer ist.**
- **d** **Er/Sie trinkt Alkohol, weil es gut schmeckt.**
- **e** **Ich nehme keine Drogen, weil es gefährlich ist.**
- **f** **Er/Sie nimmt Drogen, weil er/sie es für cool hält.**

1b Schaut die Hilfe-Sätze an und macht neue Sätze mit *weil*. **A** beginnt den Satz, **B** beendet ihn. Dann ist **A** dran.

Beispiel:

A Ich rauche nicht.
B Ich rauche nicht, weil es zu teuer ist.
Ich nehme keine Drogen. (usw.)

Extra! Kannst du weitere Gründe finden?

2a Schau die Bildgeschichte auf Seite 151 an. Hör zu und lies mit.

2b Welches Bild ist das?

Beispiel: *a – 6*

- **a** Es geht Linda nicht gut, weil sie zu viel Wodka getrunken hat. Jemand will ihr eine Ecstasy-Tablette geben.
- **b** Jemand füllt Lindas Glas mit Wodka auf, aber sie merkt das nicht.
- **c** Carstens Eltern verbringen die Nacht in einem Hotel. Das Haus ist voll und die Musik ist laut.
- **d** Lindas Freundinnen laden sie zu einer Fete ein. Linda freut sich darauf.
- **e** Viele Jungen und Mädchen trinken Alkohol und rauchen, aber Linda hat keine Lust das zu tun.
- **f** Linda verspricht ihren Eltern, dass sie um Mitternacht nach Hause kommt.

2c Wie geht die Geschichte weiter? Was meint ihr? Diskutiert in Gruppen.

- Nimmt Linda die Ecstasy-Tablette oder nicht? Warum?
- Was macht der Junge im weißen T-Shirt?
- Wer kommt? Die Polizei? Die Nachbarn? Lindas Eltern? Carstens Eltern?
- Was sagen sie?

Extra! Schreib ein Ende für die Geschichte. Mach dann eine Kassette.

1
Hi, Linda! Heute Abend gibt's eine Fete bei Carsten. Kommst du mit?
Ja, gern! Danke für die Einladung.
2
Na, Linda. Du bist um Mitternacht wieder zu Hause, ja? Und du fährst Taxi – ich gebe dir das Geld.
Ja, macht euch keine Sorgen. Ich bin mit Freunden zusammen. Tschüs!
3
Mensch, das ist laut! Und so viele Leute hier!
Ja, tolle Fete, nicht? Meine Eltern sind die ganze Nacht nicht da. Sie sind im Hotel. Wir werden Spaß haben.
4
Hier, Linda, nimm einen Wodka!
Danke, Steffi, aber ich trinke lieber Cola.
Ach was! Wir sind keine Kinder mehr. Trink ihn doch!
Ich will wirklich nicht …
5
Gibst du mir bitte eine Zigarette? Ich hab' keine mehr.
Ich rauche nicht.
WODKA
Du rauchst nicht?! Und du trinkst nur Cola! Das geht nicht.
6
Ich fühle mich nicht gut. Ich will nach Hause …
Nimm diese Tablette, dann geht's dir viel besser.
Was ist das?
Das ist nur Ecstasy. Das ist nicht gefährlich …
[Zu folgen …]

14 Ein schöner Fernsehabend

- talk about what TV programmes you like and dislike and why

See also *Noch mal!* page 195.

ZDF

18.00	**Glücksrad** Quizsendung
18.30	**Die Simpsons**
19.00	heute/Wetter
19.30	**Reisewege Diese Woche – Urlaub in Australien**
20.00	**Am wilden Fluss** Spielfilm mit Meryl Streep und Kevin Bacon

ARD Das Erste

17.55	**Der Schwächste fliegt** Quizsendung
18.25	**Marienhof** Seifenoper aus München
18.55	**St. Angela** Krankenhausserie
19.45	**Tagesschau** Nachrichten und Wetter
20.15	**Hitparade**
21.00	**Sportwelt** – heute Tennis und Leichtathletik aus Hamburg

SAT.1

18.00	**Raumschiff Enterprise** Sciencefictionserie
18.30	**Sabrina – Total verhext** Comedyserie
19.00	**Bundesliga** Bayern-München vs. Dortmund
21.15	**Im Namen des Gesetzes** Krimiserie

RTL TELEVISION

18.00	**Guten Abend RTL**
18.45	**Lotto**
19.40	**Gute Zeiten, schlechte Zeiten** Serie
20.15	**Wer wird Millionär?** Quizsendung
21.15	**Die Reportage** Dokumentarsendung

1a Schau das Fernsehprogramm an. Welche Sendungen gibt es auch in Großbritannien?

1b Welche Sendungen sollten diese Personen sehen und wann?

1. Ich hoffe, viel Geld zu gewinnen.
2. Ich möchte meinen Urlaub für nächstes Jahr planen.
3. Ich interessiere mich für die Nachrichten.
4. Ich gehe morgen zum Strand. Ich hoffe, es wird sonnig sein.
5. Mein Lieblingshobby ist Fußball.
6. Ich sehe gern Krimis.

2 Hör zu. Welche Sendungen beschreiben sie?

3 Macht Dialoge.

Beispiel:

A Was möchtest du heute Abend sehen?
B Ich möchte eine Quizsendung sehen.
A Wie wäre es mit ‚Wer wird Millionär?'?
B Wann kommt das?
A Um 20.15 Uhr in RTL.

Hilfe

ein Dokumentarfilm/ein Krimi/ein Spielfilm/ ein Zeichentrickfilm
eine Komödie/eine Musiksendung/ eine Quizsendung/eine Serie/eine Seifenoper
die Nachrichten
Was möchtest du sehen?
Wann kommt das?
Wie wäre es mit ... ?

4a Hör gut zu und lies mit.

Ümmihan

'Gute Zeiten, schlechte Zeiten'

Ich sehe gern fern und verbringe zwei Stunden pro Tag vor dem Fernseher. Wir haben Kabelfernsehen zu Hause und ich habe 30 Kanäle zur Auswahl. Ich sehe gern Seifenopern und Musiksendungen, aber ich sehe auch ab und zu Nachrichten. Meine Lieblingssendung ist eine Seifenoper – 'Gute Zeiten, schlechte Zeiten'. Ich finde es spannend und es gibt immer viele Skandale. Ich finde das Fernsehen toll. Es gibt jetzt viele interessante Sendungen. Aber es gibt manchmal zu viel Gewalt. Das ist nicht gut für kleine Kinder.

Joscha

Ich sehe nicht sehr viel fern – vielleicht vier Stunden pro Woche. Meine Lieblingssendung ist 'Die Simpsons'. Das ist ein Zeichentrickfilm und ist sehr lustig. Ich sehe auch gern Fußball im Fernsehen. Ich finde, dass es einige gute Sendungen gibt, aber es gibt auch viel Quatsch im Fernsehen. Es gibt viel zu viele doofe amerikanische Serien.

4b Füll die Lücken aus.

Gewalt lustig täglich Sportsendungen
doof Fernsehkanäle weniger Seifenoper

1. Ümmihan sieht ______________ zwei Stunden fern.
2. Ümmihan hat 30 ______________ .
3. Ümmihans Lieblingssendung ist eine ______________ .
4. Ümmihan findet es schlecht, dass es so viel ______________ im Fernsehen gibt.
5. Joscha sieht ______________ fern als Ümmihan.
6. Joscha interessiert sich für Zeichentrickfilme und ______________ .
7. Er findet 'Die Simpsons' ______________ .
8. Er findet, dass viele Sendungen ______________ sind.

5 **Mikro-Welle.** Hör gut zu und mach Notizen.

- Wie oft sehen sie fern?
- Was für Sendungen sehen sie und wie oft?
- Wie finden sie das Fernsehen?

6a Macht Dialoge.

- Wie oft siehst du fern?
- Was ist deine Lieblingssendung? Warum?
- Wie oft siehst du Nachrichten?
- Wie findest du Serien?
- Wie findest du das Fernsehen?

6b Was hältst *du* vom Fernsehen? Schreib ein paar Sätze. Beantworte die Fragen in Übung 6a.

Hilfe

Ich sehe ... fern.
eine Stunde
zwei Stunden pro Tag/pro Woche
Meine Lieblingssendung ist ...
Ich sehe gern ...
Ich finde Serien toll/doof/Quatsch/lustig/ interessant.
Es gibt zu viele Serien/Sportsendungen/ Quizsendungen.
Es gibt zu viel Gewalt.

Verrückt auf Filme

- say what films you like
- describe a film you have seen

1a Hör gut zu und lies mit.

a Joscha
Mein Lieblingsfilm ist __________.
Er ist ein Horrorfilm. Die Hauptdarstellerin ist Courtney Cox. Sie ist eine tolle Schauspielerin! Ich habe die Geschichte toll gefunden, obwohl der Film ein bisschen gruselig ist.

b Ümmihan
Mein Lieblingsfilm ist __________.
Der Film ist sehr romantisch, aber auch sehr traurig. Die Hauptdarsteller sind Leonardo DiCaprio und Kate Winslet. Leonardo ist mein Lieblingsschauspieler. Die Effekte im Film waren fabelhaft und die Musik hat mir sehr gut gefallen.

c Katja
Mein Lieblingsfilm ist __________.
Der Film ist ein Actionfilm, aber auch eine Liebesgeschichte. Ich habe den Film sehr spannend und sehr traurig gefunden.

1b Was ist der Lieblingsfilm von Joscha, Ümmihan und Katja? Finde die passenden Bilder.

2 Hör gut zu und füll die Tabelle aus.

Lieblingsfilm	Was für ein Film ist das?	Warum ist das dein Lieblingsfilm?

3 Mach Dialoge mit den anderen Schülern aus deiner Gruppe.

- Was ist dein Lieblingsfilm?
- Was für ein Film ist das?
- Warum ist das dein Lieblingsfilm?

4a Hör gut zu und lies mit.

Mein Lieblingsfilm ist Jurassic Park. Er handelt von zwei Menschen, die einen Park mit Dinosauriern besuchen. Der Hauptdarsteller ist Sam Neill. Ich habe das Buch gelesen, aber der Film war noch besser. Der Film war sehr spannend und die Effekte waren prima!

Hilfe

Mein Lieblingsfilm ist ...
Er ist ein Abenteuerfilm/ein Actionfilm/ ein Horrorfilm/ein Krimi/ein Zeichentrickfilm/ eine Liebesgeschichte.
Er handelt von ...
Der Hauptdarsteller ist ...
Ich habe den Film interessant/spannend/ ausgezeichnet/gruselig gefunden.
Ich habe die Effekte/die Geschichte/ die Schauspieler toll gefunden.
Die Musik hat mir gefallen.

4b Schreib ein paar Sätze über deinen Lieblingsfilm. Adaptiere Kais Text in Übung 4a.

Wiederholung Relativpronomen

Er handelt von einem Jungen, **der** auf eine Schule für Zauberer geht.
*It's about a boy **who** goes to a school for wizards.*

Es ist eine Geschichte, **die** ich toll gefunden habe.
*It's a story **which** I loved.*

Das Buch, **das** ich im Moment lese, ist sehr interessant.
*The book **that** I'm reading at the moment is very interesting.*

Es hat Effekte, **die** ich fabelhaft gefunden habe.
*It has effects **which** I thought were fantastic.*

218

Bist du eine Leseratte?

- talk about your reading habits and use of the Internet

1a Hör gut zu und lies mit.

Kai Ich lese nicht sehr gern Bücher – nur in der Schule. Ich lese manchmal Zeitung und ich lese nur ab und zu Zeitschriften. Aber ich lese sehr viel im Internet. Ich benutze das Internet für Hausaufgaben und mache Recherchen. Ich schicke jeden Tag E-Mails und lese die Chatseiten.

Katja Ich lese sehr gern! Ich lese oft Romane und mein Lieblingsbuch ist ‚Ich fühl mich so fifty-fifty'. Es handelt von einem Mädchen, das in Berlin wohnt. Ich lese immer Zeitung am Wochenende. Ich lese nicht sehr oft Zeitschriften, weil ich sie doof finde. Ich lese nie Zeitung im Internet, aber ich lese meine E-Mails.

1b Füll die Lücken aus.

1 Katja liest ________ Romane.
2 Sie liest Zeitung ______________.
3 Sie findet Zeitschriften ___________.
4 Sie liest ihre ___________ im Internet.
5 Kai liest nicht ________ Bücher.
6 Er liest __________ Zeitschriften.
7 Er benutzt das Internet für ____________.
8 Er liest oft die _________ im Internet.

2 Macht Dialoge.

- Wie oft liest du Romane?
- Wie oft liest du Zeitung?
- Wie oft liest du Zeitschriften?
- Wie oft benutzt du das Internet?
- Was machst du im Internet?

3 Finde die passenden Überschriften für die verschiedenen Teile der Zeitung.

1 Sportseiten
2 Klatsch und Tratsch
3 Horoskop
4 Nachrichten
5 Problemseite
6 Artikel über aktuelle Themen
7 Fernsehprogramm

a **Heute werden Sie viel Glück haben.**

b **Heute hat der Bundeskanzler London besucht.**

c **18.30: Marienhof**

d **Julia Roberts hat einen neuen Freund.**

e **In Hamburg gibt es ein neues Zentrum für Drogenabhängige.**

f **Bayern-München hat gestern 2–0 gegen Borussia Dortmund gewonnen.**

g Hilfe! Mein Freund liebt mich nicht mehr!

4a Hör gut zu und wähle die richtigen Antworten für Joscha und Ümmihan.

1 Wie oft liest du?
- **a** jeden Tag.
- **b** zweimal in der Woche.
- **c** ab und zu.

2 Wie oft liest du Zeitung oder eine Zeitschrift?
- **a** jede Woche.
- **b** einmal im Monat.
- **c** selten.

3 Was liest du in der Zeitung?
- **a** die Sportseiten.
- **b** dein Horoskop.
- **c** die Nachrichten.
- **d** das Fernsehprogramm.
- **e** die Problemseite.
- **f** Artikel über aktuelle Themen.
- **g** Klatsch und Tratsch.

4b Mach das Quiz mit anderen aus deiner Klasse.

5 Schreib einen Artikel über deine Lesegewohnheiten. Erwähne diese Punkte:

- wie oft du liest.
- was du liest.
- was du in der Zeitung liest.
- wie oft du das Internet benutzt.
- was du im Internet machst.

Hilfe

Ich lese immer/oft/manchmal/ab und zu/nie.
Ich lese Romane/Zeitung/Zeitschriften.
Ich benutze das Internet für Hausaufgaben.
Ich lese die Chatseiten.
Ich mache Recherchen.
Ich schicke E-Mails.
Ich lese mein Horoskop/die Problemseite/Klatsch und Tratsch/die Nachrichten/das Fernsehprogramm/die Sportseiten/Artikel über aktuelle Themen.

Musikpause

- talk about what kind of music you like
- give a presentation about a concert you have been to

1 Was für Musik hört ihr gern? Wie ist die Musik?

hat einen guten Rhythmus
zu laut nervig langweilig
gut zum Tanzen
prima entspannend
romantisch der Beat ist gut
die Texte sind doof
hat viel Energie

2 Was hören Katja, Kai, Joscha und Ümmihan gern und nicht gern? Hör gut zu und füll die Tabelle aus.

	gern	warum?	nicht gern?	warum?
Katja				

3 Was hörst du gern und nicht gern? Macht Dialoge.

Beispiel:

A *Was hörst du gern?*
B *Ich höre gern klassische Musik, weil sie entspannend ist.*
A *Was hörst du nicht gern?*
B *Ich höre nicht gern Heavymetal, weil es zu laut ist.*

Hilfe

Ich höre (nicht) gern	**Popmusik, klassische Musik, Jazz, Techno, Garage, Heavymetal, Rap,**	**weil**	**sie einen guten Rhythmus hat. sie viel Energie hat. sie gut zum Tanzen ist. sie prima/entspannend ist. sie romantisch ist. der Beat gut ist. sie zu laut/nervig ist. sie langweilig ist. die Texte doof sind.**

Die Prinzen

Die Prinzen – eine der erfolgreichsten Popgruppen Deutschlands. 1991 brachten die sieben Jungen aus Leipzig ihre erste CD heraus und sind sofort Popstars geworden. Jetzt hat die Band 14 Platinplatten hinter sich.

Warum ist die Gruppe so populär? „Die Musik ist einfach toll", sagt Annette (16), Fan aus Hamburg. „Die Texte sind prima und die Musik hat einen guten Rhythmus. Die Lieder sind auch nicht alle gleich – es gibt romantische Lieder, lustige Lieder und Lieder, die gut zum Tanzen sind." Es lebe Die Prinzen!

sie brachten ... heraus – they brought out
Platinplatte – platinum album
erfolgreich – successful

4 Lies den Text über *Die Prinzen* und beantworte die Fragen auf Deutsch.

1 Wann hat die Band ihre erste CD produziert?
2 Wie viele Mitglieder hat die Band?
3 Aus welcher Stadt kommt die Band?
4 Warum findet Annette die Gruppe so gut?
5 Was für Lieder singt die Gruppe?

5 Katja war neulich auf einem Konzert von *Den Prinzen*. Hör gut zu und lies die Sätze. Sind sie richtig (**R**) oder falsch (**F**)?

1 Katja ist allein auf das Konzert gegangen.
2 Tobias ist der Sänger der Gruppe.
3 Er ist lustig.
4 Das Konzert hat um 19.30 Uhr begonnen.
5 Katja wollte nicht singen.
6 Die Atmosphäre in der Halle war ein Problem.
7 Katja wird sich jetzt die neue CD kaufen.
8 Sie hat keine Lust, auf das nächste Konzert zu gehen.

Prüfungstipp

Giving a short presentation

Write out your presentation first:

- **Use words like *und* and *aber* to link words and phrases.**
- **Use adverbs like *ziemlich*, *sehr* and *oft* to be more precise.**
- **Add details and give opinions to make your talk more interesting.**

Once you have prepared your presentation:

- **Write down headings and key words so that you remember the points you want to talk about.**
- **Practise giving your talk using only the key words.**
- **Relax and speak clearly. Don't rush!**
- **Record yourself giving the talk. Listen to the recording and try to spot areas for improvement.**

1 Prepare a presentation about a special event, such as a concert, that you have been to. Follow the points above and record your presentation.

15 Was machst du morgen Abend?

Viel Spaß!

- make arrangements to go out
- accept and decline invitations

See also *Noch mal!* page 196 and *Extra!* page 211.

1 S Hör gut zu und lies mit.

Hilfe-Dialog

Joscha:	Hallo, Matthias. Wie geht's?
Matthias:	Gut, danke.
Joscha:	Was machst du morgen Abend?
Matthias:	Nichts.
Joscha:	Möchtest du ins Kino gehen?
Matthias:	Ja, gern. Was läuft?
Joscha:	Es gibt einen guten Horrorfilm.
Matthias:	Prima. Wann treffen wir uns?
Joscha:	Um 19 Uhr.
Matthias:	Und wo?
Joscha:	Vor dem Kino.
Matthias:	In Ordnung. Bis dann.
Joscha:	Tschüs.

2 Hör gut zu und füll die Tabelle aus.

	Was?	Wann?	Treffpunkt?
1			
2			
3			
4			

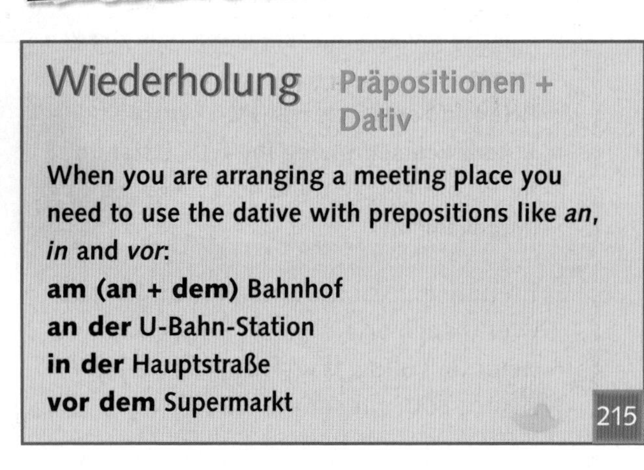

Wiederholung Präpositionen + Dativ

When you are arranging a meeting place you need to use the dative with prepositions like *an*, *in* and *vor*:

am (an + dem) Bahnhof
an der U-Bahn-Station
in der Hauptstraße
vor dem Supermarkt

215

3 Macht Dialoge. Benutzt eure Antworten von Übung 2.

Beispiel:

A *Möchtest du am Samstag in die Disco gehen?*
B *Ja, gern. Wann treffen wir uns?*
A *Um 20.00 Uhr.*
B *Und wo?*
A *Am Bahnhof.*
B *Bis dann.*
A *Tschüs.*

4a Ausreden. Finde die passenden Bilder für die Sätze.

1 Meine Großmutter kommt zu Besuch.
2 Ich habe keine Zeit.
3 Ich bin schon verabredet.
4 Ich muss meine Hausaufgaben machen.
5 Meine Eltern erlauben das nicht.
6 Ich muss Babysitting machen.
7 Ich arbeite.

4b Hör gut zu und finde die richtige Reihenfolge für die Bilder.

Beispiel: *f, ...*

5 **A** möchte **B** einladen. **B** möchte nicht gehen! Dann ist **A** dran.

Beispiel:

A Möchtest du am Freitag schwimmen gehen?
B Es tut mir Leid. Ich habe keine Zeit ...

Hilfe

Möchtest du ...?
schwimmen gehen/einkaufen gehen
in die Disco gehen/auf das Konzert gehen
Fußball/Tennis spielen
Wann/Wo treffen wir uns?
Wir treffen uns um ... Uhr.
Wir treffen uns ...
am Bahnhof/an der U-Bahn-Station.
in der Stadtmitte/bei mir.
Ja, gern.
In Ordnung.
Es tut mir Leid, ich kann nicht kommen.

6 Lies die E-Mail und schreib eine Antwort.

- Du kannst nicht in die Disco gehen. Sag, warum nicht.
- Du möchtest ins Kino gehen.
- Organisiere, wann und wo ihr euch trefft.

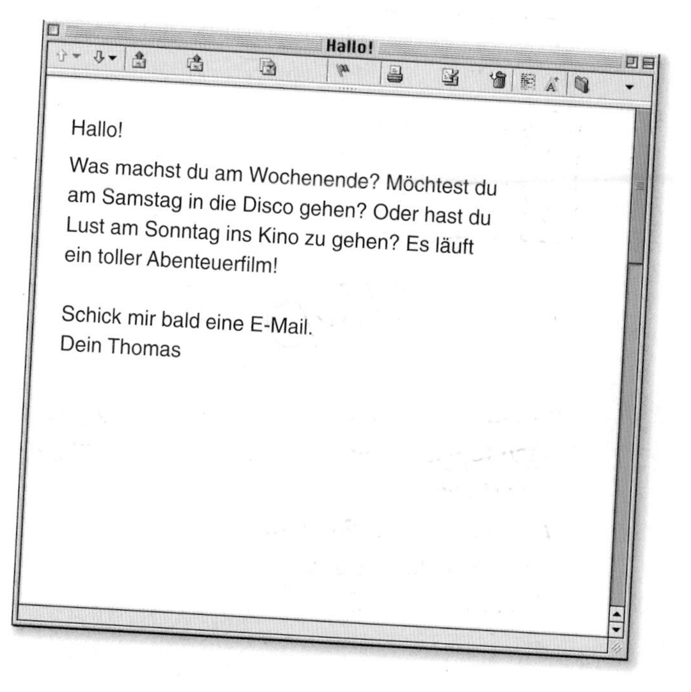
Hallo!

Hallo!

Was machst du am Wochenende? Möchtest du am Samstag in die Disco gehen? Oder hast du Lust am Sonntag ins Kino zu gehen? Es läuft ein toller Abenteuerfilm!

Schick mir bald eine E-Mail.
Dein Thomas

Zwei Karten, bitte

- buy tickets for an event
- make enquiries about leisure activities
- practise role-playing techniques

See also *Extra!* page 211.

1a S Joscha ruft im Kino an. Hör gut zu und lies mit.

Hilfe-Dialog

Angestellte:	Guten Abend. Kino am Löwentor.
Joscha:	Guten Abend. Ich möchte morgen Abend *Scream 3* sehen. Wann beginnt der Film?
Angestellte:	Die erste Vorstellung ist um 20 Uhr.
Joscha:	Was kosten die Karten?
Angestellte:	18 Franken.
Joscha:	Das ist sehr teuer. Gibt es eine Ermäßigung für Schüler?
Angestellte:	Nein, nicht am Wochenende.
Joscha:	Haben Sie billigere Karten?
Angestellte:	Nein, alle Karten kosten 18 Franken.
Joscha:	In Ordnung. Ich möchte zwei Karten reservieren.
Angestellte:	Kein Problem. Wie ist die Nummer Ihrer Kreditkarte?
Joscha:	Kreditkarte? ... Einen Moment bitte ... Mutti!

1b Beantworte die Fragen auf Deutsch.

1 Wohin möchte Joscha gehen?
2 Wann beginnt der Film?
3 Was findet Joscha nicht so gut?
4 Was gibt es nicht am Wochenende?
5 Warum kann Joscha keine Karten reservieren?

2 Manchmal haben wir alle Probleme! Füll die Lücken aus.

geschlossen	ausverkauft	früh
teuer	Kreditkarte	spät

1 Die Karten kosten 40 Euro. Das ist sehr ____________.
2 Der Film endet um Mitternacht. Das ist viel zu ____________.
3 Das Konzert beginnt um 18 Uhr. Das ist zu ____________, weil ich bis 18 Uhr arbeite.
4 Ich möchte schwimmen gehen, aber das Schwimmbad ist ____________.
5 Ich möchte zum Fußballspiel gehen, aber die Karten sind ____________.
6 Ich möchte Karten reservieren, aber ich habe keine ____________.

3 Hör gut zu und füll die Tabelle aus.

	Was?	Problem?	Lösung?
1	Konzert am Mittwoch	Karten sind teuer	Sie gehen am Dienstag

Prüfungstipp

Role-play techniques

- Use the preparation time wisely. Practise your parts of the role-play in your head.
- Make sure you are using the correct form of address – *Sie* or *du* (if the examiner is playing the role of a friend). You can lose marks for getting this wrong.
- If it's a Higher Tier role-play you will have to react to an unpredictable element. Try to work out what this could be. Often it's a problem like the ones in *Übung 3*.

Don't panic!

- Listen carefully to what the examiner says.
- Take your time to answer.
- Learn these phrases by heart:

4 Macht Dialoge. **A** stellt die Fragen, **B** gibt negative Antworten darauf. Dann ist **B** dran.

Beispiel:

A *Guten Abend. Ich möchte zwei Karten für das Konzert am Donnerstag.*
B *Es tut mir Leid, das Konzert ist ausverkauft.*
A *Haben Sie Karten für Mittwoch?*
B *Ja, sie kosten 60 Euro.*
A *Das ist sehr teuer. Haben Sie billigere Karten?*
B *Ja, für Montag.*
A *Dann möchte ich zwei Karten für Montag.*

Hilfe

Ich möchte zwei Karten für morgen Abend.
Wann beginnt/endet die Vorstellung?
Das ist sehr teuer.
Gibt es eine Ermäßigung für Schüler?
Haben Sie billigere Karten?
Ich habe keine Kreditkarte.
Das ist zu früh/spät.
Können Sie ... empfehlen?
Die Kasse ist geschlossen.
Das Konzert ist ausverkauft.

Feste und Feiertage

- learn about some festivals
- use the pluperfect tense

1a Lies die Texte.

Kai

Ich war letztes Jahr auf dem Oktoberfest in München. Das ist das größte Bierfest der Welt – aber leider durfte ich kein Bier trinken! Aber es gibt auch einen großen Rummelplatz. Das hat mir am besten gefallen. Ich hatte vorher noch nie so eine große Achterbahn gesehen! Ich hatte auch gehofft, die Fußballmannschaft Bayern-München dort zu sehen, aber leider waren die Spieler nicht da. Schade! Aber es hat trotzdem viel Spaß gemacht.

Katja

Mein Lieblingsfest ist Weihnachten. Letztes Jahr war es sehr toll, weil meine ganze Familie nach Rostock gekommen ist. Es war das erste Mal, das wir alle zusammen gefeiert haben. Vor der Wende hatte meine Familie unsere Verwandten aus Westdeutschland nicht sehr oft gesehen und sie waren vorher nie alle zusammen in Rostock. Am Heiligabend haben meine Mutter und ich den Weihnachtsbaum geschmückt und dann haben wir alle unsere Geschenke aufgemacht. Mein Vater hatte schon das Weihnachtsessen vorbereitet. Wir haben Gans gegessen – das ist traditionell in Deutschland. Dann haben wir Weihnachtslieder gesungen. Ich habe viele schöne Geschenke bekommen. Ich hatte mir ein Handy gewünscht und ich habe es auch bekommen.

Joscha

Mein Lieblingsfest ist Fasnacht. Das findet jedes Jahr im Februar statt. Wir verkleiden uns und es gibt Umzüge durch die Stadt. Wir haben auch keine Schule und das ist natürlich toll! Letztes Jahr war ich auch im Umzug. Ich hatte schon vorher mein Kostüm und meine Maske vorbereitet. Danach gab es eine große Party in unserem Teil von Zürich. Mein Vater hatte das organisiert und es war wirklich prima. Wir haben bis Mitternacht gefeiert!

1b Welches Fest ist das?

1. Man kann viele Biersorten trinken.
2. Man schmückt einen Baum und singt Lieder.
3. Es findet im Februar statt.
4. Man bekommt Geschenke.
5. Es gibt einen großen Rummelplatz.
6. Man feiert normalerweise mit der Familie zusammen.
7. Es gibt Umzüge.
8. Man verkleidet sich.

sich verkleiden – to dress up
der Umzug – procession
feiern – to celebrate
die Wende – German reunification
die Verwandten – relations
schmücken – to decorate
die Gans – goose
der Rummelplatz – funfair
die Achterbahn – rollercoaster

1c Katjas Weihnachten. In welcher Reihenfolge ist das alles passiert?

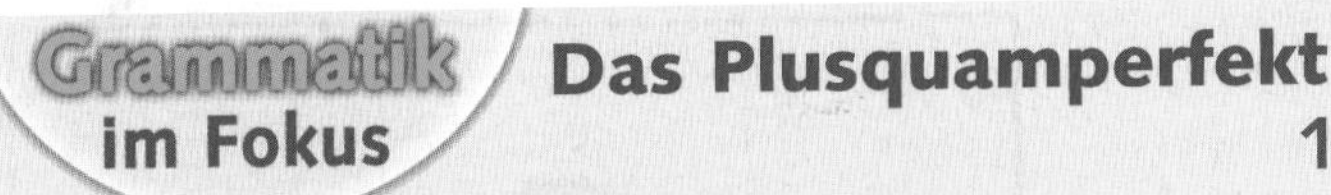

Das Plusquamperfekt

Ich **hatte** noch nie so eine große Achterbahn **gesehen.**
*I **had** never **seen** such a big rollercoaster before.*

The pluperfect tense tells you what **had** happened. It is formed in a very similar way to the perfect tense but you use the imperfect tense of *haben* or *sein*, plus the past participle:

ich hatte gemacht	*I had done*
ich war gegangen	*I had gone*

1 Put these perfect tense verbs into the pluperfect.

1 er hat gesehen
2 wir haben getanzt
3 er ist geschwommen
4 wir sind gefahren
5 ich habe gespielt

2 Fill in the gaps in these sentences to make them pluperfect.

1 Er __________ das Weihnachtsessen gemacht.
2 Ich __________ nie vorher Gans gegessen.
3 Wir __________ nach München gefahren.
4 Die Kinder __________ sich verkleidet.
5 __________ du den Umzug schon gesehen?

223

2 Wie hast du letztes Jahr Weihnachten gefeiert? **A** stellt die Fragen, **B** antwortet. Dann ist **B** dran.

1 Mit wem hast du gefeiert?
2 Was hattest du schon vor Weihnachten gemacht?
3 Was hast du am Heiligabend gemacht?
4 Was hast du am 25. Dezember gemacht?
5 Was hast du gegessen und getrunken?
6 Was hattest du dir zu Weihnachten gewünscht?
7 Hast du dieses Geschenk bekommen?

3 Was ist das wichtigste Fest bei dir? Wie hast du das letztes Jahr gefeiert? Schreib 150 Wörter darüber.

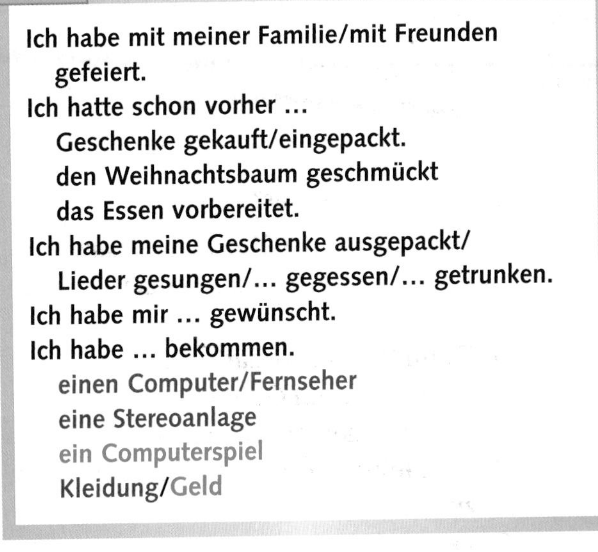
Hilfe

Ich habe mit meiner Familie/mit Freunden gefeiert.
Ich hatte schon vorher …
Geschenke gekauft/eingepackt.
den Weihnachtsbaum geschmückt
das Essen vorbereitet.
Ich habe meine Geschenke ausgepackt/
Lieder gesungen/… gegessen/… getrunken.
Ich habe mir … gewünscht.
Ich habe … bekommen.
einen Computer/Fernseher
eine Stereoanlage
ein Computerspiel
Kleidung/Geld

Prüfungstipp

- prepare for the exam

Prüfungstipp

Preparing for the exam

- Make sure that you practise all four skills when preparing for the exam.
- Make sure that you revise vocabulary regularly. Aim to do 20 minutes every day. Little and often works best!
- Use the *Hilfe* boxes as a basis for vocabulary revision.
- Be active! Learning vocabulary doesn't mean staring at the page. Use look, cover, write, check and get friends and family to test you.

1 Choose one of the *Hilfe* boxes from a topic you feel less confident about. Learn the vocabulary. Then test yourself two days later. How much can you remember?

Listening

The more you listen, the easier it gets!

- Ask your teacher for a copy of a tape in German and listen to it for 10 minutes every day.
- If you have satellite TV at home try listening to some German programmes.
- Watch a film you know already in German.

2 Work with a partner. Listen to a piece of taped German and make notes. Then compare your notes.

Speaking

Use every opportunity to speak in German!

- Try to get some time with your German assistant if you have one.
- Work with a friend and spend 10 minutes every day speaking only in German.
- Practise with an older brother or sister if you have one.
- Make cards with practice questions for the oral. Write the question on one side and key vocabulary on the other. Then practise the questions at random.
- Make a list of useful role-play vocabulary: *ich möchte ..., haben Sie ..., darf ich ...,* etc.

3 Choose a topic from this book and see how long you can speak for. Aim for one minute. Have a competition with your friends and see who can speak for the longest.

Reading

As with listening, it is important to read as much German as possible to activate your vocabulary.

- If your school has any readers or magazines designed for learners of your age, borrow some and read them!
- Look up some German websites. www.oup.com/uk/klasse can point you to some interesting websites to help you practise your reading skills.

4 Practise reading without using a dictionary. Read a passage and highlight words you don't understand. Decide which words are most important to help you understand the passage overall. If you are doing a reading comprehension, decide which are the most important to help you answer the questions. (See Tipp, page 69: Coping with unknown language.)

Writing

- As well as learning vocabulary, you will need to revise grammar rules. Concentrate on one key point of grammar at a time, e.g. past tense, word order.
- Again, little and often is the key!
- Make sure you are familiar with the correct format for different types of writing, e.g. postcards, e-mails, informal and formal letters.
- Make banks of useful vocabulary, e.g. useful adjectives, verbs in different tenses.

5 Look at these simple sentences. Add extra details in order to expand each one.

Example:
1 In den Sommerferien bin ich mit meiner Familie nach Hamburg in Deutschland gefahren.

1 Ich bin nach Deutschland gefahren.
2 Ich spiele Tennis.
3 Ich habe im Restaurant gegessen.
4 Das hat mir gefallen.
5 Ich wohne in London.

Das Perfekt, das Präsens und das Futur

- use the perfect, present and future tenses

Revise! The perfect tense, pages 62–63.

- You use the **perfect tense** to talk about something which happened in the past.

> Gestern Abend **bin** ich mit meinen Freunden ins Kino **gegangen**.
> Wir **haben** einen Sciencefictionfilm **gesehen**.

221

Revise! The present tense, pages 40–41.

You use the **present tense** to say:

- what happens regularly:

> Ich **spiele** jeden Tag Fußball.

- what is happening now:

> Ich **gehe** jetzt zur Schule.

219

Revise! The future tense, page 123.

You use the **future tense** to talk about what will happen:

> Ich **werde** auf die Universität **gehen**.

223

1a Put the verbs in the correct columns in the table.

past	present	future
Ich habe gemacht		

ich habe gemacht   ich bin gegangen
ich werde gehen   ich gehe   ich mache
ich werde machen   ich spiele
ich habe gespielt   ich werde spielen
ich lese   ich habe gelesen   ich werde lesen

1b Now add the time expressions to the grid in activity 1a.

gestern   montags   nächstes Jahr
jeden Tag   letzte Woche   jetzt
morgen   bald   normalerweise
oft   letzten Montag   nächsten Samstag
vor zwei Tagen   in 5 Jahren

2 Finde die passenden Endungen für die Sätze.

1 Letzte Woche …
- **a** sehe ich einen tollen Film im Kino.
- **b** habe ich einen tollen Film im Kino gesehen.
- **c** werde ich einen tollen Film sehen.

2 Was machst du in deiner Freizeit? Normalerweise …
- **a** gehe ich einmal im Monat ins Kino.
- **b** bin ich einmal im Monat ins Kino gegangen.
- **c** werde ich einmal im Monat ins Kino gehen.

3 Vor zwei Tagen …
- **a** besuche ich meine Tante.
- **b** habe ich meine Tante besucht.
- **c** werde ich meine Tante besuchen.

4 In fünf Jahren …
- **a** arbeite ich im Ausland.
- **b** habe ich im Ausland gearbeitet.
- **c** werde ich im Ausland arbeiten.

3 Was hat Susi gemacht? Was macht sie normalerweise und was wird sie machen? Schreib Sprechblasen für die Bilder.

Beispiel: 1

Lesepause

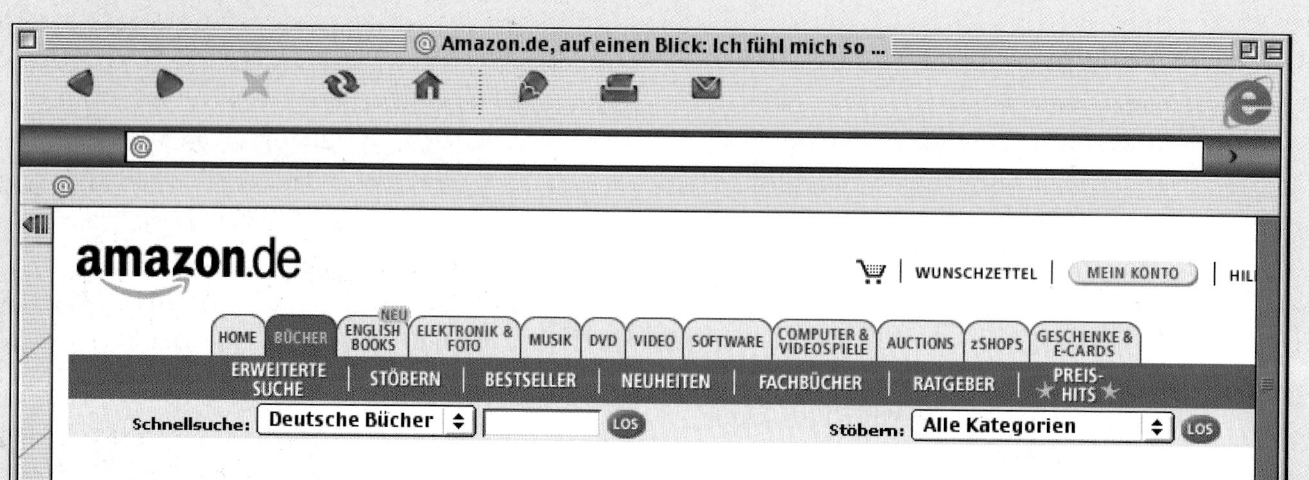

Karin König: Ich fühl mich so fifty-fifty

Leipzig 1989. Sabine wohnt in der DDR. Alles beginnt, als ihr Bruder Mario eine Besuchserlaubnis für Westdeutschland bekommt. Und Mario nutzt die Chance, im Westen zu bleiben. Er kommt nicht zurück. Was soll Sabine machen? Das Problem ist nicht nur, dass sie ihren Bruder vermisst. Nach dem Mauerfall muss sie sich auch entscheiden. Soll sie in der DDR bleiben oder auch nach Westdeutschland gehen? Sie entscheidet sich für Westdeutschland und hofft auf ein besseres Leben. Aber das Leben dort ist auch nicht so einfach …

Was unsere Leser dazu sagen …

Ulrike (15), Mannheim: Ein tolles Buch! Ich habe verstanden, wie es war, zu der Zeit in der DDR jung zu sein, und auch wie schwierig es für manche Jugendliche war.

Sven (16), Leipzig: Ich wohne in Leipzig und meine Eltern haben mir gesagt, wie es 1989 war. Damals war ich noch sehr jung. Aber dieses Buch ist sowohl eine Teenagergeschichte als auch die Geschichte einer spannenden Zeit in Deutschland.

Lise (16), Berlin: Das ist mein Lieblingsbuch. Ich habe es schon drei- oder viermal gelesen. Es lebe Karin König!

1a Richtig (**R**), falsch (**F**) oder nicht im Text (**N**)?

1. Sabines Bruder fährt nach Westdeutschland.
2. Mario bleibt im Westen.
3. Sabines Mutter will nicht nach Westdeutschland fahren.
4. Sabine ist froh, dass Mario weg ist.
5. Nach dem Mauerfall muss Sabine auch nach Westdeutschland fahren.
6. Sie fährt alleine nach Westdeutschland.
7. Sie hofft, dass das Leben im Westen besser sein wird.
8. Eigentlich ist das Leben im Westen auch problematisch.

1b Füll die Lücken aus.

Lieblingsbuch toll Geschichte
schwierig jung mehrmals

1 Ulrike fand das Buch ________.
2 Sie hat verstanden, dass es für Jugendliche in der DDR damals sehr ________ war.
3 Sven war 1989 noch sehr ________.
4 Er hat durch das Buch etwas über die ________ Deutschlands gelernt.
5 *Ich fühl mich so fifty-fifty* ist Lises ________.
6 Sie hat das Buch schon ________ gelesen.

2a Hör das Lied an und sing (oder lies) mit.

2b Finde diese Vokabeln auf Deutsch im Lied.

1 I switch on.
2 I switch over.
3 What should I choose?
4 The TV is still on.
5 I switch off.

2c Beantworte diese Fragen auf Deutsch.

1 Warum findet der Sänger Kabelfernsehen toll?
2 Welche Sendungen mag er?
3 Welche Sendungen mag er nicht?
4 Welches Problem hat er mit dem Fernsehen?
5 Was macht er am Ende des Lieds?

2d Wähle eine Strophe und übersetze sie ins Englische.

Kabelfernsehen

Am Wochenende sehe ich fern, wir haben Kabelfernsehen.
Ich setz' mich hin, ich schalte ein, ich suche was zu sehen.
Die Quizsendung ist nicht für mich, die Fragen sind so blöd.
Ich schalte um: die Nachrichten! Ich hab' sie hundertmal gehört!

Oh, Kabelfernsehen ist so toll mit immer mehr Kanälen,
Ich hab' nur ein Problem damit: Was soll ich davon wählen?

Ein Spielfilm kommt im Dreizehnten, Deutschland vor der Wende.
Ich interessiere mich dafür – ach nein, ist schon zu Ende!
Es gibt zu viele Seifenopern mit Amerikanern.
Sie sprechen Deutsch und sehen aus, als ob sie Mühe haben!

Oh, Kabelfernsehen ist so toll mit immer mehr Kanälen,
Ich hab' nur ein Problem damit: Was soll ich davon wählen?

Die Musikshow, die ist gut, meine Lieblingsgruppe.
Mutti ruft mich: Komm sofort! Wir essen eine Suppe!
Suppe ess' ich nicht so gern, obwohl sie sehr gesund ist.
Ich esse lieber Hamburger mit vielen fettigen Pommes frites.

Oh, Kabelfernsehen ist so toll mit immer mehr Kanälen,
Ich hab' nur ein Problem damit: Was soll ich davon wählen?

Ich komm' zurück, der Fernseher läuft noch in der Ecke.
Die Sportsendung ist nicht modern – da spielt doch Boris Becker!
Hab' keine Lust mehr fernzusehen, ich kann einfach nicht wählen.
Ich schalte aus, ich setz' mich hin, ich fange an zu lesen.

Oh, Kabelfernsehen ist so toll mit immer mehr Kanälen.
Mein Buch ist besser. Ruhe jetzt! Und keiner darf mich stören.

Pia, Alex und Kim haben sich auf dem Campingplatz kennen gelernt und machen alles zusammen.

1a Heute essen die drei in der Cafeteria zu Mittag. Wer isst was? Hör gut zu und finde die passenden Bilder.

a

b

c

d

e

f

g

h

i
j

k
l
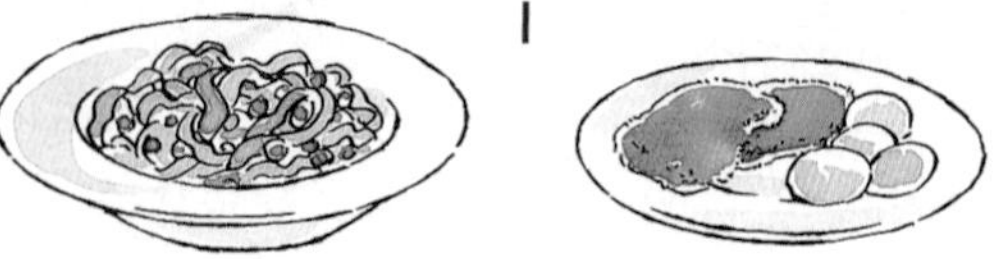

1b Wer isst gesund/ungesund? Macht Dialoge.

Beispiel: *Alex lebt ungesund, weil er ... isst. Aber er isst ... – das ist gesund.*

1c Was isst *du* gern/am liebsten/nicht gern? Warum (nicht)? Ist das gesund oder ungesund? Macht Dialoge mit den Bildern von Übung 1a.

2a Pia, Alex und Kim wollen im Aufenthaltsraum fernsehen. Was gibt es wann? Hör gut zu und schreib die Sendungen und Zeiten auf.

Beispiel: *18.10: Sportsendung*

2b Wie finden sie die Sendungen? Hör noch einmal zu und schreib die Meinungen und Namen neben den Sendungen.

Beispiel: *18.10: Sportsendung – spannend (Pia)*

2c Was siehst du gern/nicht gern? Warum (nicht)? Macht Dialoge.

Beispiel:

A *Wie findest du Sportsendungen?*

B *Ich sehe gern Sportsendungen – sie sind ...*

3a Was machen Pia, Alex und Kim am Wochenende? Hör gut zu und finde die passenden Bilder.

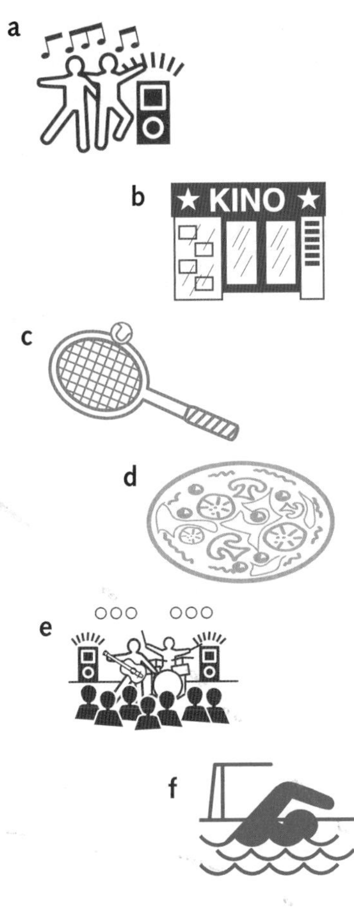

3b Was willst *du* morgen Abend machen? Schreib eine E-Mail mit Ideen (den Informationen von Übung 3a) an einen Freund/eine Freundin.

Beispiel: *Morgen Abend werde ich schwimmen gehen. Es gibt ein großes Hallenbad in der Nähe und es kostet nicht viel …*

4 Kim ruft für Konzertkarten an. Hör gut zu und lies die Sätze. Sind sie richtig (**R**) oder falsch (**F**)?

1 Kim möchte drei Karten für das Konzert am Sonntag.
2 Das Konzert am Samstag ist ausverkauft.
3 Es gibt keine Ermäßigung für Schüler.
4 Die drei Karten kosten zusammen 45 Euro.
5 Das Konzert beginnt um 8 Uhr.
6 Kim kann die Karten ab halb acht abholen.

Gut gesagt! Long and short vowel sounds

1 S Hör gut zu und wiederhole.

langes o — Noten — Kohle — Lohn

kurzes o — Soldat — Lotto — kostet

2 S Hör gut zu und wiederhole.

langes u — Bruder — Beruf — nur

kurzes u — Stunde — Kunst — Umwelt

3 S Hör gut zu und wiederhole das Gedicht.

Susi will nach der Schule an der Universität studieren.

Ulli muss zum Bund (das ist die Bundeswehr).

Doris ist Polizistin und Cora ist Pilotin!

Robbi ist an Wochenenden und im Sommer Koch!

Alles wiederholen: Hören!

F

1 Wie fahren sie zur Schule? Finde die passenden Bilder.

Beispiel: *Susi – b*

Susi Tim Ute Maik Anna Björn

Prüfungstipp

Look at the pictures carefully before you listen, to work out what key words to listen out for.

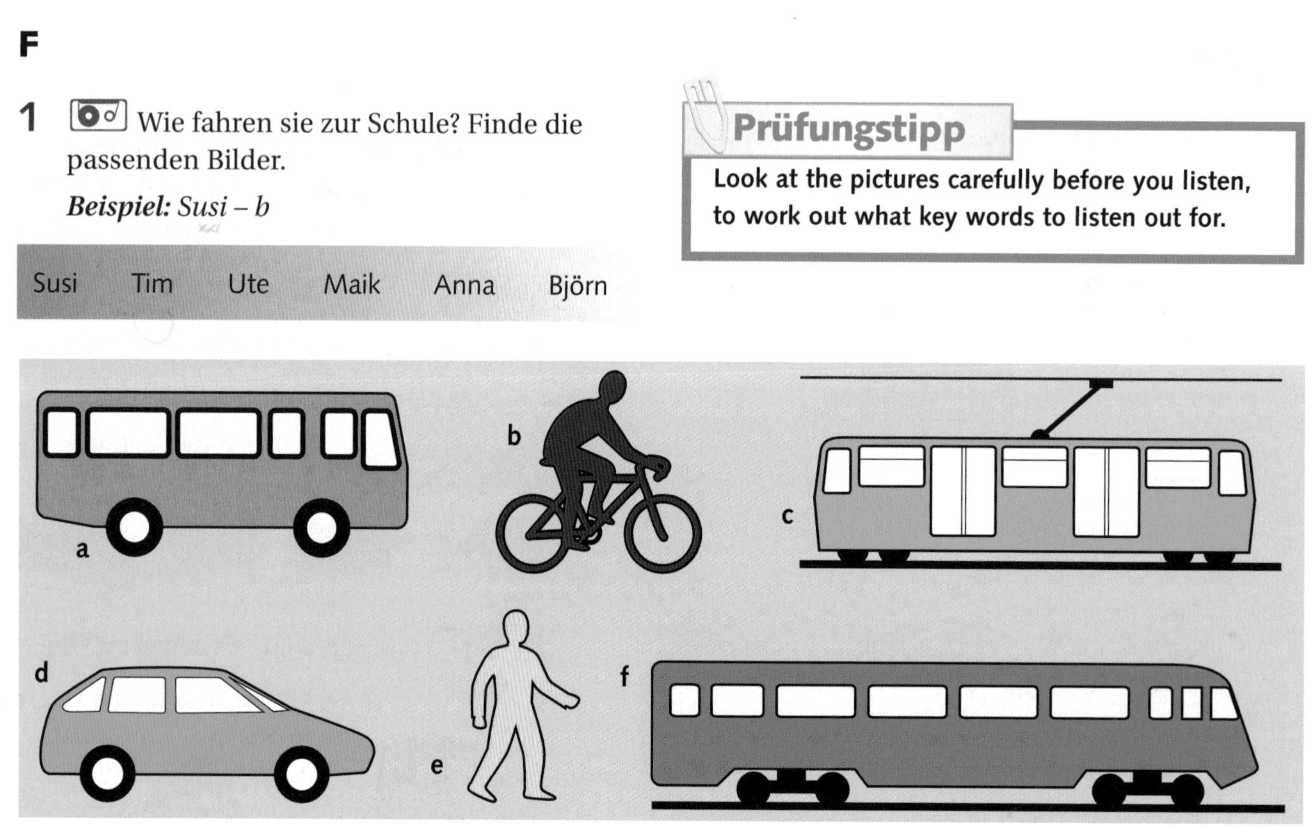

F

2 Isabel beschreibt einen typischen Tag. Hör gut zu und finde die richtige Reihenfolge für die Bilder.

Beispiel: *f, …*

Prüfungstipp

Don't panic if you've missed out one of the pictures. Guess where it might fit in and then listen again to see if you were right.

F/H

3 Was wollen Kathi und Björn machen? Füll die Tabelle aus. (Du brauchst nicht alle Wörter.)

	Kathi	Björn
Heute		Lesen
Morgen		
Sonntag		

Prüfungstipp

Read the instructions carefully – they tell you that you will not hear all the words on the list.

Disco Einkaufen Fußball Kino Konzert Krankenhaus Lesen Restaurant Tennis Videos Wanderung Zoo

H

4 Alex und Olivia sprechen über ihre Zukunftspläne. Finde die passenden Antworten.

1 Alex will
- **a** Computerfachmann werden.
- **b** in einem Hotel arbeiten.
- **c** studieren.

2 Am liebsten möchte er
- **a** in Deutschland arbeiten.
- **b** mit Tieren arbeiten.
- **c** ins Ausland gehen.

3 Er möchte
- **a** keinen stressigen Job.
- **b** viel Geld verdienen.
- **c** Karriere machen.

4 Olivia will
- **a** Informatik studieren.
- **b** Abitur machen.
- **c** im Ausland arbeiten.

5 Nach der Schule möchte sie
- **a** Informatik studieren.
- **b** ein Jahr Pause machen.
- **c** mit Kindern arbeiten.

6 Danach will sie
- **a** Medizin studieren.
- **b** Tierärztin werden.
- **c** nicht zur Uni gehen.

Prüfungstipp

Don't worry if you don't understand every word. For example, you might not know what *Heimweh* means – but you don't need to in order to choose all the correct answers.

H

5 Tom beschreibt seine Familie. Hör gut zu und beantworte die Fragen.

1 Wie versteht sich Tom mit Hugo? (2)
2 Warum versteht er sich nicht mit Lisa? (2)
3 Welche Probleme gibt es mit Toms Mutter? (2)
4 Wie hilft Tom im Haushalt? (2)
5 Wie ist sein Vater? (2)
6 Warum streitet er oft mit seinem Vater? (2)

Prüfungstipp

- **If there is more than one mark given for each question, make sure you include as much detail as possible in your answers.**
- **When the questions are in German, remember to answer in German too!**

Alles wiederholen: Sprechen!

F

1 Macht einen Dialog im Café.

A: Guten Tag. Was möchten Sie essen?
B: ....
A: Und was möchte Ihre Freundin/Ihr Freund essen?
B: ....
A: Und zu trinken?
B: ....
A: Und was möchten *Sie* trinken?
B: ....

Café Meyer

	€
Schokoladentorte	4
Käsekuchen	3,50
Apfelstrudel	4,15
Erdbeertorte	3,75
Nusskuchen	3
mit Sahne	30C
Eisbecher (3 Kugeln) Schokolade, Vanille, Erdbeer, Zitrone, Mokka, Kirsche	4,25
mit Sahne	30C
Kaffee (Tasse)	1,80
Kaffee (Kännchen)	3,50
Tee	1,90
Kräutertee	2
Kakao	2,50
Limonade/Cola/ Mineralwasser	2

Prüfungstipp

There are lots of differen‹ ways of saying what you would like in a café:

Ich möchte ge‹‹ ...
Ich nehm‹ ...
Ich hätte gern ...
Einmal ..., bitte.

F

2 Macht zwei Dialoge.

1 Im Lebensmittelgeschäft

A: Guten Tag. Ja, bitte?

B: 100g

A: Sonst noch etwas?

B: 

A: Bitte sehr.

B: ?

A: Das macht vier Euro.

B:

A: Vielen Dank. Auf Wiedersehen!

2 Im Bahnhof

A: Wie kann ich Ihnen helfen?

B: BERLIN

A: Einfach oder hin und zurück?

B:

A: Das macht 35 Euro.

B: ?

A: Um Viertel vor drei.

B: ?

A: Gleis 6.

Prüfungstipp

Using symbols as cues for your conversation is an important skill for exam role-plays – make sure you practise as many of them as possible!

F/H

3 Macht Interviews.

Familie und Freunde
– Wie siehst du aus?
– Wie bist du?
– Wer gehört zu deiner Familie?
– Wie sind alle?
– Wie sind deine Freundinnen und Freunde?

Zu Hause
– Wo wohnst du?
– Wie ist dein Haus/deine Wohnung?
– Wie ist dein Zimmer?
– Wie hilfst du zu Hause?
– Wann/Wie oft machst du das?

Prüfungstipp

Practising lots of questions for every topic is a very good way of revising for the general conversation part of your oral exam. Draw up questionnaires with your partner and test each other and make sure you include as much detail as possible in your answers.

F/H

4 Beschreib deine Schule. Du hast genau zwei Minuten!

Prüfungstipp

You need to use a variety of tenses and give plenty of opinions to do well in your prepared talk. Prepare some key notes in advance that will remind you to do this:

Dieses Jahr mache ich ...
Letztes Jahr habe ich ... gewählt.
Nächstes Jahr werde ich ... lernen.
Mein Lieblingsfach ist ...
Ich mache am liebsten/gern/gar nicht gern ...
... finde ich ...

H

5a Beschreib letztes Wochenende. Was hast du gemacht?

Fr.:

Das war...

Sa:

Wie war das?

So:

5b Du bist dran! Was machst du *nächstes* Wochenende? Mach eine Kassette.

Prüfungstipp

Remember to give lots of opinions to get a good grade in your oral exam. These phrases can be used for a whole variety of situations:

Das ist/war interessant/super/spannend/ langweilig/doof.
... finde ich ...
Das/ ... gefällt mir (nicht) gut/hat mir (nicht) gut gefallen.

Alles wiederholen: Lesen!

F

1 Finde die passenden Bilder für die Texte.

1 Zum Schwimmbad
2 Zum Markt
3 Zum Theater
4 Zum Stadion
5 Zum Bahnhof
6 Zum Krankenhaus

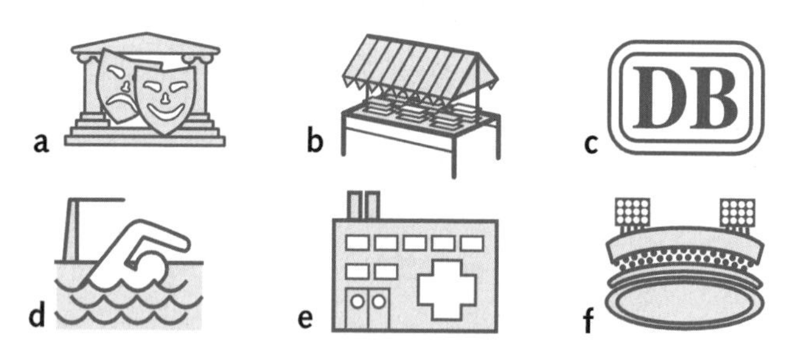

F

2 Finde die passenden Restaurants für diese Jugendlichen.

1 Ich esse am liebsten Süßes.
2 Ich mag ausländische Gerichte.
3 Ich finde Pizza total lecker!
4 Ich habe nicht viel Geld.
5 Ich esse kein Fleisch.

F/H

3 Lies den Artikel und finde die passenden Antworten.

Deutsche Kinder im Alter von 3 bis 13 Jahren sehen täglich durchschnittlich 97 Minuten fern. Kinder in Ostdeutschland sehen mit 123 Minuten pro Tag rund eine halbe Stunde mehr fern als ihre westdeutschen Altersgenossen. Samstags wird mit 124 Minuten am meisten ferngesehen. Die Nummer eins bei den kleinen Fernsehzuschauern ist nach wie vor Super RTL, gefolgt von RTL 2 und vom Kinderkanal, der allerdings nur von 6.00 bis 19.00 Uhr Sendungen zeigt. Besonders beliebt sind vor allem Zeichentrickfilme. Die über 12-Jährigen sehen jedoch kaum noch Kinderprogramme – sie interessieren sich mehr für die Sendungen der ‚Großen'.

1 Wie lange sehen deutsche Kinder jeden Tag im Allgemeinen fern?
a 30 Minuten. **b** 97 Minuten.
c 123 Minuten.

2 Wer sitzt am längsten vor dem Fernseher?
a Ostdeutsche Kinder.
b Ältere Kinder.
c Kinder in Westdeutschland.

3 Wann sitzen die Kinder am längsten vor dem Fernseher?
a Am Samstag. **b** Morgens.
c Abends.

4 Welcher Fernsehsender ist am beliebtesten?
a Kinderkanal. **b** RTL 2. **c** Super RTL.

5 Welcher Sender sendet nicht den ganzen Tag?
a Super RTL. **b** Kinderkanal.
c RTL 2.

6 Welche Programme sehen Kinder über 12 am liebsten?
a Kinderprogramme.
b Zeichentrickfilme.
c Programme für Erwachsene.

H

4 Lies den Artikel und lies dann die Sätze. Sind sie richtig (**R**), falsch (**F**) oder nicht im Text (**N**)?

Susanne Clark (32) hat einen neuen Weltrekord im Dauerchatten aufgestellt. Bei der Internationalen Funkausstellung (IFA) in Berlin hat sie fast 62 Stunden lang per E-Mail mit Chat-Partnern aus der ganzen Welt kommuniziert. Die junge Frau hatte im Internet den Namen ‚Yummi'. Sie und drei weitere Kandidaten mussten alle zwei Minuten eine Nachricht absenden. „Tagsüber haben wir uns eher über nicht so wichtige Dinge unterhalten", sagt Susanne. „Aber abends und nachts wurde es ernster: Da ging es dann um Partnerschaft, Zukunft oder Politik." Mehrere Internet-Cafés, Freunde und Verwandte der Kandidaten sowie Teilnehmer aus den USA, Frankreich und der Schweiz nahmen an dem Chat teil. Die glückliche Siegerin erhält einen Computer im Wert von 1250 Euro und eine Reise nach New York. Die drei anderen Kandidaten dürfen sie dabei begleiten ...

1 Susanne Clark kommt aus Hamburg.
2 Sie ist Weltmeisterin im Internet-Chatten.
3 Sie hat über 60 Stunden lang E-Mails geschickt.
4 Die Kandidaten haben sich gut verstanden.
5 Beim Chat haben nur Teilnehmer aus Europa mitgemacht.
6 Susanne Clark hat einen Computer gewonnen.
7 Sie fährt allein nach New York.

Prüfungstipp

Don't rush! Read the article and the statements carefully before you decide whether they are true, false or not in the text.

H

5 Lies den Artikel und beantworte die Fragen.

1 Woher kommt Masooda? (1)
2 Was ist für sie am wichtigsten? (1)
3 Was macht sie gerade? (1)
4 Welchen Beruf möchte sie später haben? (1)
5 Was möchte sie gern machen? (2)
6 Wie ist sie? (2)
7 Was ist auch wichtig für sie? (2)
8 Was macht sie am liebsten in ihrer Freizeit ? (2)

Masooda Aziza

Realschülerin (17) aus Frankfurt am Main

Für ein türkisches Mädchen spielt die Familie eine wichtige Rolle im Leben. Meine Familie ist sehr groß, da muss ich nicht nur Rücksicht auf die Meinung meiner Eltern nehmen, sondern auch auf das, was meine Brüder, Großeltern oder Onkel und Tanten sagen. Zurzeit konzentriere ich mich ganz auf meinen Realschulabschluss. Ich brauche ein gutes Zeugnis, weil ich Stewardess werden möchte. Frankfurt ist zwar mein Zuhause, aber ich möchte andere Länder kennen lernen, etwas Neues erleben und frei sein. Das kann ich als Stewardess am besten. Ich bin sehr gesellig und kann gut auf andere Menschen zugehen. Aber ich bin Muslimin und sehr religiös, da darf ich vieles nicht machen. Trotzdem spielen meine Kleidung, meine Schminke und meine Frisur eine sehr große Rolle für mich. Meine freie Zeit verbringe ich damit, einkaufen zu gehen und nach passenden Klamotten zu suchen. Dafür gebe ich mein ganzes Geld aus.

Prüfungstipp

Remember to answer ALL the questions and take note of the number of marks for each question.

Alles wiederholen: Schreiben!

F

1 Du machst mit deiner Klasse ein Picknick. Was kaufst du zu essen und zu trinken? Schreib eine Einkaufsliste mit sechs Sachen.

Prüfungstipp

The pictures are there to help you, but you can include other things on your list!

F

2 Lies die Nachricht. Ändere sie dann mit den Informationen um.

Hallo, Mark!
Ich bin mit Susi in der Stadt. Wir gehen in die Eisdiele und danach ins Kino. Ich komme um 18 Uhr wieder zurück. (Ich fahre mit dem Bus.)

Tschüs!
Philipp

Prüfungstipp

You don't have to do anything too complicated here. You are asked to adapt the message, so just change the key details:

Ich bin mit Susi in der Stadt.
→ *Ich bin mit Lukas im Einkaufszentrum.*

F/H

3 Lies Evas Brief an ihre neue Brieffreundin. Ändere dann den Brief für dich um.

Hallo!
Ich heiße Eva Hallmann und ich wohne in Bremen. Ich wohne bei meiner Mutter und meinem Stiefvater. Ich habe zwei Brüder und eine Schwester. Ich habe auch zwei Haustiere: einen Hund und eine Katze. Meine Hobbys sind Sport und Musik. Ich spiele jeden Nachmittag mit meiner Mutter Tennis und ich singe zweimal pro Woche in einem Jugendchor. Ich interessiere mich auch sehr für Filme. Am Wochenende gehe ich mit meiner Freundin ins Kino. Gestern habe ich in der Stadt Klamotten gekauft. Danach habe ich mit meiner Schwester Pizza gegessen – ich esse am liebsten italienische Küche.

Bitte schreib mir bald!
Eva

Prüfungstipp

Use the model text you have been given and adapt the text as you did for Übung 2.

F/H

4 Lies Uwes E-Mail und beantworte seine Fragen.

- Welche Schulfächer findest du gut?
- Welche Fächer findest du nicht gut?
- Wie sind deine Lehrer?
- Was wirst du nächstes Jahr in der Schule machen?
- Was für einen Ferienjob hast du?
- Was machst du?
- Wie viel Geld verdienst du?
- Was wirst du mit dem Geld machen?

Prüfungstipp

Write neatly and put down all the information you are asked to give.

H

5 Was hast du letztes Wochenende gemacht? Schau die Bilder an und schreib einen Bericht (100–120 Wörter).

Prüfungstipp

- You need to include all the cues you are given here, but it's up to you how to use them.
- You could say, for example, that the concert was interesting or boring.
- Remember that you need to use tenses correctly, give opinions and descriptions to get a good mark.
- When you have finished your report, read it again to check that you have used the past tense correctly.

1 Noch mal!

- talk about family
- discuss what you are and aren't allowed to do

1 Hör zu. Schreib die sechs Namen auf.

2a Schaut den Stammbaum an. **A** ist Markus und **B** ist Linda. Beschreibt ihre Familienmitglieder.

Beispiel: *A Das ist mein Vater, Christoph.*

2b Wie alt sind sie alle? Schreib Sätze.

Beispiel: *Mein Onkel Paul ist 36 Jahre alt.*

Hilfe

Mein Vater heißt …
Meine Mutter ist … Jahre alt.
Meine Großeltern heißen …

2c Zeichne einen Stammbaum für *deine* Familie und schreib fünf Sätze.

Beispiel: *Meine Oma heißt … und sie ist … Jahre alt.*

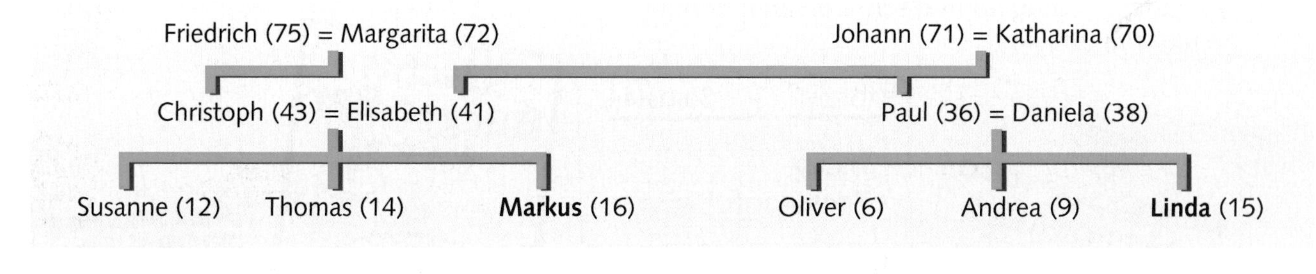

3a Für jede gute Nachricht ☺ gibt es auch eine schlechte Nachricht ☹. Finde die Paare.

1 Du darfst heute in die Stadt gehen, …
2 Deine Freundin kann heute Abend um 19 Uhr kommen, …
3 Du kannst deine Freunde zum Essen einladen, …
4 Du kannst jetzt dein Geburtstagsgeschenk haben, …
5 Wir müssen heute nicht in die Schule, …
6 Meine Eltern müssen nach Amerika reisen, …

a … aber ich darf nicht mitfahren.
b … aber du darfst es heute nicht öffnen.
c … aber wir dürfen nicht ausschlafen.
d … aber du musst das Essen selber vorbereiten.
e … aber sie muss um 20 Uhr wieder zu Hause sein.
f … aber du musst mit deiner Oma gehen.

3b Schreib jetzt zwei weitere Satzpaare.

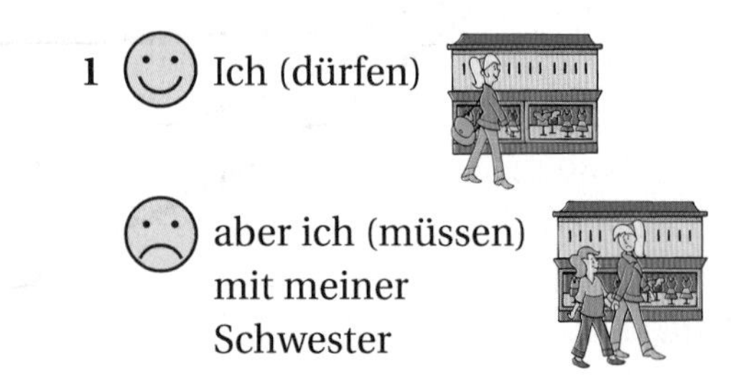

1 ☺ Ich (dürfen)

☹ aber ich (müssen) mit meiner Schwester

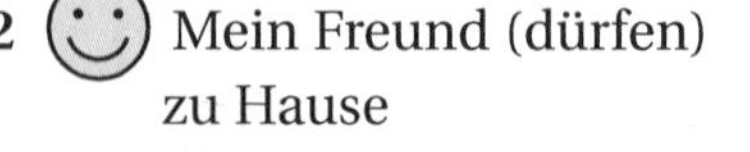

2 ☺ Mein Freund (dürfen) zu Hause

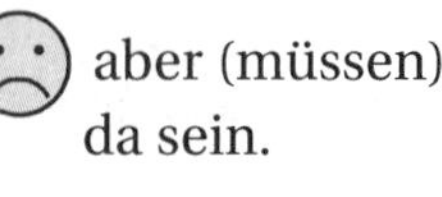

☹ aber (müssen) da sein.

2 Noch mal!

- talk about time and your daily routine
- discuss how you help at home and how often

1 Was passt zusammen?

1. a Es ist sieben Uhr zehn.
2. b Es ist siebzehn Uhr.
3. c Es ist Viertel nach drei.
4. d Es ist Viertel vor fünf.
5. e Es ist fünf Uhr zwanzig.
6. f Es ist sechs Uhr dreißig.
7. g Es ist halb sechs.
8. h Es ist sechs Uhr zehn.
9. i Es ist sechzehn Uhr.
10. j Es ist zwanzig Uhr fünf.

2 Wann machen sie das? Was sagen sie? Schreib Sätze.

Beispiel: *Paul: Um sieben Uhr stehe ich auf und um …*

3a Schau die Bilder an und hör zu. Was passt zusammen?

Beispiel: *1 – c*

3b Wie oft machen sie das? Hör noch einmal zu und kreuz (✗) die Tabelle an.

	1	2	3	4	5
jeden Tag					
oft					
manchmal					
am Wochenende					
dreimal pro Woche					
einmal pro Woche					
zweimal pro Monat					
einmal pro Monat					
selten					

3 Noch mal!

- talk about hobbies
- say how often you do activities and whether you like them or not

1a Hör gut zu. Finde das passende Bild.

Beispiel: *1 – c*

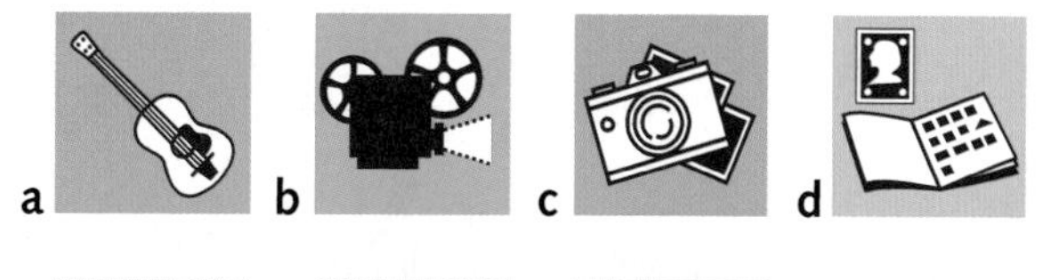

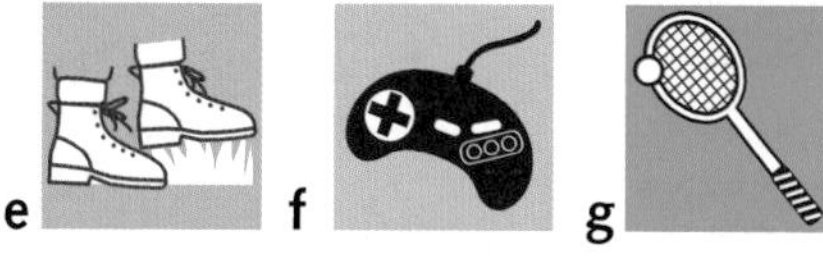

1b Hör noch einmal zu. Wann macht man das?

Beispiel: *1 – e*

a zweimal pro Woche
b dreimal pro Woche
c jeden Abend
d am Samstagnachmittag
e jeden Dienstagabend
f am Wochenende
g jede Woche

2 Was für Sport treiben diese Leute? Was sagen sie?

Beispiel: a *Ich spiele Tischtennis.*

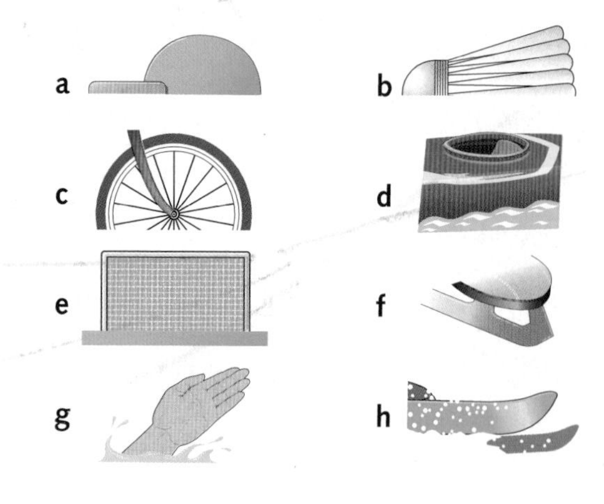

3 Wer macht das gern ✓, nicht gern ✗, lieber ✓✓ oder am liebsten ✓✓✓? Was sagen diese Leute?

Beispiel: *Peter: „Ich spiele nicht gern Fußball."*

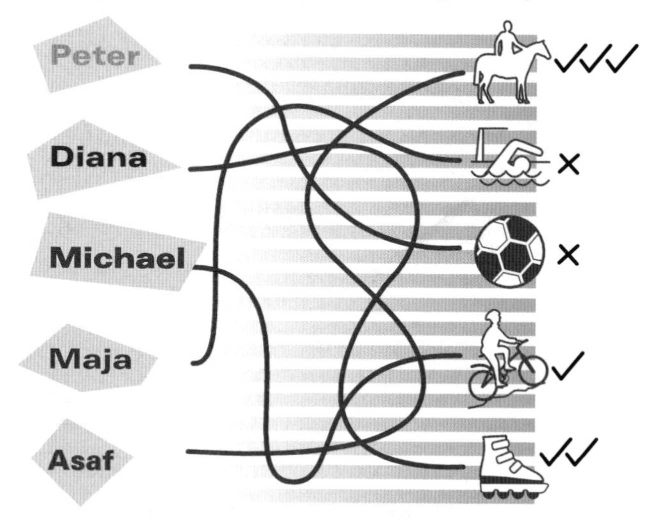

4 Wofür sparst du?

Beispiel: a *Ich spare für einen Fußball.*

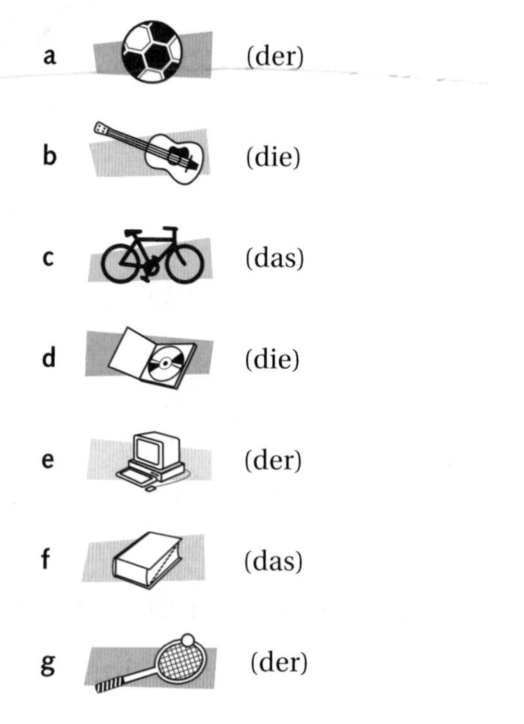

4 Noch mal!

- book a room at a hotel

1a Finde die richtige Reihenfolge für den Dialog.

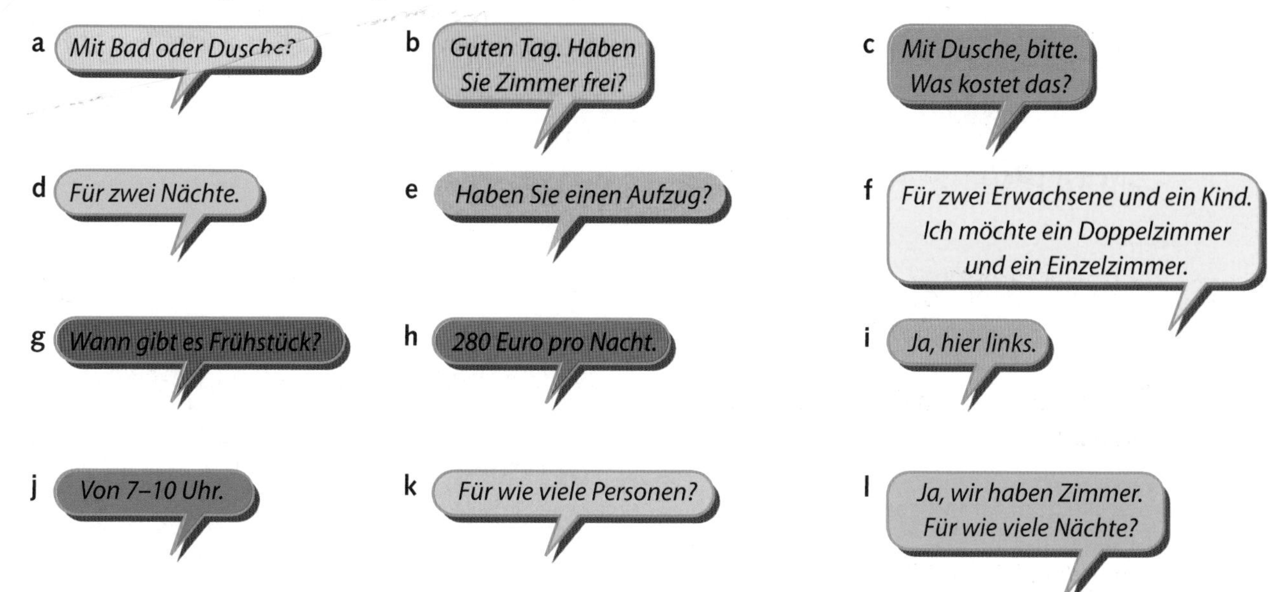

1b Ist alles richtig? Hör gut zu.

1c Finde das passende Bild für den Dialog.

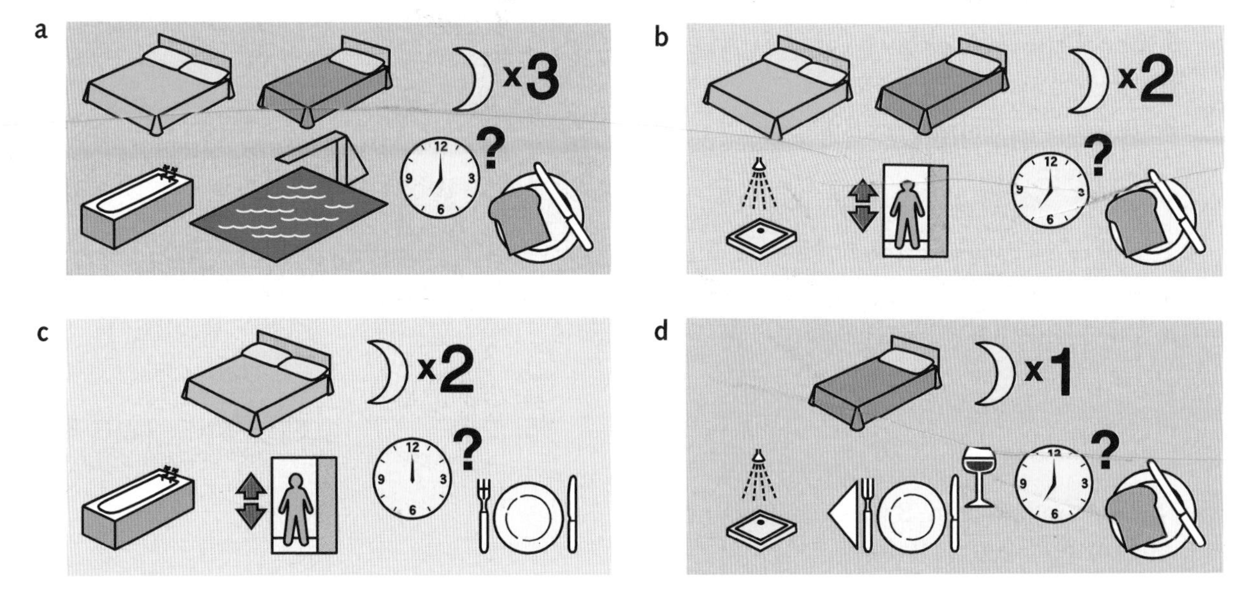

1d Macht weitere Dialoge mit den anderen Bildern.

5 Noch mal!

- describe the weather
- describe a holiday

1 Wie ist das Wetter in jeder Stadt? Hör zu und finde die passenden Bilder.

1 Hamburg
2 Lübeck
3 München
4 Berlin
5 Dresden
6 Köln
7 Bonn

a b c d e f g h i

2 Schau die Urlaubsfotos von Anna-Lena an und finde die passenden Sätze für die Bilder.

1 Ich bin mit meinen Freunden gefahren.
2 Ich bin zum Strand gegangen.
3 Abends habe ich in der Disco getanzt.
4 Ich habe eine Schifffahrt gemacht.
5 Ich bin nach Spanien gefahren.
6 Ich bin zwei Wochen geblieben.
7 Mein Urlaub war ausgezeichnet.
8 Das Wetter war nicht so gut.
9 Ich bin einen Monat geblieben.
10 Ich habe die Sehenswürdigkeiten besichtigt.
11 Ich habe im Restaurant gegessen.
12 Ich bin mit meiner Familie gefahren.
13 Es war sehr heiß und sonnig.
14 Spanien hat mir nicht sehr gut gefallen.

a b c d e f g h

3 **A** stellt Fragen, **B** ist Anna-Lena und antwortet. Dann ist **B** dran.

Beispiel:
A *Wohin bist du gefahren?*
B *Ich bin nach Spanien gefahren.*

6 Noch mal!

- practise role-plays at the doctor's, the lost property office, the post office and the bank

1a Hör gut zu und wähle Bild **a**, **b** oder **c** für jeden Dialog.

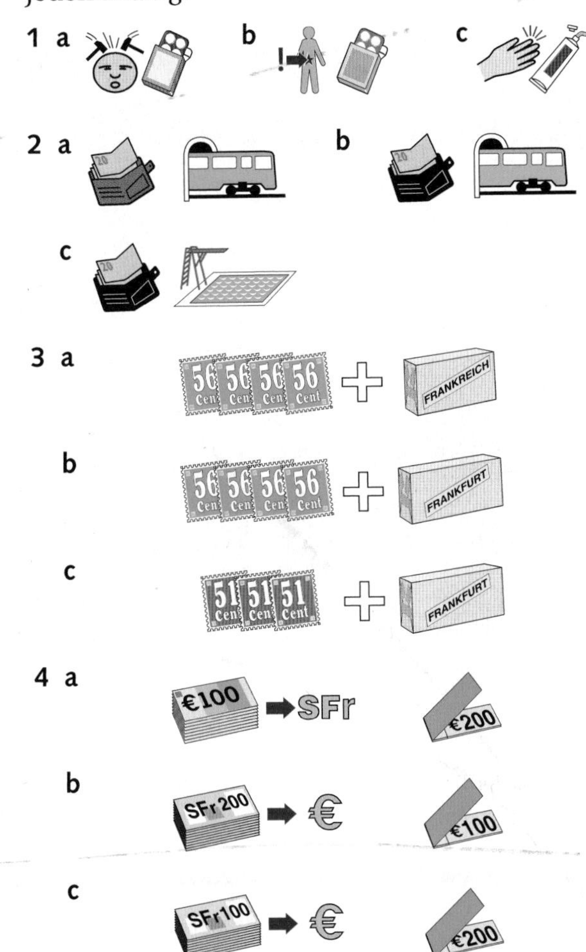

1b Hör noch einmal zu. Kopiere die Dialoge und füll die Lücken aus.

1

A Guten Morgen. Kann ich Ihnen helfen?
B Guten Morgen. Ich habe furchtbare ________.
A Seit wann?
B Seit ________ Tagen.
A Nehmen Sie diese ____________ und bleiben Sie im Bett.

2

A Guten Morgen. Kann ich Ihnen helfen?
B Ich habe meinen ____________ verloren.
A Können Sie ihn beschreiben?
B Er ist ____________ und aus Leder.
A Und wann haben Sie ihn verloren?
B Heute ____________.
A Und wo?
B Im ____________.
A Es tut mir Leid, wir haben ihn nicht.

3

A Guten Morgen.
B Guten Morgen. Ich möchte vier ____________ zu ____________ Cent, bitte.
A Sonst noch etwas?
B Ich möchte dieses Paket nach ____________ schicken.
A Das macht zusammen 7,50 Euro.

4

A Guten Tag.
B Guten Tag. Ich möchte 100 Schweizer Franken in Euro ____________.
A Sonst noch etwas?
B Ja, ich möchte einen ____________ zu 200 Euro einlösen.
A Haben Sie Ihren ____________?
B Bitte schön.
A Hier ist das Geld.
B Danke. Auf Wiedersehen.

1c Macht dann Dialoge für die anderen Bilder in Übung 1a.

7 Noch mal!

- describe where you live

Ich wohne in Groß-Hansdorf – das ist ein ziemlich großes ...(1)... . Groß-Hansdorf liegt nicht ...(2)... von Hamburg in ...(3)... .

Hamburg ist ...(4)... Großstadt und eine wichtige ...(5)... . Es ist ein ...(6)... . Hamburg liegt an einem großen ...(7)... und es gibt einen See in der Stadtmitte.

Meiner Meinung nach ...(8)... es viel für junge ...(9)... zu tun. Es gibt gute Geschäfte und man kann ins ...(10)..., ins Theater oder in die ...(11)... gehen. Man kann auch ...(12)... und Rad fahren.

In Groß-Hansdorf ist auch ...(13)... los! Es gibt ein gutes ...(14)... und ein modernes Sportzentrum – da ist immer etwas ...(15).... Ich wohne gern hier!

1a Lies Nataschas Brief und füll die Lücken aus.

Disco, Dorf, eine, gibt, Kino, Leute, Hafenstadt, Industriegebiet, Jugendzentrum, Norddeutschland, Strom, Neues, weit, segeln, viel

1b Ist alles richtig? Hör gut zu.

2a Schreib einen Brief für Anton. Benutze die Wörter aus dem Kasten und schreib Sätze wie in Nataschas Brief.

Hofsgrund, kleines Dorf, in den Bergen, nicht weit von Freiburg, Südwestdeutschland
Freiburg – historische Universitätsstadt, landwirtschaftliche Gegend, viele Touristen, im Schwarzwald ziemlich viel für junge Leute, schönes Sportzentrum, Hallenbad, Kino, Theater, Konzerte hören, einkaufen
Hofsgrund, nichts los, kein Jugendklub, nichts Interessantes, wohne nicht gern hier

2b Anton liest seinen Brief vor. Hast du das auch geschrieben? Hör zu und vergleiche die Briefe.

8 Noch mal!

- practise ordering food and drink

1 Was passt zusammen? Schau die Bilder an und schreib zwei Einkaufslisten für das Lebensmittelgeschäft.

Beispiel: *1 – f, ein Kilo Kartoffeln*

A

1 ein Kilo
2 250 Gramm
3 einen Liter
4 eine Dose
5 eine Packung

B

6 drei Stück
7 vier Scheiben
8 einen Becher
9 eine Flasche
10 ein Glas

a *Kekse*

b *Milch*

c *Marmelade*

d *Jogurt*

e *Käse*

f *Kartoffeln*

g *Schinken*

h *Limonade*

i *Erbsen*

j *Kuchen*

2a Hanna kauft im Lebensmittelgeschäft ein. Schau Einkaufsliste **A** an, lies den Dialog und füll die Lücken aus.

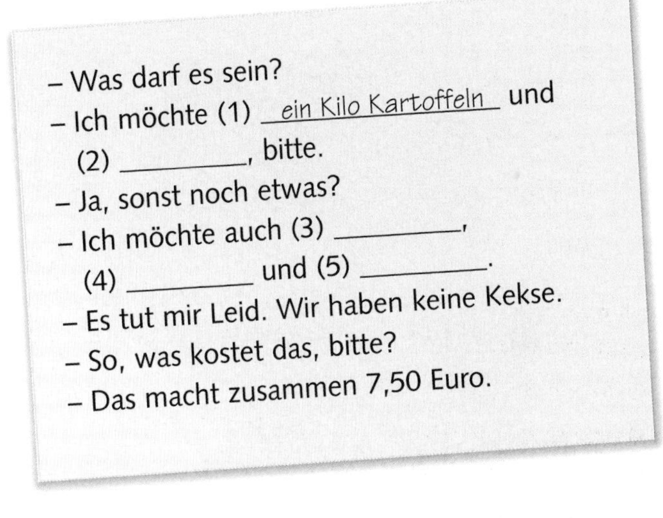

– Was darf es sein?
– Ich möchte (1) ein Kilo Kartoffeln und (2) ________, bitte.
– Ja, sonst noch etwas?
– Ich möchte auch (3) ________, (4) ________ und (5) ________.
– Es tut mir Leid. Wir haben keine Kekse.
– So, was kostet das, bitte?
– Das macht zusammen 7,50 Euro.

2b Ist alles richtig? Hör gut zu.

3a Schaut Einkaufsliste **B** an. Macht einen Dialog für das Lebensmittelgeschäft.

3b Ist alles richtig? Hör gut zu.

9 Noch mal!

- understand descriptions of weather
- talk about environmental issues

1a Hör gut zu und schau die Karte an. Welche Stadt ist das?

Beispiel: *1 Saarbrücken*

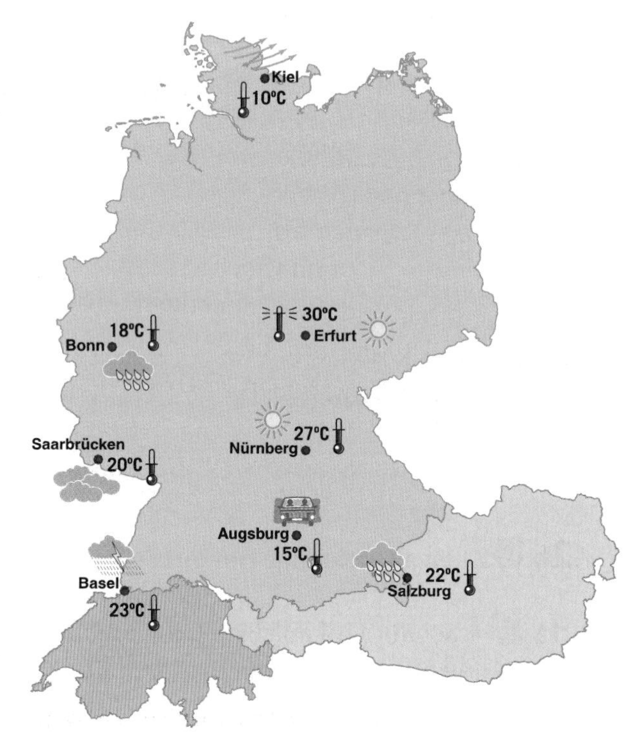

1b Schaut die Karte an. **A** wählt eine Stadt, **B** beschreibt das Wetter. Dann ist **B** dran.

Beispiel: *A Saarbrücken.*

B Es ist wolkig, aber ziemlich warm.

1c Wie ist das Wetter heute, wo *du* wohnst? Schreib Sätze.

2a Finde die passenden Bilder für die Sätze.

Beispiel: *1 – e*

1. Man soll öfter Rad fahren.
2. Wir müssen weniger Plastiktüten benutzen.
3. Man soll nicht so viel Verpackung benutzen.
4. Wir sollen Glas, Papier usw. recyceln.
5. Man soll kein Wasser verschwenden.
6. Wir sollen unsere Tiere und Pflanzen schützen.
7. Man soll keine Müllberge machen.
8. Wir sollen weniger Auto fahren – es gibt zu viel Verkehr.

2b Wähle zwei Sätze aus Übung 2a und mach ein Umwelt-Poster. Finde Bilder aus Zeitschriften oder aus dem Internet.

10 Noch mal!

- identify school subjects
- talk about your school

1 Finde die passenden Bilder für die Schulfächer.

1 Biologie
2 Chemie
3 Deutsch
4 Englisch
5 Erdkunde
6 Französisch
7 Geschichte
8 Informatik
9 Kunst
10 Mathe
11 Physik
12 Religion
13 Sport
14 Werken

a 

b 

c 

d

e 

f

g 

h

i 

j

k 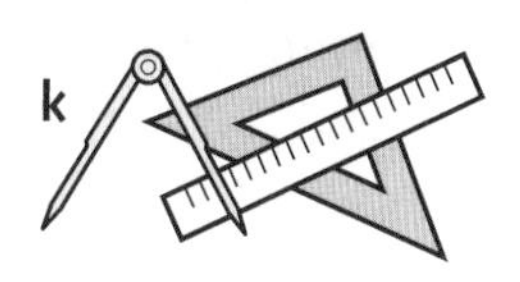

l

m 

n

2a Welche Fragen und Antworten passen zusammen?

2b Ist alles richtig? Hör gut zu.

2c Macht Dialoge. **A** stellt die Fragen 1–6, **B** antwortet. Dann ist **B** dran.

11 Noch mal!

- talk about future plans

1a Was werden diese Leute in der Zukunft machen? Schreib die Sätze zu Ende.

suchen	verlassen	gehen
machen	machen	reisen

Beispiel:

1 Ich werde die Schule verlassen.

2 Ich werde auf die Uni ___.

3 Ich werde Abitur ___.

4 Ich werde um die Welt ___.

5 Ich werde ein soziales Jahr ___.

6 Ich werde einen Job ___.

1b Ist alles richtig? Hör gut zu.

2a Was werden diese Leute in der Zukunft machen? Finde die passenden Bilder in Übung 1a.

Beispiel: *Thorsten: 1, …*

Thorsten Alexa Jutta Daniel

2b „Was wirst du in der Zukunft machen?" **A** fragt, **B** ist eine der Personen in Übung 2a und antwortet. Dann ist **B** dran.

Beispiel: **A** *Was wirst du in der Zukunft machen, Thorsten?*
B *Ich werde die Schule verlassen und einen Job suchen.*

12 Noch mal!

- talk about what jobs people do

1 Finde die passenden Berufe in der Hilfe-Box für die Bilder.

Hilfe

Arzt/Ärztin	Lehrer/in
Bankkaufmann/frau	Mechaniker/in
Bauarbeiter/in	Pilot/in
Computerfachmann/frau	Polizist/in
Friseur/in	Rechtsanwalt/anwältin
Geschäftsmann/frau	Sekretär/in
Grafiker/in	Steward/ess
Koch/Köchin	Tierarzt/Tierärztin
Krankenpfleger/in	Verkäufer/in

2a Hör gut zu und lies mit.

Hilfe-Dialog

A: Monika, was sind Sie von Beruf?
B: Ich bin Krankenpflegerin.
A: Was sind Ihre Arbeitsstunden?
B: Ich mache Schichtdienst.
A: Was sind die Vorteile des Jobs?
B: Die Arbeit ist interessant und ich arbeite gern mit anderen Leuten.
A: Was sind die Nachteile?
B: Die Arbeitsstunden sind schlecht für das Privatleben.

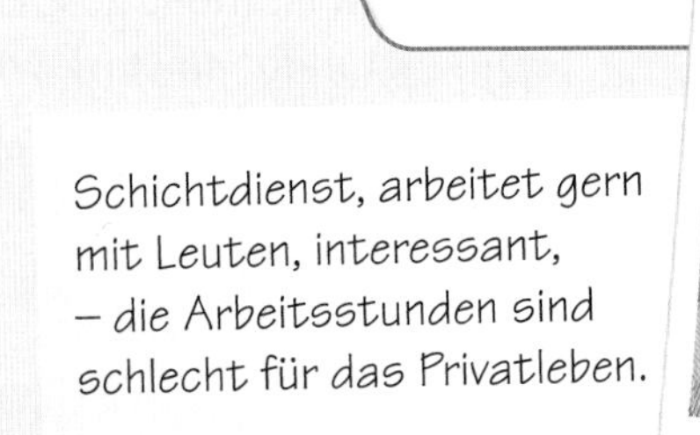

2b Macht Interviews mit Daniel und Sandra.

Daniel
Grafiker. Keine Schichtarbeit. Viel Geld verdienen.

Sandra
Lehrerin. Arbeitet gern mit Jugendlichen. Menschen helfen. Nie langweilig.

2c Wähle eine Person und beschreib ihre Arbeit.

Besipiel: *Daniel ist Grafiker ...*

13 Noch mal!

- talk about food and drink you like
- talk about smoking

1a Was passt zu welchem Bild?

Beispiel: *a – die Schokolade*

der Apfelsaft
der Blumenkohl
der Fisch
das Hähnchen
der Kaffee
die Karotten
der Käse
die Margarine
das Müsli
das Obst
die Schokolade
die Wurst

1b Schaut die Bilder in Übung 1a an. Was isst und trinkst du gern/lieber/am liebsten?

Beispiel:

A *Isst du gern Hähnchen?*
B *Nein, aber ich esse gern Karotten. Und du?*
A *Ja, aber ich esse lieber Fisch.*

Wiederholung *gern/lieber/am liebsten*

Ich esse	gern ...
Ich trinke	lieber ...
Was isst du	am liebsten ...
Was trinkst du	

217

Ich bin ein 16-jähriger Junge und ich bin nicht sehr fit. Ich rauche fünf Zigaretten pro Tag und ich möchte aufhören. Was soll ich machen?
Andreas

Hast du schon versucht aufzuhören? Es ist gar nicht leicht, aber du darfst nicht den Mut verlieren. Du musst dich bemühen.
Sebastian

Geh in die Apotheke und kauf dir ein Mittel, das dir hilft das Rauchen aufzugeben. Es gibt viele verschiedene Sorten und Keine Zigaretten.
Florian

Du sollst alle Zigaretten sofort wegwerfen. Sie sind so gefährlich, aber du musst stärker bleiben als sie. Zigaretten dürfen nicht dein Leben bestimmen und dir schaden.
Hanna

Ich will auch aufhören zu rauchen, weil es sehr ungesund ist. Wenn ich Lust auf eine Zigarette habe, esse ich Kaugummi.
Melanie

2 Lies die Briefe. Ist das richtig (**R**), falsch (**F**) oder nicht im Text (**N**)?

1. Andreas raucht nicht.
2. Florian hat nie geraucht.
3. In der Apotheke verkauft man verschiedene Sorten Zigaretten.
4. Sebastian glaubt, dass es schwer ist, das Rauchen aufzugeben.
5. Melanie versucht, das Rauchen aufzugeben.
6. Kaugummi ist nicht gesund.
7. Hanna ist nicht so stark wie Andreas.
8. Sie meint, dass Zigaretten gefährlich sind.

14 Noch mal!

- talk about what you like/dislike watching on TV and why

1 Welche Sendung ist das? Finde die passenden Wörter für die Bilder.

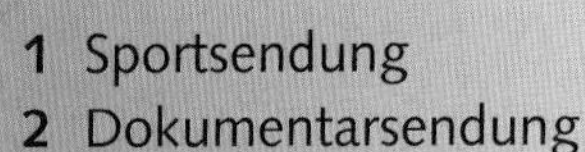

1 Sportsendung
2 Dokumentarsendung
3 Komödie
4 Quizsendung
5 Wetterbericht
6 Seifenoper
7 Sciencefictionsendung
8 Nachrichten
9 Krimi

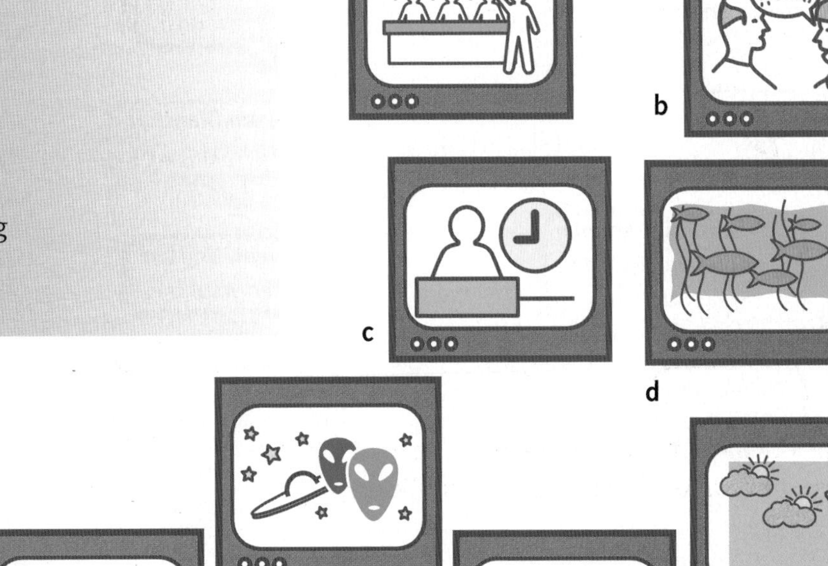

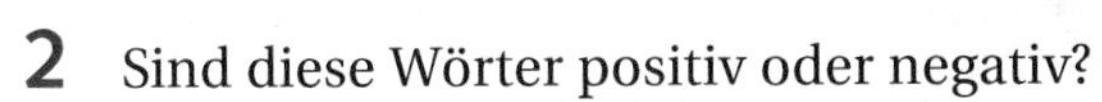

2 Sind diese Wörter positiv oder negativ?

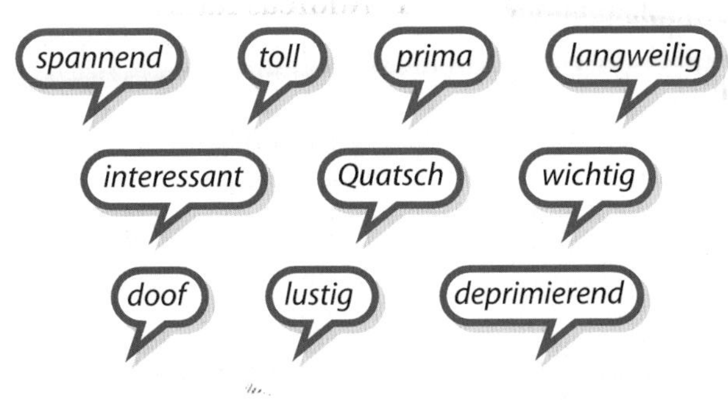

3 Hör gut zu. Welche Sendung ist das? Wie finden sie das? Finde die passenden Bilder und Wörter in Übungen 1 und 2.

Beispiel: *1 – c, wichtig*

4 Verbinde die Sätze mit *weil.*

Beispiel: *1 Ich sehe gern Komödien, weil sie lustig sind.*

1 Ich sehe gern Komödien. Sie sind lustig.
2 Ich sehe nicht gern Sportsendungen. Ich finde sie langweilig.
3 Ich sehe gern Krimis. Sie sind toll.
4 Ich sehe nicht gern Seifenopern. Sie sind Quatsch.

5 Diskutiert das Fernsehen in Gruppen.

- Was siehst du gern? Warum?
- Was siehst du nicht gern? Warum?

6 Was siehst *du* gern und nicht gern? Schreib fünf Sätze mit *weil.*

15 Noch mal!

- make arrangements to go out

1a Finde die richtige Reihenfolge für den Dialog.

Beispiel: *c, …*

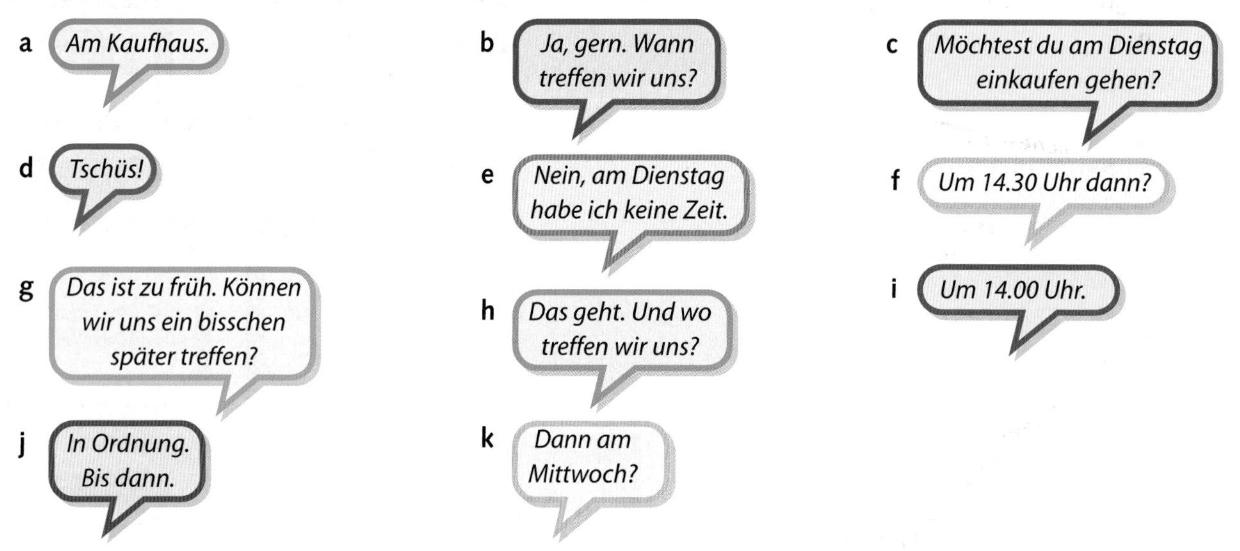

1b Ist alles richtig? Hör gut zu.

2a Finde das passende Bild für den Dialog in Übung 1.

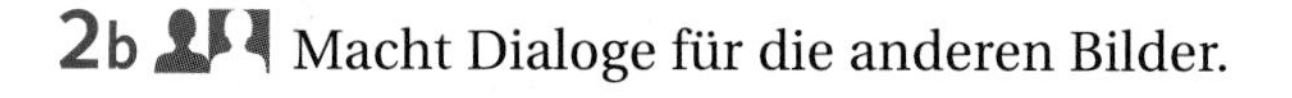

2b Macht Dialoge für die anderen Bilder.

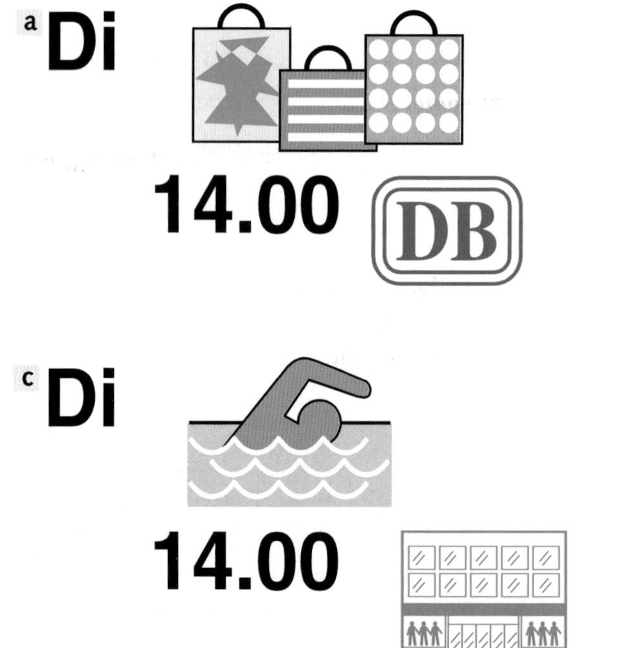

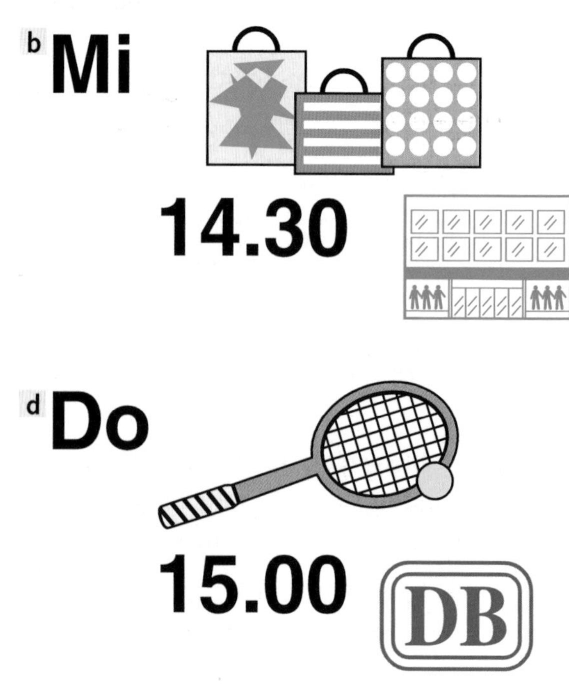

1 Extra!

- discuss what qualities are important in a friend
- use *weil* with more complex word order

1 Was ist ein guter Freund/eine gute Freundin? Hör gut zu und finde die richtige Reihenfolge für die Aussagen.

Beispiel: *1 – g*

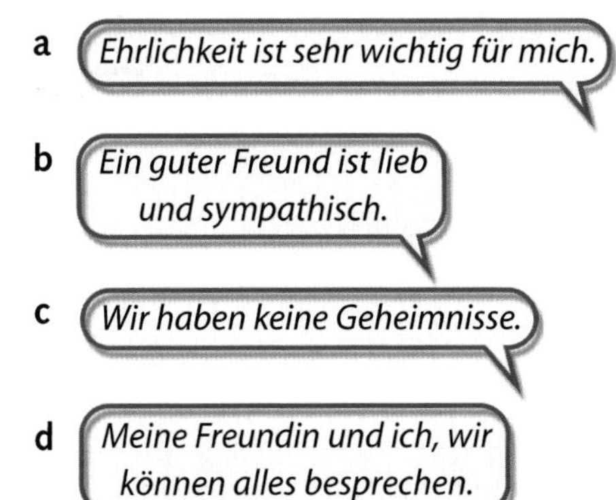

a *Ehrlichkeit ist sehr wichtig für mich.*

b *Ein guter Freund ist lieb und sympathisch.*

c *Wir haben keine Geheimnisse.*

d *Meine Freundin und ich, wir können alles besprechen.*

e *Meine Freundin ist immer für mich da.*

f *Ein guter Freund soll hilfsbereit sein.*

g *Ich finde Natürlichkeit sehr wichtig.*

h *Meine beste Freundin versteht mich gut.*

2 Sind diese Personen gute Freunde? Hör gut zu und schreib ✓ oder ✗.

Beispiel: *1 Pia – ✓*

1 
Pia

2 
Emil

3 
Claudia

4 
Harry

5 
Sonja

6 
Anton

3 Was ist für dich ein guter Freund oder eine gute Freundin? Warum? Schreib zwei (oder mehr) Sätze.

Beispiel: *Ein guter Freund ist ...*
Eine gute Freundin soll ... sein.

weil

You already know that *weil* sends the verb to the end (see page 17):

Er ist mein bester Freund, **weil** er mir immer **hilft.**

If you start the whole sentence with *weil*, you need to be careful with the word order. Look at this example:

Weil er mir immer **hilft, ist** er mein bester Freund.

***Weil* sends the verb to the end of the first part of the sentence, then you have a comma. The next part of the sentence starts with a verb, followed by its subject. Remember: verb – comma – verb.**

1 Join these sentences together and begin them with *weil.*

1. Ich bin zu jung. Ich darf noch nicht in die Disco gehen.
2. Meine Freunde lachen über mich. Ich gehe früh nach Hause.
3. Wir haben kein Geld. Wir können nicht ins Kino gehen.
4. Deine Eltern sind sehr sympathisch. Du darfst viel mehr als ich machen.
5. Sie hat keine Freunde. Sie will nicht zur Schule gehen.

225 ▸

2 Extra!

- describe your house and where it is
- use reflexive verbs with the dative case

1 Wie ist dein ideales Haus/deine ideale Wohnung? Zeichne ein Bild und beschreib das Haus/die Wohnung.

- Wo liegt es/sie?
- Ist es/sie groß oder klein?
- Welche Zimmer gibt es und wo sind sie? Warum?
- Wie sind die Zimmer?

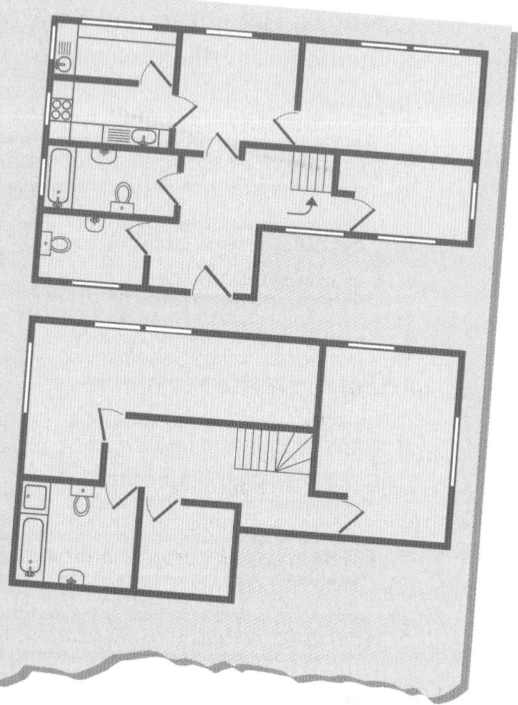

Mein ideales Haus ist ein großes Einfamilienhaus am Stadtrand von München. Es hat ein großes Wohnzimmer im ersten Stock – ich will den schönen Garten gut sehen.

Grammatik im Fokus: Reflexivverben mit Dativ

A few German reflexive verbs use the dative reflexive pronouns *mir* and *dir* (instead of *mich* and *dich*). The other reflexive pronouns are no different.

Four common verbs are to do with combing, brushing, washing or cleaning something. Look at these examples:

> Ich kämme **mir** die Haare.
> Wann bürstest du **dir** die Zähne?
> Meine Schwester kämmt **sich** die Haare.
> Wir müssen **uns** die Hände waschen.
> Warum bürstet ihr **euch** die Haare nicht?
> Die Kinder putzen **sich** die Zähne im Badezimmer.

1 Add the correct reflexive pronoun.

1. Warum bürstest du ___ die Haare?
2. Wir kämmen ___ jeden Morgen die Haare.
3. Heute Abend wasche ich ___ die Haare.
4. Die Kinder bürsten ___ die Zähne nach dem Essen.
5. Ich wasche ___ die Hände, weil sie schmutzig sind.
6. Wann wäschst du ___ die Füße? Sie stinken!

2 Make up four sentences of your own using each of these verbs.

220

3 Extra!

- talk about part-time jobs and how much you earn

Carola

Ich arbeite einmal oder zweimal pro Woche, weil ich das Geld brauche. Ich spare nämlich für neue Klamotten und auch für Karten für ein Popkonzert in Berlin. Ich bin Babysitterin. Das macht Spaß, weil ich gern mit Kindern spiele, und ich bekomme normalerweise pro Abend 20 Euro. Meine Eltern finden es gut, dass ich mein eigenes Geld verdiene, aber ich bekomme pro Woche auch 10 Euro Taschengeld.

Alexander

Ich habe einen Job in einem Supermarkt. Die Arbeit ist anstrengend und langweilig, aber ich muss arbeiten, weil ich kein Taschengeld bekomme. Meine Eltern sagen, dass ich zu alt für Taschengeld bin und dass ich arbeiten soll. Das finde ich gemein! Ich arbeite jeden Tag zwei Stunden nach der Schule und verdiene pro Woche 60 Euro. Am Wochenende führe ich den Hund für meine Oma aus. Sie ist sehr nett und ich bekomme 10 Euro dafür. Ich gebe mein Geld für Computerspiele und CDs aus und ich spare ein bisschen.

1 Lies die Texte. Ist das richtig (**R**), falsch (**F**) oder nicht im Text (**N**)?

1 Carola findet den Job gut.
2 Sie will keine neue Kleidung kaufen.
3 Sie bekommt pro Monat nur 30 Euro.
4 Carolas Eltern haben nicht viel Geld.
5 Alexanders Job macht Spaß.
6 Er bekommt kein Taschengeld.
7 Er spart für einen neuen Computer.
8 Pro Woche bekommt er 70 Euro.

2a Schau die Bilder und die Fragen an. Was sagt Khaled? Beantworte die Fragen.

***Beispiel:** 1 Ich habe einen Job. Ich arbeite im Garten …*

1 Hast du einen Job? (Was? Wann?)
2 Wie findest du den Job? Warum?
3 Wie viel verdienst du?
4 Bekommst du Taschengeld? (Wie viel?)
5 Wofür gibst du dein Geld aus?
6 Sparst du etwas Geld? (Wofür?)

2b Du bist dran! Beantworte die Fragen für dich (oder für einen Freund/eine Freundin).

4 Extra!

- talk about rules and regulations at the youth hostel

1 Hör gut zu. Diese Gäste in der Jugendherberge haben Probleme. Welche Regeln haben sie gebrochen?

Beispiel: *1 – g*

Was darf man in der Jugendherberge machen und was nicht?

Die Regeln

a Ballspiele sind nur auf dem Spielplatz erlaubt.
b Wir bitten alle Gäste, die Zimmer sauber zu halten.
c Tiere sind in der Jugendherberge nicht gestattet.
d Essen ist in den Schlafzimmern verboten.
e Rauchen ist in den Schlafzimmern verboten.
f Gäste müssen vor 21 Uhr in der Jugendherberge eintreten.
g Nachtruhe ist von 22 bis 7 Uhr.
h Gäste können einen Schlafsack vom Hausmeister leihen. Die Leihgebühr ist 3 Euro pro Nacht.

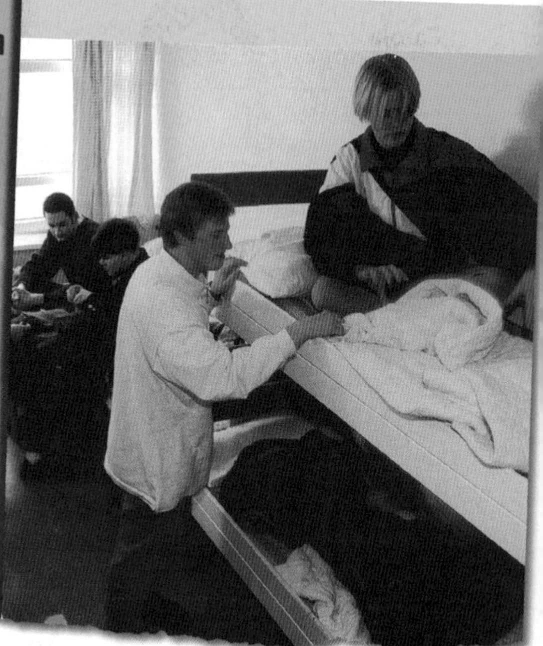

2 Du bist in der Jugendherberge und willst nach den Regeln fragen. Schreib diese Sätze zu Ende.

1 Darf ich?

2 Darf ich?

3 Wann ist?

4 Muss ich?

5 Kann ich?

6 Sind?

7 Darf ich?

3 Macht Dialoge. **A** ist Gast in der Jugendherberge, **B** ist der Herbergsvater/die Herbergsmutter. Dann ist **B** dran.

Beispiel:
A *Darf ich in meinem Zimmer essen?*
B *Nein, das ist verboten.*

5 Extra!

- describe what you did on holiday

1 Letztes Jahr bist du nach Deutschland gefahren. Erzähl deinem Partner/deiner Partnerin, was am ersten Tag passiert ist.

2 Schreib dann einen Bericht über den Urlaub. Was ist in den nächsten Tagen passiert?

6 Extra!

- communicate by phone, fax or e-mail

1a Hör gut zu und finde die passenden Bilder für die Sätze.

1 Ich möchte eine Telefonkarte zu 10 Euro.
2 Ich möchte eine E-Mail schicken. Was kostet das?
3 Ich möchte ein Fax schicken. Ich habe fünf Seiten. Was kostet das?
4 Ich möchte eine Freundin in England anrufen. Was ist die Vorwahl?
5 Ich möchte einen Gutschein für mein Handy. Was kostet das?
6 Wo kann ich telefonieren?

a

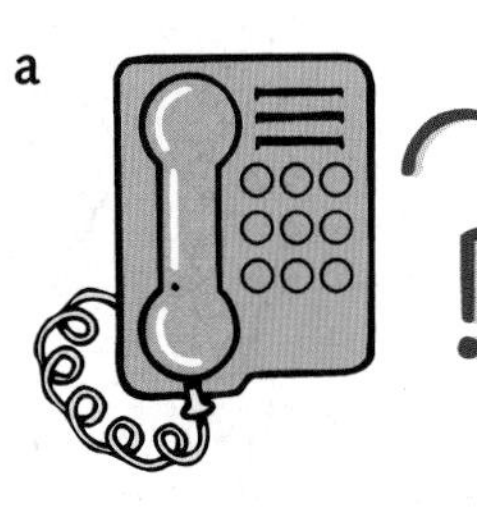

b

c

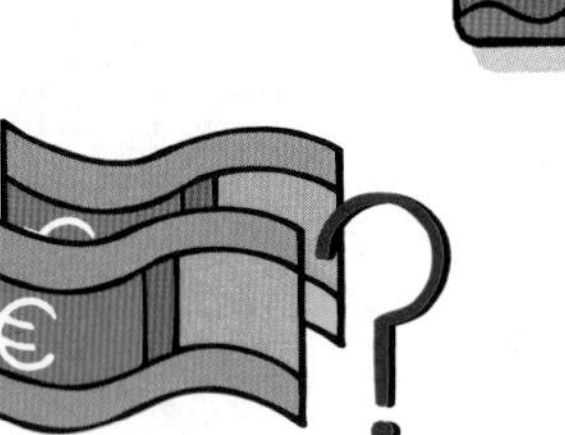

d

e

f

1b Macht dann Dialoge.

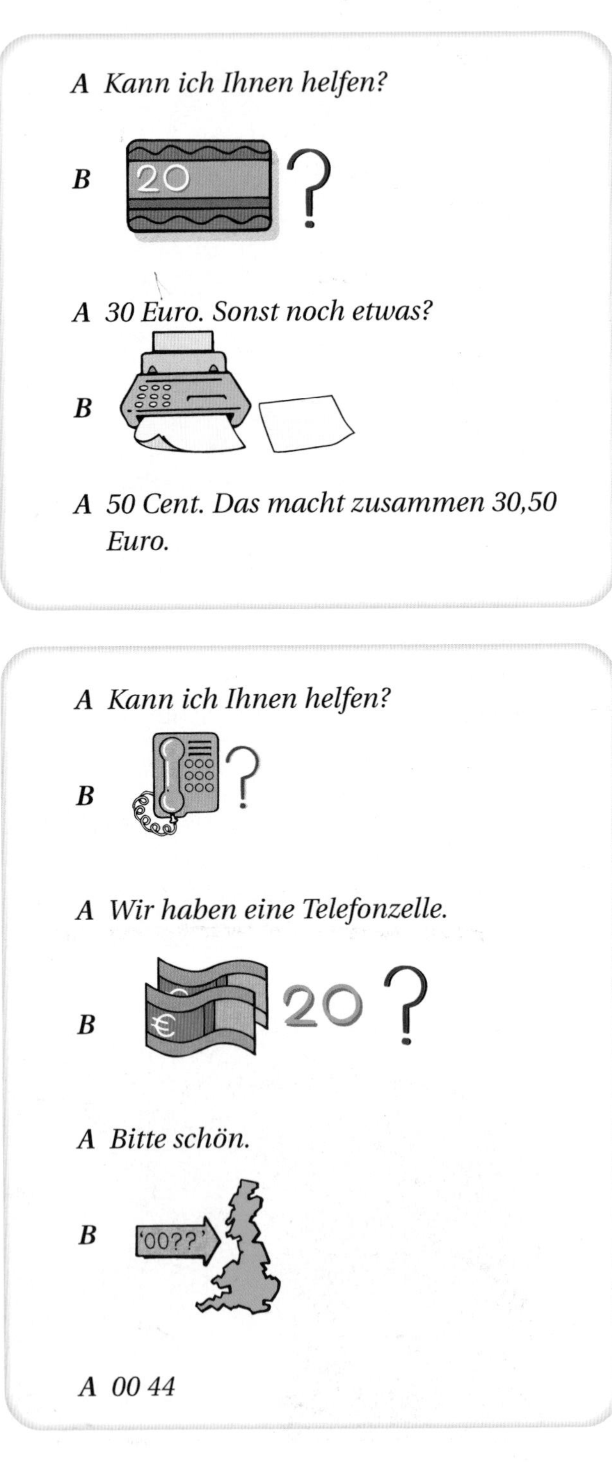

7 Extra!

use the conjunctions *ob*, *damit* and *so dass*

Grammatik im Fokus — Konjunktionen – *ob, damit, so dass*

These three conjunctions have the same effect as *weil* and *dass* – they send the verb to the end of the sentence. Look at these examples:

> Ich weiß nicht, **ob** es hier ein Kino **gibt**.
> Wir wohnen in einem Dorf, **damit** ich jedes Wochenende reiten **kann**.
> Wir parken oft in der Stadtmitte, **so dass** wir nicht weit von den Geschäften **sind**.

The conjunction *ob* means 'whether' or 'if'. It is often used with the phrase *ich weiß nicht*.

The other two conjunctions can both mean 'so that', but there is a difference:
damit = so that (in order that)
so dass = so that (with the result that)
Look at these examples:

> Ich gehe jeden Tag zum Sportzentrum, **damit** ich fit **bleibe**.
> In unserem Dorf hat man ein Sportzentrum gebaut, **so dass** viel mehr Leute jetzt **Sport treiben**.

1 Write these sentences in the correct order.

Example:
1 Ich weiß nicht, ob meine Eltern gern in Göttingen wohnen.

1 Ich weiß nicht, / gern / meine Eltern / wohnen / in Göttingen / ob / .
2 Ich fahre mit dem Bus, / schneller / damit / in die Stadtmitte / ich / komme / .
3 Er kann nicht sagen, / das neue Sportzentrum / ob / ist / fertig / .
4 Das Verkehrsamt macht viel Werbung, / besichtigen / die Stadt / viele Touristen / so dass / .
5 Sie wissen noch nicht, / wohnen / sie / können / ob / in der Stadtmitte / .
6 Meine Tante wohnt an der Küste, / kann / damit / oft / sie / segeln / .

2 Join these sentences using the most appropriate conjunction.

Example:
1 Ich lerne zwei Fremdsprachen, ***so dass*** *ich Touristen besser helfen kann.*

1 Ich lerne zwei Fremdsprachen. Ich kann Touristen besser helfen.
2 Wir wissen es nicht. Es gibt hier eine gute Disco.
3 Meine Eltern wollen in Berlin wohnen. Sie können öfter ins Theater gehen.
4 Ich habe kein Geld mehr. Ich kann nicht mit meinen Freunden nach Österreich fahren.
5 Er hat es nicht gesagt. Das Verkehrsamt ist geschlossen.
6 Die Schüler fahren nach Hamburg. Sie sehen den Hafen.

225

- complain and ask for a refund or replacement

1a S Hör zu und lies mit.

Hilfe-Dialog

– Ich habe diesen CD-Spieler letzte Woche gekauft, aber er funktioniert nicht.
– Haben Sie die Quittung?

Entweder:
– Ja.
– Wollen Sie einen anderen CD-Spieler oder Ihr Geld zurück?
– Ich nehme einen anderen CD-Spieler.
– Also, wählen Sie ihn aus und kommen Sie hier zum Kundendienst zurück.
– Danke.

Oder:
– Nein.
– Da kann ich leider nichts machen.
– Das ist furchtbar! Ich möchte mein Geld zurück!
– Es tut mir Leid. Sie können dem Manager schreiben, wenn Sie wollen.
– Ja, das mache ich!

Hilfe

Ich habe	diesen Pullover diese CD dieses Hemd diese Socken	als Geschenk bekommen. letzte Woche gekauft. vor zwei Tagen gekauft.
aber	er/sie/es ist sie sind	zu klein. gebrochen. gerissen.
	ich mag die Farbe nicht.	

Ich möchte mein Geld zurück.

Ich nehme Ich will Ich möchte	einen anderen Pullover. eine andere CD. ein anderes Hemd. andere Socken.

1b Schaut die Dialoge an und macht neue Dialoge.

	Problem	Quittung?	Lösung
1		✓	
2		✗	
3		✓	
4		✓	

2a Lies den Brief.

Sehr geehrter Herr Schmuck,
ich habe einen CD-Spieler letzte Woche in Ihrem Geschäft in der Narrengasse gekauft, aber er funktioniert nicht mehr.
Ich möchte einen neuen CD-Spieler oder mein Geld zurück. Leider habe ich die Quittung verloren, aber meine Mutter hat mit Kreditkarte bezahlt.
Ihr
Harald Hilflos

2b Schreib einen ähnlichen Brief. Hier sind einige Vorschläge.

9 Extra!

- use the genitive case
- talk about environmental issues

Grammatik im Fokus — Der Genitiv

In English, we can show possession by using an apostrophe and '*s*': Julia's house, my brother's car, the earth's resources.

This is similar in German for people's names, but you don't usually need the apostrophe – you just add '*s*' to the name: ***Julias Haus** hat Solarenergie*.

For other phrases, however, you have to turn the phrase round and use 'of', e.g. the car of my brother, the resources of the earth. The genitive is the part with 'of' in it.

Das Auto **meines Bruders** ist elektrisch.

Niemand soll die Schätze **der Erde** verschwenden.

Below are the words for 'of the' and 'of my' (see Grammatik page 214 for other words which follow a similar pattern):

Masc.	Fem.	Neut.	Plural
des Waldes	**der** Sonne	**des** Wetters	**der** Berge
meines Bruders	**meiner** Stadt	**meines** Dorfes	**meiner** Freunde

Note that masculine and neuter nouns usually add *-s* or *-es* in the singular.

If you use adjectives in the genitive, they always end in *-en*.

das Auto **meines älteren Bruders**
die Umweltgruppe **meiner neuen Freunde**

1 Look at this poster and make a list of the phrases that are in the genitive.

Example: *meines Bruders*

Das ist meine Welt.
Das ist die Welt meines Bruders und meiner Schwester.
Wir müssen sie schützen – das ist unsere Zukunft und die Zukunft unserer Kinder.
Das ist die Welt der reichen Länder und der armen Leute.
Wir sind alle Bewohner der Erde.
Wir müssen unsere Welt teilen.

2 Complete these sentences.

Example: *1 Das Auto meines Bruders ist nicht sehr umweltfreundlich.*

1 Das Auto mein__ Bruder__ ist nicht sehr umweltfreundlich.
2 Die Hitze d__ Sonne gefällt mir.
3 Am Rande d__ Wald__ sterben die Bäume.
4 Wir dürfen die Probleme unser__ Umwelt nicht vergessen.
5 Wir schalten den Fernseher am Ende d__ Programm__ aus.

All the prepositions you have learnt so far take the accusative or dative case (and sometimes both).

There are also a few prepositions that take the **genitive** case – they usually have 'of' in their translation:

wegen because **of**
trotz in spite **of**
während during (in the course **of**)

Here are some examples of these prepositions in use:

Wegen der Sonne ist die Erde so trocken.
Trotz des Verkehrs sind wir schnell angekommen.
Während der Pause sammeln wir Getränkedosen.

215

10 Extra!

- understand a school report and write one for yourself

1a Lies Kais Zeugnis und beantworte die Fragen.

Zeugnis

Name: **Kai Krawcek**
Klasse: **10b**

Fach	Note	Fach	Note
Religionslehre	3	Geschichte	5
Deutsch	2	Erdkunde	3
Englisch	3	Sport	1
Französisch	3	Kunst	4
Latein	–	Musik	–
Naturwissenschaften			
Technik	4		
Physik	4	Sozialkunde	3
Chemie	–		
Biologie	3		
Mathematik	5		

Der/Die Schüler/in war von 182 Unterrichtstagen 12 Tage abwesend.
Würzburg, den 25. Juni

Direktorat K. Beckmann
Klassenleitung S. Dellinger

Notenstufen
1 = sehr gut, 2 = gut, 3 = befriedigend,
4 = ausreichend, 5 = mangelhaft,
6 = ungenügend

Bemerkungen:
muss sich besser konzentrieren

1. Im welchem Fach hat Kai die beste Note?
2. In welchen Fächern hat er die schlechteste Note?
3. Welche Fächer lernt er nicht?
4. Wie viele Fremdsprachen lernt er?
5. An wie vielen Tagen war er nicht in der Schule?
6. Was muss er machen, wenn er bessere Noten will?

1b Kai bespricht das Zeugnis mit seinem Vater. Hör gut zu und finde die passenden Anworten.

1. Kais Vater findet sein Zeugnis …
   - **a** gut.
   - **b** schlecht.
   - **c** schwierig.
2. Kai findet Mathe …
   - **a** einfach.
   - **b** toll.
   - **c** kompliziert.
3. Kai findet seinen Geschichtslehrer …
   - **a** unsympathisch.
   - **b** hilfsbereit.
   - **c** freundlich.
4. Kai geht … zur Schule.
   - **a** gern
   - **b** nicht gern
   - **c** nicht
5. Kai muss jetzt …
   - **a** abends zu Hause bleiben.
   - **b** sitzen bleiben.
   - **c** in der Schule bleiben.

2 Schreib ein Zeugnis für dich oder für einen Freund/eine Freundin.

11 Extra!

- talk about what you would do if you won the lottery
- use *wenn* in conditional clauses

1 Hör gut zu und lies mit.

Was würdest du machen, wenn du im Lotto gewinnen würdest?

Joscha

Wenn ich reich wäre, würde ich meine eigene Skischule gründen. Ich würde dann in Österreich oder in der Schweiz wohnen.

Katja

Wenn ich im Lotto gewinnen würde, würde ich ein großes Haus und ein schnelles Auto kaufen. Ich würde aber auch meiner Familie und meinen Freunden Geld geben.

Grammatik im Fokus *wenn*

When you use *wenn*:

- you need to use the conditional in each half of the sentence
- *wenn* sends the verb in the first half of the sentence to the end
- the second half of the sentence begins with the verb.

> Wenn ich im Lotto **gewinnen würde, würde** ich ein großes Haus **kaufen.**
> **If I won** the lottery **I would buy** a big house.

You can use shortened forms of some conditional verbs. These are two of the most common:

wäre = würde + sein
hätte = würde + haben

> Wenn ich reich **wäre, würde** ich eine Skischule **gründen.**
> Wenn ich viel Geld **hätte, würde** ich ein Ferienhaus **kaufen.**

1 Read the texts in Übung 1 again and write out the sentences using the *wenn … würde* structure.

2 Fill in the gaps in these sentences.

1 Wenn ich im Lotto gewinnen ________, ________ ich ein schnelles Auto kaufen.
2 Wenn ich reich ________, ________ ich ein großes Haus kaufen.
3 Wenn ich viel Geld ________, ________ ich eine Weltreise machen.
4 Wenn ich viel Geld ________, ________ ich Geschenke für meine Familie ________.

3 Now finish off these sentences with ideas of your own.

1 Wenn ich viel Geld hätte, …
2 Wenn ich im Lotto gewinnen würde, …
3 Wenn ich reich wäre, …

224

12 Extra!

- talk about male and female stereotypes

1 Gibt es typische Männer- und Frauenberufe? Macht eine Liste in deiner Gruppe.

2a Hör gut zu und füll die Lücken aus.

Jungen	Erzieher	Männern	Kindergarten
Spaß	Schwerarbeit	Frauen	Bauarbeiterin
versteht	Baustelle	komisch	Kindern

Malte

1. Malte arbeitet als ____________.
2. Er arbeitet in einem ____________.
3. Er arbeitet gern mit kleinen ____________.
4. Er arbeitet mit sieben ____________ zusammen.
5. Er ____________ sich gut mit seinen Kolleginnen.
6. Es ist gut für die ____________, wenn ein Mann als Erzieher arbeitet.

Susanne

1. Susanne ist ____________.
2. Sie arbeitet auf einer ____________.
3. Sie arbeitet nur mit ____________ zusammen.
4. Die Männer haben es am Anfang ____________ gefunden, mit einem Mädchen zu arbeiten.
5. Mädchen können auch ____________ machen.
6. Die Arbeit macht ____________.

2b **A** ist Malte oder Susanne, **B** stellt die Fragen. Dann ist **B** dran.

- Was bist du von Beruf?
- Wo arbeitest du?
- Mit wem arbeitest du?
- Wie verstehst du dich mit deinen Kollegen?
- Wie findest du die Arbeit?

13 Extra!

- discuss vegetarianism

Ich will Vegetarier werden

Ich will kein Fleisch essen, aber meine Eltern sagen, dass ich es essen muss. Jeden Tag gibt es eine Art Fleisch zum Mittagessen und zum Abendessen. „Vegetarier sind nicht gesund", sagen sie. Kannst du mir bitte raten?
Joachim, Köln

1

Ich bin 16 Jahre alt und bin seit drei Jahren Vegetarier. Ich esse viel Obst und Gemüse und jeden Tag esse ich Ei, Käse, Soja oder etwas Ähnliches. Das schmeckt besser als Fleisch und ist auch gesund. Ich bin fit, ich habe keine Pickel, ich bin gesund. Und meine Eltern essen jetzt auch gern vegetarisch!
Zehra

2

Fleisch enthält Eiweiß, das für deinen Körper wichtig ist, aber Eiweiß ist auch in Eiern, Käse, Milch, Soja, Bohnen usw. Du kannst dein tägliches Eiweiß ohne Fleisch bekommen. Aber Vorsicht – zu viel Ei und Käse kann dick machen. Am besten kaufst du ein gutes vegetarisches Kochbuch.
Doktor Brühl (Diätetiker)

3

Deine Eltern haben Recht! Ich war zwei Jahre lang Vegetarier und in der Zeit war ich gar nicht gesund. Ich hatte Erkältungen, Magenschmerzen, alles! Außerdem war das so langweilig – jeden Tag Gemüse, Nudeln, Käse! Jetzt esse ich wieder Fleisch – das schmeckt so schön. Es gibt nichts Besseres.
Thomas

1a Lies die Briefe. Hier sind Überschriften zu den drei Antworten. Welche Überschrift passt zu welcher Antwort?

- **a** „Es gibt keinen Ersatz für Fleisch"
- **b** „Kein Fleisch essen kann gesund sein"
- **c** „Eine ausgewogene Diät ist wichtig"

1b Wer ist für und wer ist gegen vegetarische Ernährung?

Beispiel: *Joachim: für*

Joachim	Joachims Eltern	Zehra
Zehras Eltern	Doktor Brühl	Thomas

Hilfe

Ich bin für/gegen vegetarische Ernährung, weil …
Es ist (nicht) gesund, Fleisch/Bohnen zu essen.
Zu viele Tiere leiden.
Vegetarier sind (nicht) gesund/dick/…
Vegetarisches Essen ist langweilig/interessant/…

1c Was passt zusammen?

Beispiel: *1 – c*

1. Joachim will kein
2. Joachims Eltern glauben, dass
3. Zehra isst seit drei
4. Vegetarisches Essen schmeckt
5. Eiweiß ist wichtig
6. Man kann Eiweiß
7. Thomas ist kein
8. Vegetarisches Essen schmeckt

- **a** besser als Fleisch, meint Zehra.
- **b** ohne Fleisch bekommen.
- **c** Fleisch essen.
- **d** überhaupt nicht, meint Thomas.
- **e** Vegetarier nicht gesund sind.
- **f** Vegetarier mehr.
- **g** für den Körper.
- **h** Jahren kein Fleisch.

2a Seid ihr für oder gegen vegetarische Ernährung? Warum? Diskutiert in Gruppen.

2b Schreib einen kurzen Artikel über vegetarische Ernährung. Mach dann eine Kassette.

Beispiel:
Ich bin gegen vegetarische Ernährung. Ich will kein Vegetarier(in) werden, weil es nicht sehr gesund ist. Wir brauchen das Eiweiß, das Fleisch enthält …

14 Extra!

- use impersonal verbs

1a Lies die E-Mail.

Hi, Ümmihan,
wie geht's? Es geht mir gut! Vielen Dank für deine E-Mail. Es freut mich sehr, dass du mich im Sommer besuchen kannst. Es ist mir gelungen, Karten für das Konzert von *den Toten Hosen* zu bekommen. Ich weiß, dass das deine Lieblingsgruppe ist. Ich habe auch gerade ihre neue CD gekauft und sie gefällt mir sehr. Das Konzert wird bestimmt toll sein.
Ich habe auch gerade ein tolles Buch gelesen: ‚Stern ohne Himmel', von Leonie Ossowski. Es handelt von vier Jungen während der Kriegszeit. Das Buch ist fantastisch und du solltest es lesen. Es lohnt sich wirklich!

Schreib mir bald!
Deine Katja

1b Beantworte die Fragen auf Deutsch.

1. Wann wird Ümmihan Katja besuchen?
2. Was hat Katja gekauft?
3. Wer sind *Die Toten Hosen*?
4. Wie findet Katja die neue CD von *den Toten Hosen*?
5. Wovon handelt das Buch ‚Stern ohne Himmel'?
6. Wie findet Katja das Buch?

Grammatik im Fokus: Unpersönliche Verben

Impersonal verbs can only be used with the *es* form. You cannot use them with the *ich, du* form, etc.

In Katja's letter to Ümmihan there are six impersonal verbs:

es geht mir gut	*I'm fine*
es freut mich, dass	*I'm pleased that*
es gefällt mir	*I like it*
es lohnt sich	*it's worth it*
es handelt von	*it's about*
es gelingt mir (es ist mir gelungen)	*I succeed* *(I succeeded in)*

***Es geht, es gefällt, es handelt von* and *es gelingt* are followed by the dative.**
Some of the phrases need to be followed by a clause with *dass* or *zu*:

> Es freut mich, **dass** du mich besuchst.
> Es ist **mir** gelungen, Karten **zu** bekommen.

1 Match up the sentence halves to make sensible sentences (there are several options).

1 Es geht	a die CD zu kaufen.
2 Es ist mir gelungen,	b auf Konzerte zu gehen.
3 Es lohnt sich,	c zwei Polizisten.
4 Es gefällt mir,	d ihm nicht gut.
5 Es handelt von	e dass du kommst.
6 Es freut mich,	f das Buch zu lesen.

2 Imagine you are Ümmihan. Write a reply to Katja. Use at least three impersonal verbs in your answer.

221

15 Extra!

- make arrangements to go out

1a Hier sind die Antworten. Was könnten die Fragen sein?

1 Nein, am Dienstag habe ich keine Zeit.
2 Um 19 Uhr.
3 Am Schwimmbad.
4 Ja, gern.
5 Nein, es gibt keine Ermäßigung am Wochenende.
6 Es tut mir Leid. Das Konzert am Dienstag ist ausverkauft.
7 12 Euro.

1b Ist alles richtig? Hör gut zu.

2 Schau die Bilder an. Was sagt Sara? Füll die Sprechblasen aus.

3 Macht Dialoge mit den Ideen von Übung 2.

Grammatik

Introduction

Like all languages, German has grammatical patterns or 'rules'. Knowing them helps you understand how German works.

Here is a summary of the main points of grammar covered in books 1 to 3 of *Klasse!*

Glossary of terms

noun *das Nomen*	a person, animal, thing or place ***Das Mädchen** und **der Hund** essen gern **Würstchen.***
singular *der Singular*	one of something ***Die Jacke** ist sehr modern.*
plural *der Plural*	more than one of something ***Die Schüler** essen mittags **Brötchen**.*
pronoun *das Pronomen*	a short word used instead of a noun or a name ***Er** macht eine Party.* ***Sie** machen eine Umweltaktion.*
verb *das Verb*	a 'doing' word *Ich **spiele** Fußball.* *Daniel **fährt** nach Österreich.*
subject *das Subjekt*	a person or thing 'doing' the verb ***Ina** geht in die Küche.* ***Ich** finde Werken langweilig.* ***Die CD** ist auf dem Stuhl.*
object *das Objekt*	a person or thing affected by the verb *Ich kaufe **eine Postkarte**.* *Meine Schwester trinkt **Apfelsaft**.* *Ich habe **einen Computer** bekommen.*
nominative case *der Nominativ*	used for the subject of a sentence ***Die Limonade** ist neben dem Computer.* ***Das T-Shirt** ist sehr teuer.*
accusative case *der Akkusativ*	used for the object of a sentence *Thomas kauft **einen Computer**.* *Ich mag **meine Mutter**.*
dative case *der Dativ*	used after some prepositions *Die Party ist **im Garten**.* *Wir treffen uns **an der Bushaltestelle**.*
genitive case *der Genitiv*	used to show possession *Das Auto **meines Bruders** ist elektrisch.* *Niemand soll die Schätze **der Erde** verschwenden.*
adjective *ein Adjektiv*	a word describing a noun *Der Rock ist zu **klein**.* *Ich trage einen **roten** Pullover.*
preposition *eine Präposition*	a word describing position: where someone or something is *Ich wohne **in** der Stadt.* *Wir treffen uns **vor** dem Bahnhof.*

1 Nouns *Nomen*

Nouns are the words we use to name people, animals, things or places. In English, they often have a small word in front of them (*the*, *a*, *this*, *my*, *his*, etc.). In German, all nouns start with a capital letter.

1.1 Masculine, feminine or neuter?

All German nouns are either masculine, feminine or neuter.

	masculine	feminine	neuter
the	der Rock	die Mütze	das Hemd
a/an	ein Rock	eine Mütze	ein Hemd

1.2 Singular or plural?

Most English nouns add *-s* to make them plural:

the skateboard ➡ the skateboard**s**
the doctor ➡ the doctor**s**

German nouns form their plural endings in lots of different ways, although the plural word for *the* is always *die*, whatever the noun's gender:

das Stofftier ➡ *die Stofftier**e***
die Hose ➡ *die Hose**n***
das T-Shirt ➡ *die T-Shirt**s***
der Rucksack ➡ *die Rucks**ä**ck**e***
das Buch ➡ *die B**ü**ch**er***
der Pullover ➡ *die Pullover*

Important! Each time you learn a new noun, try to learn its plural too.

Don't learn:	der Rock	✘
Learn:	der Rock; die Röcke	✔

2 Cases *die Fälle*

Nouns are used in four cases in German: nominative, accusative, genitive and dative. Cases indicate the part a noun plays in a sentence.

2.1 The nominative case

The **nominative case** is used for the **subject** of a sentence. The subject is the person or thing 'doing' the verb (the action):

subject	verb
Der Hund	*spielt.*
Die Schülerin	*fährt Rad.*
Das Pferd	*läuft.*

2.2 The accusative case

The **accusative case** is used for the **object** of a sentence. The object is the person or thing having the the action of the verb done to them:

subject	verb	object
Ich	*habe*	***den Computer.***
Katja	*sieht*	***die Schule.***
Tom	*kauft*	***das Buch.***

Note that only the masculine forms are actually different from the nominative case.

2.3 The dative case

The dative case is used in various ways:

- It is used for the indirect object (the person or thing to whom something is given, offered, etc.):

  *Sie gibt **dem Lehrer** das Buch.*
  *Ich gebe **der Verkäuferin** 4 Euro.*
  *Er schickt **dem Geschäft** das Geld.*

- It is used after certain prepositions (see section 3: Prepositions):

  *Die CD ist unter **dem Stuhl.***
  *Ich wohne in **der Stadtmitte**.*
  *Treffen wir uns vor **dem Kino**?*

- In the plural, *die* changes to *den*, and *-(e)n* is added to the end of the noun if it doesn't already end in *-n*:

  *Sie gibt **den Lehrern** die Bücher.*
  *Die Post ist neben **den Geschäften**.*

- Some common verbs are followed by the dative:

erklären	to explain
erzählen	to tell
folgen	to follow
geben	to give
gefallen	to please
sagen	to say
schenken	to give (as a present)
zeigen	to show

2.4 The genitive case

The genitive case is used to show possession (*of* or *'s*). Masculine and neuter nouns usually add *-(e)s* to the end:

*Die Zerstörung **des Waldes** ist ein Problem.*
*Der Schutz **der Umwelt** ist wichtig.*
*Das ist das Ende **des Programms**.*

It is also used after certain prepositions (see section 3: Prepositions).

2.5 *mein, dein, sein, ihr*, etc. and *kein*

Some other words such as *my, your, his, her* and *no/not any* also change their endings according to case (see section 4.6: Possessive adjectives):

*Sven hat **meinen** Bleistift.*	Sven has **my** pencil.
*Wohnst du bei **deiner** Oma?*	Do you live with **your** grandmother?
*Ich mag **seinen** Bruder!*	I like **his** brother!
*Sie fährt mit **ihrem** Bruder nach Spanien.*	She's going to Spain with **her** brother.
*Rainer kauft **keinen** Computer.*	Rainer does **not** buy **a** computer.

2.6 Summary

Here are all the case endings used in *Klasse! 3*:

der/die/das/die

	masculine	feminine	neuter	plural
nominative	der	die	das	die
accusative	den	die	das	die
dative	dem	der	dem	den
genitive	des	der	des	der

ein/eine/ein

	masculine	feminine	neuter	plural
nominative	ein	eine	ein	–
accusative	einen	eine	ein	–
dative	einem	einer	einem	–
genitive	eines	einer	eines	–

mein; dein; sein; ihr; kein

These all follow the same pattern:

	masculine	feminine	neuter	plural
nominative	mein	meine	mein	meine
accusative	meinen	meine	mein	meine
dative	meinem	meiner	meinem	meinen
genitive	meines	meiner	meines	meiner

2.7 Weak nouns

A few masculine nouns are known as weak nouns. They add *-n* in all cases except the nominative singular:

	singular	
nominative	der Herr	kein Junge
accusative	den Herrn	keinen Jungen
dative	dem Herrn	keinem Jungen
genitive	des Herrn	keines Jungen

	plural	
nominative	die Herren	keine Jungen
accusative	die Herren	keine Jungen
dative	den Herren	keinen Jungen
genitive	der Herren	keiner Jungen

2.8 Adjectives used as nouns

Sometimes adjectives can be used as nouns, usually when it is obvious what they are referring to. They all begin with a capital letter and they have the appropriate adjective ending (see section 4: Adjectives).

***Der Alte** erzählt uns von seiner Jugend. (= der alte Mann)*

3 Prepositions *Präpositionen*

Prepositions are little words like *in*, *on*, *at*, etc. which tell you the position of someone or something:

*Katja wohnt **in** einem Dorf.*	Katja lives **in** a village.
*Die Wohnung ist **über** dem Supermarkt.*	The flat is **above** the supermarket.

Most prepositions are followed by the accusative or the dative case, and a few are followed by the genitive (see section 2.6 for all the case endings you will need to use).

3.1 Prepositions with the accusative

These prepositions always use the accusative case:

durch	through
für	for
gegen	against (position)
ohne	without
um	around
wider	against (contrary to)
entlang	along
bis	until

*Wir spazieren gern **durch den** Park.*
*Du fährst hier **um die** Ecke.*

3.2 Prepositions with the dative

These prepositions always use the dative case:

aus	out of, from
außer	except (for)
bei	at the house of
gegenüber	opposite
mit	with
nach	to, after
seit	since
von	from, of
zu	to

*Joscha kommt **aus der** Schweiz.*
*Ich gehe **mit meinem** Freund in die Stadt.*
*Der Park ist **gegenüber den** Geschäften.*

Note these shortened forms:

zu dem ➡ *zum*
zu der ➡ *zur*
bei dem ➡ *beim*
von dem ➡ *vom*

3.3 Prepositions with the dative or accusative

Some prepositions can use the accusative or the dative case. This changes their meanings slightly:

- When used with the dative, they tell you where someone or something **is**.
- When used with the accusative, they tell you where someone or something is **going to**.

(dative)	(accusative)
*Ich bin **in der** Bäckerei.*	*Ich gehe **in die** Bäckerei.*
*Die Katze sitzt **auf dem** Tisch.*	*Sie springt **auf den** Tisch.*

Here is a list of these prepositions:

	meaning with dative	meaning with accusative
an	at, on	up to, over to
auf	on	onto
hinter	behind	(go) behind
in	in	into
neben	next to, near	(go) next to, beside
über	over, above	(go) over, across
unter	under, below	(go) under
vor	in front of, before	(go) in front of
zwischen	between	(go) between

Note these shortened forms:

an dem ➡ *am*
an das ➡ *ans*
in dem ➡ *im*
in das ➡ *ins*

3.4 Prepositions with the genitive

These prepositions always use the genitive case:

wegen	because of
trotz	in spite of
während	during

***Wegen der** Sonne ist die Erde so trocken.*
***Trotz des** Verkehrs sind wir schnell angekommen.*
***Während der** Pause sammeln wir Getränkedosen.*

4 Adjectives *Adjektive*

Adjectives are the words we use to describe nouns. When the adjective **follows** a noun it has no additional ending, just as in English:

*Der Pullover ist **alt**.* The jumper is **old**.

*Meine Mutter ist sehr **lieb**.* My mother is very **kind**.

When the adjective is placed **in front of** a noun it adds an extra ending. The ending depends on four things:

- the gender of the noun being described (masculine, feminine or neuter)
- whether it is singular or plural
- the case being used
- the article being used (*der*, *ein*, etc.)

This is not quite as complicated as it sounds, since a lot of the endings are the same (*-en*).

4.1 Adjective endings after the definite article

	masculine	**feminine**
nom.	der alt**e** Mann	die jung**e** Frau
acc.	den alt**en** Mann	die jung**e** Frau
dat.	dem alt**en** Mann	der jung**en** Frau
gen.	des alt**en** Mannes	der jung**en** Frau
	neuter	**plural**
nom.	das gut**e** Kind	die neu**en** Schuhe
acc.	das gut**e** Kind	die neu**en** Schuhe
dat.	dem gut**en** Kind	den neu**en** Schuhen
gen.	des gut**en** Kindes	der neu**en** Schuhe

Other words that follow the same pattern are: *dieser* (this), *jeder* (every), *welcher* (which) and (in the plural) *alle* (all).

4.2 Adjective endings after the indefinite article

	masculine	**feminine**
nom.	ein alt**er** Mann	eine jung**e** Frau
acc.	einen alt**en** Mann	eine jung**e** Frau
dat.	einem alt**en** Mann	einer jung**en** Frau
gen.	eines alt**en** Mannes	einer jung**en** Frau
	neuter	**plural**
nom.	ein gut**es** Kind	keine neu**en** Schuhe
acc.	ein gut**es** Kind	keine neu**en** Schuhe
dat.	einem gut**en** Kind	keinen neu**en** Schuhen
gen.	eines gut**en** Kindes	keiner neu**en** Schuhe

Other words that follow the same pattern are: *kein*, *mein*, *dein*, *sein*, *ihr*, etc. (see section 4.6: Possessive adjectives).

4.3 Adjective endings without an article

	masculine	**feminine**
nom.	alt**er** Wein	deutsch**e** Wurst
acc.	alt**en** Wein	deutsch**e** Wurst
dat.	alt**em** Wein	deutsch**er** Wurst
gen.	alt**en** Weines	deutsch**er** Wurst
	neuter	**plural**
nom.	gut**es** Wetter	neu**e** Schuhe
acc.	gut**es** Wetter	neu**e** Schuhe
dat.	gut**em** Wetter	neu**en** Schuhen
gen.	gut**en** Wetter	neu**er** Schuhe

Use the same pattern with *viel* (singular) and *viele* (plural):

Er trinkt viel schwarzen Kaffee.
Wir kennen viele nette Leute.

4.4 Adjective endings with *etwas, viel, nichts, alles*

You can use *etwas*, *viel* and *nichts* with an adjective to say 'something old', 'lots of good things', 'nothing new', etc. Use the neuter form of the second group of endings (see 4.2) and put a capital letter on the adjective: *etwas Altes, viel Gutes, nichts Neues*

Use *alles* in a similar way with the neuter form of the first group of endings (see 4.1) to say 'everything good', etc.: *alles Gute*

4.5 Comparatives and superlatives of adjectives

If you want to compare two things, you need to add *-er als* to the adjective:

Das Stadion ist modern.	*Das Stadion ist moderner* ***als*** *das Sportzentrum.*
Mein Vater ist alt.	*Mein Vater ist ält****er als*** *meine Mutter.*

If you want to say that something is *the most ...*, you add *am -sten* to the adjective:

Das Stadion ist ***am*** *modern****sten.***	The stadium is the most modern.
Mein Großvater ist ***am*** *ält****esten.***	My grandfather is the oldest.

Some adjectives (usually short ones) add an Umlaut in the comparative and superlative.

adjective	comparative	superlative
neu	neuer	am neuesten
klein	kleiner	am kleinsten
schön	schöner	am schönsten
alt	älter	am ältesten
groß	größer	am größten
billig	billiger	am billigsten

The comparative and superlative of some adverbs are formed in the same way, but the stem often changes:

gut	besser	am besten
viel	mehr	am meisten
gern	lieber	am liebsten

When comparatives and superlatives are used before a noun, they take the same endings as other adjectives (see 4.1–4.3):

Ich wohne in ***einer*** *klein****eren*** *Stadt als du.*
Hamburg ist ***die*** *interessanteste* ***Stadt.***
Das ist ***der*** *größ****te*** *Park in unserer Stadt.*

4.6 Possessive adjectives

These are adjectives that show who or what something belongs to (**my** dog, **your** book, **her** brother, etc.):

Das ist ***mein*** *Bruder.*	That is **my** brother.
Wo ist ***deine*** *Tasche?*	Where is **your** bag?

mein	my	*unser*	our
dein	your	*euer*	your
sein	his, its	*ihr*	their
ihr	her, its	*Ihr*	your
sein	its		

They come before the noun they describe in place of *der/die/das/die* or *ein/eine/ein*, for example. Like all adjectives, they have different endings for masculine, feminine, neuter and plural nouns and for the various cases. They follow the pattern of *ein/eine/ein*:

	masculine	feminine
nom.	mein Sohn	meine Tochter
acc.	meinen Sohn	meine Tochter
dat.	meinem Sohn	meiner Tochter
gen.	meines Sohnes	meiner Tochter
	neuter	**plural**
nom.	mein Kind	meine Kinder
acc.	mein Kind	meine Kinder
dat.	meinem Kind	meinen Kindern
gen.	meines Kindes	meiner Kinder

4.7 Demonstrative adjectives

dieser/diese/dieses/diese can be used in place of *der/die/das/die* or *ein/eine/ein* if you want to say *this* or *that:*

Dieser *Rock ist sehr schön.*	**This** skirt is very nice.
Gefällt dir ***diese*** *Hose?*	Do you like **this** pair of trousers?
Dieses *Kleid gefällt mir gut.*	I like **this** dress.

	masculine	feminine
nom.	dieser Rock	diese Hose
acc.	diesen Rock	diese Hose
dat.	diesem Rock	dieser Hose
gen.	dieses Rockes	dieser Hose
	neuter	**plural**
nom.	dieses Kleid	diese Kleider
acc.	dieses Kleid	diese Kleider
dat.	diesem Kleid	diesen Kleidern
gen.	dieses Kleides	dieser Kleider

jeder/jede/jedes means *each* or *every* and follows the same pattern:

	masculine	feminine	neuter
nom.	jeder Rock	jede Hose	jedes Kleid
acc.	jeden Rock	jede Hose	jedes Kleid
dat.	jedem Rock	jeder Hose	jedem Kleid
gen.	jedes Rockes	jeder Hose	jedes Kleides

4.8 Interrogative adjectives

The interrogative adjective *welcher/welche/welches/welche* is used to ask *which …?*

***Welchen** Rock kaufst du?*
***Welches** Land ist ein gutes Ferienziel?*
*Mit **welchem** Verkehrsmittel fährst du?*

It follows the same pattern as *der* and *dieser*:

	masculine	**feminine**
nom.	welcher Rock	welche Hose
acc.	welchen Rock	welche Hose
dat.	welchem Rock	welcher Hose
gen.	welches Rockes	welcher Hose
	neuter	**plural**
nom.	welches Kleid	welche Kleider
acc.	welches Kleid	welche Kleider
dat.	welchem Kleid	welchen Kleidern
gen.	welches Kleides	welcher Kleider

5 Pronouns *Pronomen*

A pronoun is a small word which is used instead of a noun or a name:

***Ich** habe einen Nebenjob.*	**I** have a part-time job.
***Er** ist sehr freundlich.*	**He** is very friendly.

5.1 Personal pronouns

Like the nouns they replace, pronouns are used in different cases:

	nom.	**acc.**	**dat.**
I	ich	mich	mir
you (informal)	du	dich	dir
he, it	er	ihn	ihm
she, it	sie	sie	ihr
it	es	es	ihm
we	wir	uns	uns
you (informal)	ihr	euch	euch
they	sie	sie	ihnen
you (polite)	Sie	Sie	Ihnen

*Nehmen **Sie** diesen Rock? Ja, **ich** nehme **ihn**.*
*Gib **mir** das Rad bitte. Ich bringe **es dir** morgen zurück.*
*Wie geht's **Ihnen**?*
*Das ist Karl. Ich fahre mit **ihm** nach Spanien.*
*Wollt **ihr** mit **uns** Tennis spielen?*

The pronoun *sie* can have different meanings: *she*, *her*, *it*, *they* or *them*.

With a capital *S* it is the polite form of *you*: use it when you're talking to adults and strangers and in formal situations.

*Wie sieht **sie** aus?*	What does **she** look like?
*Was tragen **sie**?*	What are **they** wearing?
*Seit wann haben **Sie** Grippe?*	How long have **you** had flu for?

du and its plural form *ihr* are informal ways of saying *you* when talking to friends, family, children or animals:

*Kommst **du** in die Stadt?*	Are **you** coming into town?
*Was wollt **ihr** machen?*	What do **you** want to do?

man is often used in German and can mean *one*, *you*, *they* or *we*:

***Man** kann ins Schwimmbad gehen.*	**You** can go to the swimming pool.
***Man** soll viel Sport treiben.*	**One** should do lots of sport.

5.2 Relative pronouns

der/die/das/die can be used to mean *which*, *that* or *who* when you are referring back to something or someone that you have already mentioned. They must be the same gender and number as the noun they refer to, and they must be in the correct case for their part of the sentence:

*Lindau ist ein **Ferienort, der** an einem See liegt.*
*Wir wohnen in einem kleinen **Haus, das** im Norden ist.*
*Das ist die **Wohnung**, in **der** wir wohnen.*
*Hier sind die **Freunde**, mit **denen** wir reisen.*

	m.	**f.**	**n.**	**pl.**
nom.	der	die	das	die
acc.	den	die	das	die
dat.	dem	der	dem	denen

(See also section 8.4.2: Relative clauses.)

6 Verbs *Verben*

Verbs are words that describe what is happening.

*Ich **gehe** in die Stadt.*
*Wir **sind** nach Spanien **geflogen**.*

6.1 The infinitive

W If you want to look up a verb in a dictionary, you have to look up the infinitive. In German, infinitives are easy to recognize as they always end in *-en* or *-n*. For example:
gehen (to go)
spielen (to play)
sammeln (to collect)

6.2 The present tense

A verb in the present tense describes an action which is taking place now or takes place regularly.

*Ich **spiele** (jetzt) Fußball.*	I **am playing** football.
*Ich **spiele** (jeden Tag) Fußball.*	I **play** football.

6.2.1 Regular verbs

Verb endings change according to who is doing the action:

*Ich spiel**e** Tennis.*

*Wir spiel**en** Tennis.*

Most German verbs follow the same pattern. They have regular endings:

spielen (infinitive)		to play
ich	spiel**e**	I play
du	spiel**st**	you play (informal)
er/sie es/man	spiel**t**	he/she/it/one plays
wir	spiel**en**	we play
ihr	spiel**t**	you play (pl. informal)
sie	spiel**en**	they play
Sie	spiel**en**	you play (formal)

The endings of verbs are always added to the verb stem – that's the infinitive without its *-(e)n* ending.

Some other verbs which follow the same pattern are:

kaufen	to buy	*trinken*	to drink
machen	to do	*wohnen*	to live

Some verbs have an extra e in the *du* and *er/sie/es* forms to make them easier to pronounce:

arbeiten (to work)	*finden (to find)*
Ich arbeite zu Hause.	*Ich finde diese Hose super!*
*Wo arbeit**e**st du?*	*Wie find**e**st du Wesel?*
*Er arbeit**e**t im Garten.*	*Sie find**e**t das gemein.*

6.2.2 Irregular verbs

Some common verbs do not follow this regular pattern. These are irregular verbs – they change their stem in the *du* and the *er/sie/es* forms:

fahren (to go, drive)	
ich fahre	wir fahren
du f**ä**hrst	ihr fahrt
er/sie/es f**ä**hrt	sie/Sie fahren
a → ä	

laufen (to run)	
ich laufe	wir laufen
du l**äu**fst	ihr lauft
er/sie/es l**äu**ft	sie/Sie laufen
au → äu	

sehen (to see)	
ich sehe	wir sehen
du s**ie**hst	ihr seht
er/sie/es s**ie**ht	sie/Sie sehen
e → ie	

geben (to give)	
ich gebe	wir geben
du g**i**bst	ihr gebt
er/sie/es g**i**bt	sie/Sie geben
e → i	

(See the verb tables on pages 227–229 for a list of irregular verbs.)

6.2.3 *haben* (to have) and *sein* (to be)

haben (to have) and *sein* (to be) don't follow the pattern of any other verbs, so you'll need to learn them by heart. Here is a list of their present tense verb forms:

haben (to have)	sein (to be)
ich habe du hast er/sie/es/man hat wir haben ihr habt sie haben Sie haben	ich bin du bist er/sie/es/man ist wir sind ihr seid sie sind Sie sind

6.2.4 Reflexive verbs

Reflexive verbs have two parts: a verb and a pronoun (for example *mich*):

ich wasche mich	I have a wash/wash myself
du wäschst dich	you have a wash/wash yourself
er/sie/es/man wäscht sich	he/she/it/one has a wash/ washes him/her/it/oneself
wir waschen uns	we have a wash/wash ourselves
ihr wascht euch	you have a wash/wash yourselves
sie waschen sich	they have a wash/wash themselves
Sie waschen sich	you have a wash/wash yourself/selves

Some reflexive verbs use the dative reflexive pronouns. The only difference is *mir* and *dir* instead of *mich* and *dich*:

*Ich kämme **mir** das Haar.* I comb my hair.
*Du putzt **dir** die Zähne.* You clean your teeth.
*Sie bürstet **sich** das Haar.* She brushes her hair.

6.2.5 Separable verbs

Separable verbs consist of two parts: a verb and a prefix (a small word like *ab*, *auf*, etc.). In dictionaries and word lists the prefix goes to the **front** of the infinitive and they become one word: ***auf**stehen* (to get up), ***ab**waschen* (to wash up).

In the present tense the prefix goes to the **end** of the sentence:

*Ich stehe **auf**.* (I get up.)
*Ich wasche **ab**.* (I wash up.)

If a modal verb is used in the same sentence, the separable prefix rejoins the verb and goes to the end of the sentence:

*Ich kann am Wochenende **ausschlafen**.*
I can have a lie-in at the weekend.

6.2.6 Modal verbs

Modal verbs tell you what you can, must, want to do, etc. They are used together with another verb which is sent to the end of the sentence in its infinitive form:

*Ich **muss** um 20 Uhr zu Hause **sein**.*	I **have to be** at home at 8 o'clock.
*Ich **darf** nicht in die Disco **gehen**.*	I'm not **allowed to go** to the disco.
*Man **soll** viel Obst **essen**.*	You **should eat** lots of fruit.

Modal verbs are irregular. Their present tense forms are as follows:

	müssen (have to/ must)	dürfen (allowed to/may)	können (able to/ can)
ich	muss	darf	kann
du	musst	darfst	kannst
er/sie/es/man	muss	darf	kann
wir	müssen	dürfen	können
ihr	müsst	dürft	könnt
sie/Sie	müssen	dürfen	können

	wollen (want to)	sollen (ought to/ should)	mögen (like)
ich	will	soll	mag
du	willst	sollst	magst
er/sie/es/man	will	soll	mag
wir	wollen	sollen	mögen
ihr	wollt	sollt	mögt
sie/Sie	wollen	sollen	mögen

6.2.7 *möchte* (+ infinitive)

Ich möchte (I would like) is often used in German:

*Ich **möchte** einen Computer.*
*Ich **möchte** diese Mütze.*

Ich möchte is a form of the modal verb *mögen* (the imperfect subjunctive) and can be used with an infinitive added at the end of the sentence (see section 6.2.6):

Ich ***möchte*** *nach Österreich* ***fahren.***
I **would like to go** to Austria.

Tina ***möchte*** *Tierärztin* ***werden.***
Tina **would like to be (become)** a vet.

6.2.8 *seit* with the present tense

seit (since) is a preposition indicating time (see section 3.2). It is normally used with the present tense and it takes the dative case:

Seit wann hast du Kopfschmerzen?
How long have you had a headache?

Ich habe seit Sonntag Grippe.
I've had flu **since** Sunday.

Meine Ohren tun seit drei Tagen weh.
My ears have been hurting **for** three days.

6.2.9 Impersonal verbs

Some verbs are often used with *es* as a kind of indefinite subject. These are known as impersonal verbs:

Es geht mir gut.	I'm fine.
Es freut mich, dass …	I'm pleased that …
Es gefällt mir.	I like it.
Es lohnt sich.	It's worth it.
Es handelt von …	It's about …
Es gelingt mir …	I succeed …

Some of these verbs need to be followed by the dative:

es geht ***mir*** *gut, es gefällt* ***mir****, es handelt* ***von****, es gelingt* ***mir***

Some need to be followed by a clause with *dass* or *zu*:

Es freut mich, ***dass*** *du mich diesen Sommer besuchen kannst.*
Es gelingt mir, einen neuen Job ***zu*** *finden.*

6.2.10 The imperative

The imperative is the form of the verb you use when you want to give someone an instruction or advice: **Listen** carefully. **Eat** more fruit.

When giving an instruction to:

- someone you say *du* to:
  use the *du* form without the *du* and *-st* ending;
- two or more people you say *du* to:
  use the *ihr* form without the *ihr*;
- someone you say *Sie* to:
  use the *Sie* form with the *Sie* and start with the verb.

Du trinkst *Mineralwasser.*	➡	***Trink*** *Mineralwasser!*
Du nimmst *diese Tabletten.*	➡	***Nimm*** *diese Tabletten!*
Ihr trinkt *Mineralwasser.*	➡	***Trinkt*** *Mineralwasser!*
Ihr nehmt *diese Tabletten.*	➡	***Nehmt*** *diese Tabletten!*
Sie trinken *Mineralwasser.*	➡	***Trinken Sie*** *Mineralwasser!*
Sie nehmen *diese Tabletten.*	➡	***Nehmen Sie*** *diese Tabletten!*

6.3 The perfect tense

A verb in the perfect tense describes something which happened in the past (yesterday or last week, for example):

I **played** tennis yesterday.
We **went** to the cinema last weekend.

To form the perfect tense, you need two parts: the present tense of *haben* or *sein* and the past participle of the main verb.

6.3.1 The perfect tense using *haben*

To form the perfect tense, you normally use the present tense of the verb *haben* and the past participle of the main verb. The past participle always goes at the end of the sentence:

Wir ***haben*** *einen Ausflug* ***gemacht.***
Ich ***habe*** *Fußball* ***gespielt.***
Wir ***haben*** *Souvenirs* ***gekauft.***

To form the past participle for regular verbs, you take the stem of the verb and add *ge-* at the start and *-t* at the end:

infinitive	stem	past participle
machen	mach	gemacht
spielen	spiel	gespielt
kaufen	kauf	gekauft

A small number of verbs which form their perfect tense with *haben* have past participles which don't follow this pattern:

*Ich habe Kuchen **gegessen.***
*Wir haben Limonade **getrunken.***
*Wir haben Sehenswürdigkeiten **besichtigt.***
*Ich habe meine Brieffreundin **besucht.***

(See section 6.3.3 for more verbs of this type. See the verb tables on pages 227–229 for a list of irregular verbs.)

6.3.2 The perfect tense using *sein*

A small number of irregular verbs use *sein* instead of *haben*. These are mainly verbs expressing movement or change (to go, to travel, for example). Their past participles are also irregular: they still start with *ge-*, but they end with *-en*. Some also change their stem.

infinitive	stem	past participle
fahren	fahr	ge**fahren**
fliegen	**flieg**	ge**flogen**
gehen	**geh**	ge**gangen**
bleiben	bleib	ge**blieben**

Note that *bleiben* (to stay) also forms its perfect tense with *sein*, even though it's not a 'movement' verb.

(See the verb tables on pages 227–229 for a list of irregular verbs.)

6.3.3 Some irregular past participles

Some past participles do not add *ge-* at the beginning. These include verbs ending in *-ieren* and verbs with inseparable prefixes such as *be-, ent-, ver-, zer-*:

*Ich habe **telefoniert.***
*Sie hat Kai **besucht.***
*Wer hat den Fehler **entdeckt**?*
*Er hat den Zug **verpasst.***
*Wir haben die Umwelt **zerstört.***

(See the verb tables on pages 227–229 for a list of irregular past participles.)

6.3.4 The perfect tense of separable verbs

In the perfect tense of separable verbs, the prefix joins up again with the past participle, with *-ge-* in the middle:

*Ich habe gestern ab**ge**waschen.*
*Der Zug ist schon an**ge**kommen.*

6.3.5 The perfect tense of reflexive verbs

In the perfect tense of reflexive verbs, the reflexive pronoun normally goes immediately after the auxiliary (*haben*). (See section 6.2.4 for a list of the reflexive pronouns.)

*Ich **habe mich** um 7 Uhr **gewaschen.***
*Er **hat sich** immer für Sport **interessiert.***

If the subject and auxiliary verb are inverted, the pronoun goes after the subject:

*Wie **hast du dich** für die Party angezogen?*
*Gestern **haben sie sich** gut amüsiert.*

6.4 The imperfect tense

The imperfect tense is normally used for the past in written German (articles, stories, reports, etc.). Some very common verbs are also almost always used in the imperfect, even in spoken German. These are *haben*, *sein*, *werden* (see section 6.4.2) and the modal verbs (see section 6.4.3).

6.4.1 The imperfect tense of regular verbs

To form the imperfect tense of regular verbs, take the *er/sie/es/man* form of the present tense, and add these endings:

er **spielt** ➡	ich	spielte	I played
	du	spielt**est**	you played
	er/sie/es/man	spielte	he/she/it/ one played
	wir	spielt**en**	we played
	ihr	spielt**et**	you played
	sie/Sie	spielt**en**	you/they played

6.4.2 The imperfect tense of irregular verbs

There is no rule for forming the imperfect tense of irregular verbs – they have to be learned individually. However, the endings do follow a pattern. See the verb tables on pages 227–229 for a list of irregular verbs.

The most common verbs used in the imperfect tense are *sein*, *haben*, *werden* and the phrase *es gab* (there was, there were):

*Das Wetter **war** sehr schön.*
*Wir **hatten** keinen Regen.*
*Ich **wurde** ziemlich braun.*
*Es **gab** eine tolle Fete.*

sein (to be)	
ich war du war**st** er/sie/es/man war	wir war**en** ihr war**t** sie/Sie war**en**

haben (to have)	
ich hatte du hatte**st** er/sie/es/man hatte	wir hatt**en** ihr hattet sie/Sie hatt**en**

werden (to become)	
ich wurde du wurde**st** er/sie/es/man wurde	wir wurd**en** ihr wurdet sie/Sie wurd**en**

geben (to give)	
ich gab du gab**st** er/sie/es/man gab	wir gab**en** ihr gab**t** sie/Sie gab**en**

6.4.3 The imperfect tense of modal verbs

Modal verbs are commonly used in the imperfect tense to say what you had to, were allowed to, could, wanted to, were supposed to and liked to do:

*In der Herberge **durften** wir keinen Lärm machen.*
*Man **musste** um 11 Uhr im Bett sein.*
*Ich **konnte** Fußball spielen.*

Their imperfect tense forms are as follows:

	müssen	**dürfen**	**können**
ich	musste	durfte	konnte
du	musstest	durftest	konntest
er/sie/es/man	musste	durfte	konnte
wir	mussten	durften	konnten
ihr	musstet	durftet	konntet
sie/Sie	mussten	durften	konnten

	wollen	**sollen**	**mögen**
ich	wollte	sollte	mochte
du	wolltest	solltest	mochtest
er/sie/es/man	wollte	sollte	mochte
wir	wollten	sollten	mochten
ihr	wolltet	solltet	mochtet
sie/Sie	wollten	sollten	mochten

6.4.4 *seit* with the imperfect tense

The pronoun *seit* is normally used with the present tense (see section 6.2.8). It can also be used with the imperfect tense to say **how long** something **had** been going on:

***Seit wann hatten Sie** Kopfschmerzen?*
***How long had you had** a headache?*

*Ich **hatte seit** vier Tagen Grippe.*
*I **had had** flu **for** four days.*

6.5 The pluperfect tense

The pluperfect tense expresses what **had** already happened in the past:

*Er **hatte** das Weihnachtsessen schon **gemacht**.*
He **had** already **made** Christmas dinner.

*Wir **waren** nach Hamburg **gefahren**.*
We **had gone** to Hamburg.

The pluperfect tense is the same form as the perfect tense, except that it uses the imperfect of the auxiliary verbs *haben* or *sein*:

	haben	or **sein**	
ich	hatte	war	**+ past participle**
du	hatte**st**	war**st**	
er/sie/es/man	hatte	war	
wir	hatte**n**	war**en**	
ihr	hatte**t**	war**t**	
sie/Sie	hatte**n**	war**en**	

6.6 The future tense

There are two ways of talking about the future:

- You can use the present tense together with an expression of time:

Ich stehe morgen um 7 Uhr auf.	I'm **going to get up** at seven o'clock tomorrow.
*Ich **schreibe** am Samstag einen Brief.*	I'm **going to write** a letter on Saturday.

- You can also use the future tense. This is formed with the present tense of the verb *werden* and the infinitive of the main verb, which is sent to the end of the sentence:

*Ich **werde** Sport **treiben**.*	I **will do** sport.
*Ich **werde** Hausaufgaben **machen**.*	I **will do** my homework.

Here are the present tense forms of *werden*:

ich	werde	wir	werden
du	wirst	ihr	werdet
er/sie/es	wird	sie/Sie	werden

6.7 The conditional tense

The conditional tense is used to say what you **would** do:

*Ich **würde** im Ausland arbeiten.*
I **would** work abroad.

*Wir **würden** mehr Geld haben.*
We **would** have more money.

6.7.1 *würde* + infinitive

The conditional tense is formed with *würde* and an infinitive. Here are the different forms of *würde*:

ich	würde	
du	würde**st**	
er/sie/es/man	würde	**+ infinitive**
wir	würde**n**	
ihr	würde**t**	
sie/Sie	würde**n**	

6.7.2 *wenn*

The conditional tense is most often used with the conjunction *if*:

*Wenn ich im Lotto **gewinnen würde**, würde ich ein großes Haus **kaufen**.*
If I **won** the lottery, I **would buy** a big house.

With some verbs, especially *haben* and *sein*, you can use a shortened form of the conditional tense:

*Wenn ich viel Geld **hätte**, würde ich ein Ferienhaus kaufen.*

*Wenn ich reich **wäre**, würde ich eine Skischule gründen.*

hätte = würde … haben
wäre = würde … sein

6.8 The passive

The passive describes what is being done to someone or something. It is formed by using the verb *werden* with a past participle:

*Der Film **wird** in der Aula **gezeigt**.*
The film **is being shown** in the hall.

*Viele Tiere **werden bedroht**.*
Many animals **are being threatened.**

It is often avoided in German by using a phrase with *man*:

***Man zeigt** den Film in der Aula.*
***Man bedroht** viele Tiere.*

6.9 Infinitive constructions

The infinitive is used in the future and conditional tenses, with modal verbs and with some other verbs. It usually goes at the end of the sentence:

*Ich muss heute Abend **arbeiten**.*
*Ich möchte viel Geld **verdienen**.*
*Ich werde keine Schichtarbeit **machen**.*

6.9.1 *zu* + infinitive

Apart from the modal verbs, the future and the conditional tenses, you need to add *zu* before the infinitive:

*Ich hoffe Tierarzt **zu werden**.*
*Ich versuche eine Lehrstelle **zu bekommen**.*
*Er hat beschlossen im Ausland **zu arbeiten**.*
*Sie hat vor anderen Leuten **zu helfen**.*

6.9.2 *um … zu* + infinitive

In order to … is expressed by *um … zu* with an infinitive:

*Wir machen Ausflüge, **um** die Seehunde **zu sehen**.*
We go on trips (**in order**) **to** see the seals.

In English, *in order to* is often expressed just as *to*, but the whole phrase must be kept in German.

6.9.3 *lassen* + infinitive

lassen with an infinitive means to get/have something done:

*Ich **lasse** mein Rad **reparieren**.*
I **am having** my bike **repaired**.

*Sie **ließ** ihre Hose **reinigen**.*
She **had** her trousers **cleaned**.

In the perfect tense, the normal past participle (*gelassen*) is shortened to *lassen*:

*Ich **habe** mein Rad reparieren **lassen**.*
I **have had** my bike repaired.

7 Negatives *Negationen*

7.1 *nicht*

nicht means *not* and always goes directly after the verb:

*Ich bin **nicht** ungeduldig.*	I'm **not** impatient.
*Ich trage **nicht** gern Uniform.*	I do **not** like wearing a uniform.
*Ich darf **nicht** in die Disco gehen.*	I'm **not** allowed to go to the disco.

7.2 *kein/keine/kein/keine*

kein/keine/kein/keine means *no, not a, not any*. It is followed by a noun and follows the pattern of *ein/eine/ein* (see the summary table in section 2.6):

m.	Ich habe **keinen** Fahrplan.	I do **not** have **a** timetable.
f.	Ich habe **keine** Seife.	I do **not** have **any** soap.
n.	Ich bekomme **kein** Taschengeld.	I do **not** get **any** pocket money.
pl.	Ich darf **keine** Freunde einladen.	I'm **not** allowed to invite **any** friends round.

7.3 *nichts*

Nichts means *nothing, not anything*. You can use *gar nichts* or *überhaupt nichts* to say *nothing at all*:

*Wir haben **nichts** gesehen.*	We saw **nothing**.
*Hier gibt es **gar nichts** zu tun.*	There's **nothing at all** to do here.

(See also section 4.4.)

8 Word order *Wortstellung*

8.1 Main clauses

Sentences usually start with the subject (the person or thing doing the action). The verb is usually the second piece of information (but not necessarily the second word):

*Ich **wohne** in Wesel.*
*Mein Bruder **hört Musik.***

To stress something important (such as dates or times), you can put the important piece of information at the beginning of the sentence. The subject must then come straight after the verb so that the verb is still the second piece of information:

*Um zwei Uhr **komme ich** nach Hause.*
*Am 24. Dezember **ist Heiligabend.***

8.2 Time – manner – place

When a sentence contains several pieces of information, the order that they must take is *time – manner – place:*

	time	*manner*	*place*
*Ich **fahre***	*morgen*	*mit dem Zug*	*nach Köln.*

Even if only two types of information are present, the word order still remains the same:

***Wir fahren** mit dem Rad in die Stadt.*

***Wir fahren** heute mit dem Auto.*

8.3 Co-ordinating conjunctions

Conjunctions are linking words which join sentences together. The following conjunctions don't change the word order of the sentence they introduce:

und	and
denn	for, because
oder	or
aber	but
sondern	but (not one thing, **but** another)

*Ich spiele am Computer **und** ich surfe auch im Internet.*
I play on the computer **and** I also surf the Net.

*Das macht viel Spaß, **aber** es ist manchmal zu teuer.*
It's great fun, **but** it's sometimes too expensive.

8.4 Subordinate clauses

8.4.1 Subordinating conjunctions

Some conjunctions send the verb to the end of the sentence they introduce:

*Das Museum hat mir gefallen, **weil** es interessant **war**.*
I liked the museum **because** it was interesting.

*Ich finde es gut, **dass** wir die Umwelt schützen.*
I'm pleased **that** we're protecting the environment.

*Ich mag Deutschland, **wenn** die Sonne **scheint**.*
I like Germany **when** the sun shines.

The most common of these conjunctions are:

weil	because
wenn	when, if, whenever
dass	that
damit	in order that
so dass	so that (with the result that)
ob	whether
als ob	as if
obwohl	although
als	when (used for past actions)
bevor	before
nachdem	after
bis	until
während	while
seitdem	since
was	what
wo	where

8.4.2 Relative clauses

Relative clauses are subordinate clauses introduced by a relative pronoun (*which*, *that*, *who*) – this sends the verb to the end. (See section 5.2: Relative pronouns.)

Das ist ein Buch, ***das*** *ich sehr interessant* ***finde.***
That's a book **that** I **find** very interesting.

Der Film hat Effekte, ***die*** *ich toll* ***gefunden habe.***
The film has effects **which** I **thought** were great.

9 Asking questions *Fragen*

You can ask questions in two ways:

- by putting the verb of the sentence first:

Du ***fährst*** *nach Stuttgart.* ➡	***Fährst*** *du nach Stuttgart?*
You're going to Stuttgart.	Are you going to Stuttgart?
Kathi ***ist*** *sympathisch.* ➡	***Ist*** *Kathi sympathisch?*
Kathi is nice.	Is Kathi nice?

- by using a question word at the beginning of the sentence:

Wann *hast du Geburtstag?*	When is your birthday?
Was *hast du gemacht?*	What did you do?

When you use a question word, the verb must be the second piece of information.

Here's a list of all the question words in *Klasse! 3:*

Wann?	When?	***Wann*** *hast du Geburtstag?*
Was?	What?	***Was*** *hast du gekauft?*
Welcher/-e/-es?	Which?	***Welcher*** *Pullover gefällt dir?*
Wer?	Who?	***Wer*** *ist das?*
Wie?	How?	***Wie*** *war das Hotel?*
Wie viel?	How much?	***Wie viel*** *Taschengeld bekommst du?*
Wo?	Where?	***Wo*** *ist die Limonade?*
Wohin?	Where to?	***Wohin*** *fährst du?*
Woher?	Where from?	***Woher*** *kommst du?*

Verb tables

*Verbs which always take *sein* in the perfect and pluperfect tense.

Infinitive	Present	Imperfect	Perfect	English
beginnen	beginnt	begann	begonnen	to begin
beißen	beißt	biss	gebissen	to bite
biegen	biegt	bog	gebogen	to bend
bieten	bietet	bot	geboten	to offer
binden	bindet	band	gebunden	to tie
bitten	bittet	bat	gebeten	to ask
blasen	bläst	blies	geblasen	to blow
bleiben	bleibt	blieb	geblieben*	to stay
brechen	bricht	brach	gebrochen	to break
brennen	brennt	brannte	gebrannt	to burn
bringen	bringt	brachte	gebracht	to bring
denken	denkt	dachte	gedacht	to think
dürfen	darf	durfte	gedurft	to be allowed to
empfehlen	empfiehlt	empfahl	empfohlen	to recommend
essen	isst	aß	gegessen	to eat
fahren	fährt	fuhr	gefahren*	to go, travel
fallen	fällt	fiel	gefallen*	to fall
fangen	fängt	fing	gefangen	to catch
finden	findet	fand	gefunden	to find
fliegen	fliegt	flog	geflogen*	to fly
fliehen	flieht	floh	geflohen*	to flee
fließen	fließt	floss	geflossen*	to flow
frieren	friert	fror	gefroren	to freeze
geben	gibt	gab	gegeben	to give
gehen	geht	ging	gegangen*	to go
gelingen	gelingt	gelang	gelungen*	to succeed
genießen	genießt	genoss	genossen	to enjoy
geschehen	geschieht	geschah	geschehen*	to happen
gewinnen	gewinnt	gewann	gewonnen	to win
graben	gräbt	grub	gegraben	to dig
greifen	greift	griff	gegriffen	to grasp
haben	hat	hatte	gehabt	to have
halten	hält	hielt	gehalten	to stop
hängen	hängt	hing	gehangen	to hang
heben	hebt	hob	gehoben	to lift
heißen	heißt	hieß	geheißen	to be called
helfen	hilft	half	geholfen	to help
kennen	kennt	kannte	gekannt	to know
kommen	kommt	kam	gekommen*	to come
können	kann	konnte	gekonnt	to be able to
laden	lädt	lud	geladen	to load
lassen	lässt	ließ	gelassen	to allow
laufen	läuft	lief	gelaufen*	to run
leiden	leidet	litt	gelitten	to suffer
leihen	leiht	lieh	geliehen	to lend

lesen	liest	las	gelesen	to read
liegen	liegt	lag	gelegen	to lie
lügen	lügt	log	gelogen	to tell a lie
meiden	meidet	mied	gemieden	to avoid
misslingen	misslingt	misslang	misslungen*	to fail
mögen	mag	mochte	gemocht	to like
müssen	muss	musste	gemusst	to have to
nehmen	nimmt	nahm	genommen	to take
nennen	nennt	nannte	genannt	to name
raten	rät	riet	geraten	to guess
reiten	reitet	ritt	geritten	to ride
reißen	reißt	riss	gerissen	to rip
rennen	rennt	rannte	gerannt*	to run
rufen	ruft	rief	gerufen	to call
saugen	saugt	saugte	gesaugt	to suck
scheiden	scheidet	schied	geschieden*	to separate
scheinen	scheint	schien	geschienen	to shine
schlafen	schläft	schlief	geschlafen	to sleep
schlagen	schlägt	schlug	geschlagen	to hit
schließen	schließt	schloss	geschlossen	to shut
schneiden	schneidet	schnitt	geschnitten	to cut
schreiben	schreibt	schrieb	geschrieben	to write
schreien	schreit	schrie	geschrien	to cry
sehen	sieht	sah	gesehen	to see
sein	ist	war	gewesen*	to be
senden	sendet	sandte	gesandt	to send
sitzen	sitzt	saß	gesessen	to sit
sollen	soll	sollte	gesollt, sollen	ought to
sprechen	spricht	sprach	gesprochen	to speak
stehen	steht	stand	gestanden*	to stand
stehlen	stiehlt	stahl	gestohlen	to steal
steigen	steigt	stieg	gestiegen*	to climb
sterben	stirbt	starb	gestorben*	to die
stoßen	stößt	stieß	gestoßen	to push
streichen	streicht	strich	gestrichen	to paint
tragen	trägt	trug	getragen	to carry
treffen	trifft	traf	getroffen	to meet
treiben	treibt	trieb	getrieben	to do
treten	tritt	trat	getreten	to step
trinken	trinkt	trank	getrunken	to drink
tun	tut	tat	getan	to do
überwinden	überwindet	überwand	überwunden	to overcome
vergessen	vergisst	vergaß	vergessen	to forget
verlieren	verliert	verlor	verloren	to lose
verschwinden	verschwindet	verschwand	verschwunden*	to disappear
verzeihen	verzeiht	verzieh	verziehen	to pardon
wachsen	wächst	wuchs	gewachsen*	to grow
waschen	wäscht	wusch	gewaschen	to wash
weisen	weist	wies	gewiesen	to show

wenden	wendet	wandte	gewendet	to turn
werben	wirbt	warb	geworben	to advertise
werden	wird	wurde	geworden*	to become
werfen	wirft	warf	geworfen	to throw
wiegen	wiegt	wog	gewogen	to weigh
wissen	weiß	wusste	gewusst	to know
ziehen	zieht	zog	gezogen	to pull

Hilfreiche Ausdrücke

Numbers *die Zahlen*

1	eins	13	dreizehn	24	vierundzwanzig	90	neunzig
2	zwei	14	vierzehn	25	fünfundzwanzig	100	hundert
3	drei	15	fünfzehn	26	sechsundzwanzig	200	zweihundert
4	vier	16	sechzehn	27	siebenundzwanzig	300	dreihundert
5	fünf	17	siebzehn	28	achtundzwanzig	400	vierhundert
6	sechs	18	achtzehn	29	neunundzwanzig	500	fünfhundert
7	sieben	19	neunzehn	30	dreißig	600	sechshundert
8	acht	20	zwanzig	40	vierzig	700	siebenhundert
9	neun	21	einundzwanzig	50	fünfzig	800	achthundert
10	zehn	22	zweiundzwanzig	60	sechzig	900	neunhundert
11	elf	23	dreiundzwanzig	70	siebzig	1000	tausend
12	zwölf			80	achtzig		

Days *die Wochentage*

Monday	*Montag*
Tuesday	*Dienstag*
Wednesday	*Mittwoch*
Thursday	*Donnerstag*
Friday	*Freitag*
Saturday	*Samstag*
Sunday	*Sonntag*

Months *die Monate*

January	*Januar*	July	*Juli*
February	*Februar*	August	*August*
March	*März*	September	*September*
April	*April*	October	*Oktober*
May	*Mai*	November	*November*
June	*Juni*	December	*Dezember*

Dates *die Daten*

1st	1. ersten
2nd	2. zweiten
3rd	3. dritten
4th	4. vierten
5th	5.fünften
6th	6. sechsten
7th	7. siebten
8th	8. achten
9th	9. neunten
10th	10. zehnten
20th	20. zwanzigsten
21st	21. einundzwanzigsten
22nd	22. zweiundzwanzigsten
23rd	23. dreiundzwanzigsten
24th	24. vierundzwanzigsten
25th	25. fünfundzwanzigsten

Ich habe am 13. Juli Geburtstag.
My birthday is on the 13th of July.
Heiligabend ist am 24. Dezember.
Christmas Eve is on the 24th of December.

Countries *die Länder*

America	*Amerika*	Northern Ireland	*Nordirland*
Australia	*Australien*	Pakistan	*Pakistan*
Austria	*Österreich*	Portugal	*Portugal*
Belgium	*Belgien*	Scotland	*Schottland*
England	*England*	Spain	*Spanien*
France	*Frankreich*	Switzerland	*die Schweiz*
Germany	*Deutschland*	Turkey	*die Türkei*
Great Britain	*Großbritannien*	Wales	*Wales*
Greece	*Griechenland*		
Ireland	*Irland*		
Italy	*Italien*		

Ich bin nach ... gefahren.
Ich bin ***in die*** *Schweiz/Türkei gefahren.*

Vokabular

Key: * irregular verb
\+ takes *sein* in the perfect tense
sep. separable verb

A

ab und zu now and then, occasionally
der **Abend(-e)** evening
das **Abendessen** dinner
abends in the evening
das **Abenteuer(-)** adventure
die **Abfahrt(-en)** departure
das **Abgas(-e)** exhaust fume
abhängig dependent
abholen *sep.* to pick up
das **Abitur** A levels (German equivalent)
der **Abschluss(¨-e)** final examination
abwaschen* *sep.* to do the dishes
abwesend absent
Ach was! So what!
die **Achterbahn(-en)** roller coaster
die **Adresse(-n)** address
der **Affe(-n)** monkey
die **AG(-s)** work group, study group, school club
ähnlich similar
die **Aktentasche(-)** briefcase
aktuell topical, relevant
der **Alkohol** alcohol, booze
allein alone
allerdings though, however
allgemein general
im **Allgemeinen** generally
der **Alltag** everyday life
die **Alpen** the Alps
alt old
der **Altersgenosse(-n)** person of one's own age (male)
die **Altersgenossin(-nen)** person of one's own age (female)
altmodisch old-fashioned
am längsten the longest
am liebsten the most
die **Ampel(-n)** traffic lights
sich **etwas halten*** to stick to something
das **Andenken(-)** souvenir
der **Anfang(¨-e)** beginning
anfangen* *sep.* to start, begin
angeln to fish
ankommen*† *sep.* to arrive
die **Ankunft(¨-e)** arrival
die **Anmeldung(-en)** reception
anrufen* *sep.* to call
die **Antwort(-en)** answer
sich **anziehen*** *sep.* to dress
der **Apfel(¨-)** apple
der **Apfelsaft(-säfte)** apple juice
die **Apotheke(-n)** pharmacy
April April
die **Arbeit(-en)** work
arbeiten to work
die **Arbeitsstunde(-n)** working hour
das **Arbeitszimmer(-)** study
arm poor
die **Art(-en)** sort, kind
der **Arzt(¨-e)** doctor (male)
die **Ärztin(-nen)** doctor (female)
Asien Asia
auch also, too
Auf Wiederhören! Goodbye! (on the telephone)
Auf Wiedersehen! Goodbye!
der **Aufenthalt(-e)** stay
der **Aufenthaltsraum(-räume)** lounge; recreation room
auffüllen *sep.* to stock up, fill up
aufgeben* *sep.* to give up
aufhören *sep.* to stop
aufmachen *sep.* to open
aufnehmen* *sep.* to record
aufräumen *sep.* to tidy
aufschlagen* *sep.* to open
aufschreiben* *sep.* to write down
aufstehen*† *sep.* to get up
der **Aufzug(¨-e)** lift
das **Auge(-n)** eye
der **Augenarzt(¨-e)** ophthalmologist (male)
die **Augenärztin(-nen)** ophthalmologist (female)
August August
die **Ausbildung(-en)** education
der **Ausflug(¨-e)** trip
ausfüllen *sep.* to fill out (a form)
ausgeben* to spend
ausgehen*† *sep.* to go out
ausgewogen balanced
ausgezeichnet excellent
die **Auskunft(¨-e)** information
das **Ausland** *sing.* foreign countries, abroad
ausländisch foreign
der **Auspuff(-s)** exhaust
die **Ausrede(-n)** excuse
ausreichend sufficient
ausschalten to switch off
das **Aussehen** *sing.* looks
aussehen* *sep.* to look like
die **Aussicht(-en)** view
der **Austausch(-e)** exchange
austragen* *sep.* to deliver
Zeitungen **austragen*** *sep.* to do a newspaper round
Australien Australia
ausverkauft sold out
die **Auswahl(-en)** choice
auswendig by heart
sich **ausziehen*** *sep.* to undress
das **Auto(-s)** car
die **Autobahnraststätte(-n)** motorway service area

B

die **Bäckerei(-en)** bakery
das **Bad(¨-er)** bath; bathroom
das **Badezimmer(-)** bathroom
der **Bahnhof(-höfe)** station
bald soon
baldig speedy
der **Balkon(-e)** balcony
die **Banane(-n)** banana
die **Bankkauffrau(-en)** bank clerk (female)
der **Bankkaufmann(-kaufleute)** bank clerk (male)
der **Bauarbeiter(-)** construction worker
die **Bauarbeiterin(-nen)** construction worker (female)
der **Baum(¨-e)** tree
die **Baustelle(-n)** construction site
beabsichtigen to intend
beantworten to answer
der **Becher(-)** cup, beaker
bedienen to serve
bedroht threatened
sich **beeilen** to hurry
beginnen* to start, begin
die **Behinderte(-n)** handicapped (female)
der **Behinderte(-n)** handicapped (male)
das **Behindertenheim(-e)** home for handicapped people
bekommen* to get
beliebt popular
die **Bemerkung(-en)** remark
sich **bemühen** to make an effort
benutzen to use
die **Beratung(-en)** advice, advising
der **Bereich(-e)** area, sector
im **Bereich Tourismus** in the field of tourism
der **Berg(-e)** mountain
der **Bericht(-e)** report
der **Beruf(-e)** profession, job
die **Berufsschule(-n)** vocational school
berühmt famous
beschließen* to decide
beschreiben* to describe
sich **beschweren** to complain
besichtigen to view
besonders especially
besprechen* to discuss
bestellen to order
die **Bestellung(-en)** order
bestimmen to rule; determine
der **Besuch(-e)** visit
besuchen to visit someone
das **Betriebspraktikum(-praktika)** training course
das **Bett(-en)** bed
die **Bibliothek(-en)** library
das **Bier(-e)** beer
das **Bild(-er)** picture
billig cheap, inexpensive
blau blue
bleiben*† to remain, stay
der **Bleistift(-e)** pencil
der **Blick(-e)** view
blöd stupid, daft
die **Blume(-n)** flower
der **Blumenkohl** cauliflower
die **Blutwurst(-würste)** black pudding
der **Bodensee** Lake Constance
die **Bohne(-n)** bean
das **Bonbon(-s)** sweet, bonbon

die **Bratkartoffeln** *pl.* fried potatoes
brauchen to need
braun brown
die **Bremse(-n)** brake
der **Brief(-e)** letter
der **Briefkasten(¨-)** letter box
die **Briefmarke(-n)** stamp
die **Brieftasche(-n)** wallet
die **Brille(-n)** glasses
die **Broschüre(-n)** brochure
das **Brot(-e)** bread
das **Brötchen(-)** bread roll
die **Brücke(-n)** bridge
der **Bruder (¨-)** brother
der **Brunnen(-)** well
das **Buch(¨-er)** book
buchstabieren to spell
der **Bund** German armed forces
der **Bundeskanzler(-)** Federal Chancellor
die **Bundeswehr** German armed forces
der **Bungalow(-s)** bungalow
das **Büro(-s)** office
bürsten to brush
der **Bus(-se)** bus
die **Butter** butter

C

der **Campingplatz(¨-e)** camp site
der **Champignon(-s)** mushroom
chinesisch Chinese
der **Chor(¨-e)** choir
die **Cola(-s)** coca cola
das **Computerspiel(-e)** computer game
der **Cousin(-s)** cousin (male)
die **Cousine(-n)** cousin (female)

D

das **Dachgeschoss(-e)** attic
die **Dame(-n)** lady
damit so that
danach afterwards
die **Dauer** *sing.* duration
dauern to last
deprimierend depressing
deutsch German
Deutschland Germany
Dezember December
die **Diät(-en)** diet
dick fat
der **Dieb(-e)** thief
der **Diebstahl(¨-e)** burglary, robbery
der **Dienst(-e)** service
Dienstag Tuesday
der **Dinosaurier(-)** dinosaur
diskutieren to discuss
Donnerstag Thursday
doof daft, stupid
das **Doppelhaus(-häuser)** pair of semi-detached houses
das **Doppelzimmer(-)** double room
das **Dorf(¨-er)** village
die **Dose(-n)** can, tin
die **Dosierung(-en)** dose
dran sein*† to be someone's turn
dringend urgent
die **Droge(-n)** drug
die **Drogerie(-n)** chemist's
durch through, by
durchschnittlich on average
die **Dusche(-n)** shower
sich **duschen** to have a shower

E

die **Ecke(-n)** corner
der **Effekt(-e)** effect
ehrlich honest
die **Ehrlichkeit** *sing.* honesty
das **Ei(-er)** egg
der **Eimer(-)** bucket
ein bisschen a little bit
einfach easy, single
das **Einfamilienhaus(¨-er)** detached house
der **Eingang(¨-e)** entrance
die **Eingangshalle(-n)** hallway
einkaufen† *sep.* to shop
einkaufen gehen*† to go shopping
einladen* *sep.* to invite
die **Einladung(-en)** invitation
einlösen* *sep.* to cash (a cheque)
einpacken *sep.* to wrap
einschalten *sep.* to switch on
einschlafen*† *sep.* to fall asleep
der **Einwohner(-)** inhabitant
das **Einzelkind(-er)** only child
das **Einzelzimmer(-)** single room
das **Eis(-)** ice-cream
der **Eisbecher** ice-cream coupe
die **Eisdiele(-n)** ice-cream parlour
das **Eiweiß(-e)** protein
ekelhaft disgusting
der **Elefant(-en)** elephant
der **Elektriker(-)** electrician (male)
die **Elektrikerin(-nen)** electrician (female)
die **Eltern** *pl.* parents
die **E-Mail(-s)** e-mail
die **Empfangsdame(-n)** receptionist
empfehlen* to recommend
empfindlich sensitive
das **Ende(-n)** end
enden to end
die **Energie(-n)** energy
enthalten* to contain
sich **entscheiden*** to decide
entspannend relaxing
entweder ... oder either ... or
die **Erbse(-n)** pea
die **Erdbeere(-n)** strawberry
das **Erdgeschoss(-e)** ground floor
die **Erdkunde** geography
die **Erfahrung(-en)** experience
erfolgreich successful
die **Erkältung(-en)** cold
erlauben to allow
die **Erlaubnis** *sing.* permission
ermäßigt reduced
die **Ermäßigung(-en)** reduction, discount
ernsthaft serious
der **Ersatz** *sing.* substitute
erst- first
der **erste Stock** first floor
im **ersten Stock** on the first floor
der **Erwachsene(-n)** grown-up, adult (female)
die **Erwachsene(-n)** grown-up, adult (male)
erwähnen to mention
erzählen to tell
der **Erzieher(-)** educator, teacher (male)
die **Erzieherin(-nen)** educator, teacher (female)
es freut mich, dass I'm pleased that
es geht mir gut I'm fine
es gelingt mir I succeed
es ist mir gelungen I succeeded
es handelt sich um it's a matter of
es handelt von it's about
es lohnt sich it's worth it
das **Essen** food, meal
essen* to eat
das **Esszimmer(-)** dining room
etwas something

F

fabelhaft fantastic
das **Fach(¨-er)** subject (at school)
die **Fachfrau(-en)** specialist (female)
der **Fachmann (-leute)** specialist (male)
fade tasteless
die **Fähre(-n)** ferry
fahren*† to go (by vehicle), travel
das **Fahrrad(¨-er)** bicycle
der **Fall(¨-e)** fall
falsch false; wrong
die **Familie(-n)** family
die **Farbe(-n)** colour
faul lazy
faulenzen to be lazy
Februar February
der **Federball** badminton
feiern to celebrate
der **Feiertag(-e)** holiday
die **Ferien** holidays
das **Fernsehen** TV
fernsehen* *sep.* to watch TV
der **Fernsehturm(¨-e)** TV tower
fertig ready; finished
das **Fest(-e)** celebration
die **Fete(-n)** party
das **Fett(-e)** fat
fettig fatty

das Fieber *sing.* temperature, fever
der **Filzstift(-e)** felt-tip pen
finden* to find
der **Finger(-)** finger
die **Firma (Firmen)** company
der **Firmenwagen(-)** company car
der **Fisch(-e)** fish
das **Fleisch** meat
fleißig industrious
fliegen*† to fly
die **Flöte(-n)** flute
der **Fluss(¨-e)** river
folgen† to follow
die **Folterkammer(-n)** torture chamber
die **Forelle(-n)** trout
das **Foto(-s)** photo
fotografieren to take photos
fotokopieren to photocopy
die **Frage(-n)** question
der **Fragebogen(-bögen)** questionnaire
fragen to ask
Fragen stellen to ask questions
Frankreich France
französisch French
frech nasty
frei free; empty
das **Freibad(¨-er)** open-air swimming pool
die **Freiheit(-en)** freedom
Freitag Friday
die **Freizeit** *sing.* leisure time
die **Fremdsprache(-n)** foreign language
sich **freuen** to be happy, pleased; to look forward to
der **Freund(-e)** friend (male)
die **Freundin(-nen)** friend (female)
freundlich friendly
frisch fresh
der **Friseur(-e)** hairdresser (male)
die **Friseuse(-n)** hairdresser (female)
die **Frisur(-en)** hairstyle, hairdo
früh early
der **Frühling** spring
das **Frühstück** breakfast
frühstücken to have breakfast
sich **fühlen** to feel
der **Führerschein(-e)** driving licence
die **Führungsposition(-en)** top position
das **Fundbüro(-s)** lost-property office
die **Funkausstellung(-en)** radio and television show
furchtbar horrible
der **Fußball** football
die **Fußgängerzone(-n)** pedestrian mall
füttern to feed

G

die **Gans(¨-e)** goose
ganz whole
die **Ganztagsschule(-n)** whole-day school
die **Garage(-n)** garage
der **Garten(¨-)** garden
die **Gaststätte(-n)** restaurant, inn
das **Gebäude(-)** building
geben* to give
es **gibt** there is/are
die **Geburt(-en)** birth
der **Geburtstag(-e)** birthday
das **Gedicht(-e)** poem
geduldig patient
geeignet suitable
gefährlich dangerous
gefallen*: es gefällt mir I like it
gefrieren* to freeze
gegen against; towards
die **Gegend(-en)** landscape, region
das **Geheimnis(-se)** secret
gehen*† to go, walk
gehören* to belong to
das **Gelände(-)** premises
gelaunt sein*† to be in a mood
gelb yellow
das **Geld** money
der **Geldbeutel(-)** purse, wallet
geldlos without money
gelingen*† to succeed
gemein mean
gemischt mixed
das **Gemüse(-)** vegetable
genau exactly
genug enough
geöffnet open
das **Gepäck** *sing.* luggage
die **Gepäckaufbewahrung(-en)** left-luggage office
geradeaus straight ahead
gern gladly
die **Gesamtschule(-n)** comprehensive school
das **Geschäft(-e)** shop
das **Geschenk(-e)** gift, present
die **Geschichte(-n)** story
geschieden divorced
geschlossen closed
die **Geschwister** *pl.* brothers and sisters
gesellig social
das **Gesetz(-e)** law
das **Gespräch(-e)** conversation
gestern yesterday
gesund healthy
getrennt separated
die **Gewalt(-en)** violence
gewinnen* to win
das **Gewitter(-)** thunderstorm
die **Gewohnheit(-en)** habit
die **Gitarre(-n)** guitar
glatt smooth
gleich the same
das **Gleis(-e)** platform
das **Glück** fortune
der **Grafiker(-)** graphic designer (male)
die **Grafikerin(-nen)** graphic designer (female)
das **Gras(¨-er)** grass
grau grey
Griechenland Greece
die **Grippe(-n)** flu, influenza
groß large, tall
die **Größe(-n)** height
die **Großeltern** *pl.* grandparents
grün green
der **Grund(¨-e)** reason
die **Gruppe(-n)** group
gruselig weird, creepy
grüßen to greet
gut good
der **Gutschein(-e)** voucher
das **Gymnasium (Gymnasien)** grammar school

H

das **Haar(-e)** hair
haben* to have
der **Hafen(¨-)** harbour
das **Hähnchen(-)** chicken
halb half
der **Halbbruder(¨-)** half brother
die **Halbpension** *sing.* half-board
die **Halbschwester(-n)** half sister
das **Hallenbad(¨-er)** indoor swimming pool
die **Halsschmerzen** *pl.* sore throat
die **Handtrommel(-n)** tambourine
das **Handtuch(¨-er)** towel
das **Handy(-s)** mobile phone
das **Häschen(-)** small rabbit
hassen to hate
der **Hauptdarsteller(-)** leading actor
die **Hauptdarstellerin(-nen)** leading actress
das **Hauptgericht(-e)** main course
die **Hauptschule(-n)** extended elementary school
die **Hauptstadt(-städte)** capital
die **Hauptstraße** main street
das **Haus(¨-er)** house
die **Hausaufgabe(-n)** homework
der **Haushalt(-e)** household
das **Haustier(-e)** pet
das **Heft(-e)** exercise book, notebook
der **Heiligabend(-e)** Christmas Eve
das **Heimweh** homesickness
heiraten to marry
heiß hot
heißen* to be called
hektisch hectic
helfen* to help
das **Hemd(-en)** shirt
herausbringen* *sep.* to publish (a book), to release (an album)

die **Herbergsmutter(-mütter)** housemother, (hostel) warden
der **Herbergsvater(-väter)** (hostel) warden
der **Herbst** autumn
der **Heuschnupfen(-)** hayfever
heute today
heute Morgen this morning
heutzutage today, nowadays
hilfsbereit helpful
der **Himmel** *sing.* sky
hin und zurück return (ticket)
hinsetzen *sep.* to sit down
hinter behind
hoch high
hoffen to hope
holländisch Dutch
das **Holz(¨-er)** wood
hören to hear
das **Horoskop(-e)** horoscope
die **Hose(-n)** trousers
der **Hund(-e)** dog
den **Hund ausführen** *sep.* to walk the dog

I

ich hätte gern ... I would like ...
ich mache es gern I like doing it
ich möchte gern ... I would like ...
ich nehme ... I take ...
die **Idee(-n)** idea
im Voraus in advance
der **Imbiss(-e)** snack
immer always
Indien India
indisch Indian
die **Industrie(-n)** industry
die **Informatik** information technology
die **Innenstadt(-städte)** inner city, town centre
interessant interesting
das **Interesse(-n)** interest
Interesse haben* to be interested in
sich **interessieren...für** to be interested in
Irland Ireland
Italien Italy
italienisch Italian

J

die **Jacke(-n)** jacket
das **Jahr(-e)** year
ein freiwilliges soziales Jahr a voluntary year
die **Jahreszeit(-en)** season
Januar January
jetzt now
die **Jugendherberge(-n)** youth hostel
der **Jugendklub(-s)** youth club
der **Jugendliche(-n)** young person (male)
die **Jugendliche(-n)** young person (female)
das **Jugendzentrum(-zentren)** youth centre
July Juli
jung young
der **Junge(-n)** boy
Juni June

K

der **Kaffee(-s)** coffee
der **Kakao(-s)** cocoa
das **Kalbfleisch** veal
kalt cold
sich **kämmen** to comb one's hair
der **Kanal(¨-e)** (TV) channel
das **Känguru(-s)** kangaroo
das **Kaninchen(-)** rabbit
das **Kännchen(-)** small pot (of tea/coffee)
das **Kanu(-s)** canoe
kaputt broken
die **Karotte(-n)** carrot
die **Karriere(-n)** career
die **Karte(-n)** ticket; card
die **Kartoffel(-n)** potato
die **Kartoffelchips** *pl.* crisps
der **Käse(-sorten)** cheese
die **Kaserne(-n)** barracks
die **Kasse(-n)** cash desk
die **Kassette(-n)** cassette
das **Kätzchen(-)** kitten
die **Katze(-n)** cat
kaufen to buy
das **Kaufhaus(-häuser)** department store
der **Kaugummi(-s)** chewing gum
der **Keks(-e)** biscuit
der **Keller(-)** cellar
kennen lernen *sep.* to get to know
das **Kind(-er)** child
das **Kino(-s)** cinema
die **Kirche(-n)** church
die **Kirsche(-n)** cherry
die **Klamotten** *pl.* clothes
klappen to work, function
es **klappt!** it works!
die **Klasse(-n)** class
die **Klassenfahrt(-en)** school trip
das **Klassenzimmer(-)** classroom
klassisch classical
der **Klatsch und Tratsch** gossip
das **Klavier(-e)** piano
die **Kleidung** clothes
klein small
klingeln to ring
der **Kloß(¨-e)** dumpling
die **Kneipe(-n)** pub
der **Koalabär(-en)** koala bear
der **Koch(¨-e)** cook (male)
die **Köchin(-nen)** cook (female)
der **Kohl** cabbage
der **Kollege(-n)** colleague (male)
die **Kollegin(-nen)** colleague (female)
kommen*† to come
die **Komödie(-n)** comedy
kompliziert complicated
die **Konditorei(-en)** café
der **Kontinent(-e)** continent
das **Konzert(-e)** concert
die **Konzertkarte(-n)** concert ticket
die **Kopfschmerzen** *pl.* headache
kopieren to copy
der **Körper(-)** body
korrigieren to correct
kosten to cost
das **Kostüm(-e)** costume
die **Krabbe(-n)** shrimp
krank ill
das **Krankenhaus (-häuser)** hospital
der **Krankenpfleger(-)** nurse (male)
die **Krankenpflegerin(-nen)** nurse (female)
der **Krankenwagen(-)** ambulance
das **Kraut(¨-er)** herb
der **Kräutertee(-s)** herbal tea
die **Kreditkarte(-n)** credit card
die **Kreuzung(-en)** crossroads
der **Krieg(-e)** war
der **Krimi(-s)** thriller
das **Krokodil(-e)** crocodile
die **Küche(-n)** kitchen
der **Kuchen(-)** cake
die **Kugel(-n)** ball
der **Kuli(-s)** ballpoint pen
der **Kundendienst(-e)** customer service
die **Kunst(¨-e)** art
kurz short

L

der **Laden(¨-)** shop
die **Lage(-n)** location; situation
die **Lakritze(-n)** liquorice
die **Lampe(-n)** lamp
das **Land(¨-er)** country; countryside
auf dem **Land wohnen** to live in the countryside
die **Landkarte(-n)** map
landwirtschaftlich agricultural
lang long
langsam slowly
langweilig boring
Latein Latin
laufen*† to run
launisch moody
laut loud
leben to live
das **Leben(-)** life
das **Lebensmittel(-)** food
die **Leber(-n)** liver
lebhaft vivid
lecker delicious
das **Leder(-)** leather
leer empty
der **Lehrer(-)** teacher (male)
die **Lehrerin(-nen)** teacher (female)

die **Lehrstelle(-n)** apprenticeship
leicht easy
die **Leichtathletik** athletics
Leid: es tut mir Leid I'm sorry
leiden können* to like
nicht **leiden können*** to dislike
leiden* to suffer
leider unfortunately
der **Leistungskurs(-e)** main subject
die **Leitung(-en)** line, cable (car)
lernen to learn, study
lesen* to read
der **Leser(-)** reader (male)
die **Leseratte(-n)** bookworm
die **Leserin(-nen)** reader (female)
die **Leute** *pl.* people
lieb dear, sweet
die **Liebe** love
lieben to love
liebevoll tender
Lieblings- favourite
das **Lied(-er)** song
liegen* to lie
lila purple
die **Limonade(-n)** lemonade
das **Lineal(-e)** ruler
links left
lockig curly
der **Lohn(¨-e)** wages
sich **lohnen** to be worth
losfahren*† *sep.* to drive off; to start, get going
der **Löwe(-n)** lion
Lust haben*, etwas zu tun to fancy doing s.th.
lustig funny

M

machen to do, make
das **Mädchen(-)** girl
die **Magenschmerzen** stomachache
die **Mahlzeit(-en)** meal
Mai May
manchmal sometimes
mangelhaft poor, low
die **Mannschaft(-en)** team
die **Mappe(-n)** briefcase
der **Markt(¨-e)** market
die **Marmelade(-n)** jam
März March
die **Maske(-en)** mask
die **Mauer(-n)** wall
die **Maus(¨-e)** mouse
der **Mechaniker(-)** mechanic (male)
die **Mechanikerin(-nen)** mechanic (female)
die **Medizin** medicine
meinen to think
die **Meinung(-en)** opinion
meistens mostly
melden to report
der **Mensch(-en)** human being
merken to notice
die **Milch** *sing.* milk
das **Milchbrötchen(-)** French roll
der **Millionär(-e)** millionaire (male)
die **Millionärin(-nen)** millionaire (female)
das **Mineralwasser** mineral water
das **Mitglied(-er)** member
mitkommen*† to come along
mitmachen *sep.* to take part in, participate
mitsingen *sep.* to sing along
mittags at noon
das **Mittel(-)** remedy
die **Mitternacht** midnight
die **mittlere Reife** GCSEs (German equivalent)
Mittwoch Wednesday
das **Modellflugzeug(-e)** model aeroplane
mögen* to like
der **Mokka(-s)** mocca
der **Monat(-e)** month
Montag Monday
der **Morgen** morning
morgen tomorrow
der **Müll** *sing.* garbage
der **Mülleimer** garbage can
München Munich
das **Münster(-)** cathedral
die **Münze(-n)** coin
die **Musik** music
der **Mut** *sing.* courage
die **Mutter(¨-)** mother
die **Mütze(-n)** cap

N

der **Nachbar(-n)** neighbour
der **Nachmittag(-e)** afternoon
nachmittags in the afternoon
die **Nachricht(-en)** message; news
die **Nacht(¨-e)** night
der **Nachteil(-e)** disadvantage
der **Nachtisch(-e)** dessert
die **Nähe** closeness
in der **Nähe von** nearby
der **Name(-n)** name
die **Natur** nature
natürlich of course
die **Natürlichkeit** *sing.* naturalness
neben next to
nebenan next door
neblig foggy
nehmen* to take
neidisch envious
nervig nerve-racking
nett nice
neu new
neulich recently
nie never
noch mal again
der **Norden** north
normalerweise normally
der **Notausgang(¨-e)** emergency exit
der **Notdienst(-e)** emergency service
die **Note(-n)** grade
die **Notiz(-en)** notes
November November
die **Nudel(-n)** pasta
die **Nummer(-n)** number
nur only
die **Nuss(¨-e)** nut
nutzen to use, make use of
nützlich useful

O

oben above
die **Oberstufe(-n)** sixth form
das **Obst** fruit
obwohl although
oft often
die **Ohrenschmerzen** *pl.* earache
der **Ohrring(-e)** earring
öko- bio
ökologisch ecological
Oktober October
der **Onkel(-)** uncle
die **Oper(-n)** opera
das **Orchester(-)** orchestra
ordentlich tidy
der **Ordner(-)** folder
die **Ordnung(-en)** order
organisieren to organize
der **Osten** east
Österreich Austria
die **Ostsee** Baltic Sea

P

die **Packung(-en)** package, packet
pakistanisch Pakistani
die **Panne(-n)** breakdown, engine trouble
der **Partner(-)** partner (male)
die **Partnerin(-nen)** partner (female)
der **Pass (¨-e)** passport
passend matching
passieren to happen
die **Pause(-n)** break
peinlich embarrassing
die **Persönlichkeit(-en)** personality
die **Pfandflasche(-n)** returnable bottle
der **Pfennig(-e)** pfennig
das **Pferd(-e)** horse
das **Pferderennen(-)** horse race
der **Pfirsich(-e)** peach
die **Pflanze(-n)** plant
pflanzen to plant
das **Pflaster(-)** (sticking) plaster
das **Pfund(-e)** pound
der **Pickel(-)** spot, pimple
der **Pilot(-en)** pilot (male)
die **Pilotin(-nen)** pilot (female)
der **Plan(¨-e)** plan
die **Platinplatte(-n)** platinum album
der **Politiker(-)** politician (male)

die **Politikerin(-nen)** politician (female)
der **Polizist(-en)** policeman
die **Polizistin(-nen)** policewoman
die **Pommes frites** *pl.* chips
die **Portion(-en)** portion
die **Postkarte(-n)** postcard
das **Pratikum(Praktika)** practical training, work
der **Preis(-e)** price; prize
preiswert inexpensive
prima great
pro per
pro Tag per day
probieren to taste
das **Problem(-e)** problem
produzieren to produce
das **Programm(-e)** programme
die **Prüfung(-en)** examination
der **Punkt(-e)** point
die **Pute(-n)** female turkey
putzen to clean

Q

der **Quatsch** nonsense
die **Quittung(-en)** receipt

R

Rad fahren*† to cycle
das **Rad(¨-er)** bicycle
der **Radiergummi(-s)** rubber
die **Radiosendung(-en)** broadcast
der **Radweg(-e)** cycle track
raten* to guess
das **Rathaus (-häuser)** town hall
rauchen to smoke
die **Realschule** secondary modern school
die **Recherche(-n)** research
Recht haben* to be right
rechts right
der **Rechtsanwalt(¨-e)** lawyer (male)
die **Rechtsanwältin(-nen)** lawyer (female)
das **Regal(-e)** shelf
die **Regel(-n)** rule
regelmäßig regularly
regeln to sort something out
der **Regenschirm(-e)** umbrella
regnen to rain
regnerisch rainy
reich rich
der **Reifen(-)** tyre
die **Reifenpanne(-n)** puncture
die **Reihenfolge(-n)** order
das **Reihenhaus(¨-er)** terraced house
der **Reis** rice
die **Reise(-n)** travel
das **Reisebüro(-s)** travel agency
der **Reisebus(-se)** coach
der **Reiseleiter(-)** tourist guide (male)
die **Reiseleiterin(-nen)** tourist guide (female)
reisen† to travel
reiten*† to ride, go riding
religiös religious
reparieren to repair
die **Reportage(-n)** report, running commentary
reservieren to reserve
die **Reservierung(-en)** reservation
der **Rhythmus (Rhythmen)** rhythm
richtig correct; right
riesig huge
der **Rinderbraten(-)** roast beef
der **Roman(-e)** novel
romantisch romantic
der **Römer(-)** Roman (male)
die **Römerin(-nen)** Roman (female)
rosa pink
die **Röstkartoffeln** *pl.* roast potatoes
rot red
der **Rotkohl(-e)** red cabbage
ruhig quiet
Rumänien Romania
der **Rummelplatz(-plätze)** funfair
die **Rundfahrt(-en)** round trip
Russland Russia

S

die **Sache(-n)** thing, object, article
sagen to say, tell
die **Sahne** cream
die **Salbe(-n)** ointment
das **Salz** *sing.* salt
sammeln to collect
die **Sammlung(-en)** collection
Samstag Saturday
der **Sänger(-)** singer (male)
die **Sängerin(-nen)** singer (female)
satt full (no longer hungry)
etwas **satt haben*** to be fed up with
sauber halten* to keep clean
sauer sour
Schade! What a pity!
schaden to harm, damage
der **Schalter(-)** counter, booking-office
scharf hot
der **Schatz(¨-e)** treasure
der **Schauspieler(-)** actor
die **Schauspielerin(-nen)** actress
die **Scheibe(-n)** slice
der **Scheibenwischer(-)** windscreen wiper
scheinen* to shine
der **Scheinwerfer(-)** headlight
die **Schichtarbeit(-en)** shift work
schicken to send
die **Schifffahrt(-en)** boat trip
die **Schildkröte(-n)** turtle; tortoise
der **Schinken(-)** ham
schlafen* to sleep
das **Schlafzimmer(-)** bedroom
schlank slender
schlecht bad
schleudern† to skid
ins **Schleudern geraten***† to go into a skid
das **Schließfach(-fächer)** post-office box; deposit box
das **Schloss(¨-er)** castle; lock
der **Schlüssel(-)** key
der **Schlussverkauf(¨-e)** sale
schmecken to taste
die **Schminke(-n)** make-up
schmücken to decorate
schmutzig dirty
sich **schneiden*** *sep.* to cut oneself
schneien to snow
schnell fast
der **Schnellimbiss(-e)** snack bar
der **Schnupfen(-)** cold
die **Schokolade (-n)** chocolate
schon already
schön beautiful
Schottland Scotland
schrecklich awful
schreiben* to write
die **Schreibwaren** *pl.* stationery
schüchtern shy
der **Schuh(-e)** shoe
die **Schulden** *pl.* debts
die **Schule(-n)** school
der **Schüler(-)** pupil (male)
die **Schülerin(-nen)** pupil (female)
der **Schulhof(¨-e)** school yard
das **Schuljahr(-e)** school year
die **Schultasche(-n)** school bag
schützen to protect
schwach weak
schwarz black
der **Schwarzwald** Black Forest
das **Schweinekotelett(-s)** pork chop
die **Schweiz** Switzerland
die **Schwerarbeit(-en)** heavy work
die **Schwester(-n)** sister
schwierig difficult
das **Schwimmbad(-bäder)** swimming pool
schwimmen*† to swim
der **See(-n)** lake
die **See** *sing.* sea, ocean
der **Seehund(-e)** seal
der **Segellehrer(-)** sailing teacher (male)
die **Segellehrerin(-nen)** sailing teacher (female)
segeln† to sail
sehen* to see
die **Sehenswürdigkeit(-en)** sights
sehr very
die **Seife(-n)** soap
sein*† to be
seit since
die **Seite(-n)** page
der **Sekretär(-e)** secretary (male)

die **Sekretärin(-nen)** secretary (female)
selbstsicher self-confident
selten rarely
die **Sendung(-en)** programme
September September
die **Serie(-n)** series
singen* to sing
sinnvoll meaningful, significant
sitzen bleiben*† to repeat a year at school
sitzen* to sit
der **Skandal(-e)** scandal
Ski fahren*† to ski
Slowenien Slovenia
so dass so that
sofort at once, immediately
die **Soja (Sojen)** soy
der **Soldat(-en)** soldier
der **Sommer** summer
sondern but
die **Sonnenbrille(-n)** sunglasses
sonnig sunny
Sonntag Sunday
sonst noch etwas? anything else?
Sonstiges other things
die **Sorge(-n)** worry
sowohl ... als auch as well as
Spanien Spain
der **Spanier(-)** Spanish (noun)
spannend exciting
sparen to save
der **Spargel(-)** asparagus
die **Sparkasse(-n)** savings bank
das **Sparschwein(-e)** piggy bank
der **Spaß** fun
spät late
die **Spätzle** *pl.* spaetzle (kind of homemade pasta)
spazieren gehen*† to go for a walk
der **Spaziergang(-gänge)** walk
die **Spezialität(-en)** speciality
spielen to play
der **Spielfilm(-e)** film
der **Spielplatz(-plätze)** playground
der **Spinat(-)** spinach
der **Sport** sports
Sport treiben* to do sports
das **Sportgeschäft(-e)** sports shop
die **Sporthalle(-n)** gymnasium, sports hall
sportlich sporty
die **Sportmöglichkeit(-en)** sports possibility
der **Sportverein(-e)** sports club
die **Sprechblase(-n)** bubble
sprechen* to speak, talk
springen*† to jump
die **Spülmaschine(-n)** dishwasher
die **Spur(-en)** track, trace
das **Stadion (Stadien)** stadium
die **Stadt(¨-e)** town, city
der **Stadtbummel(-)** stroll through the town
die **Stadtmitte(-n)** town centre
der **Stadtplan(¨-e)** town plan
der **Stadtrand(¨-er)** outskirts of town
die **Stadtrundfahrt(-en)** sightseeing tour
der **Stammbaum(¨-e)** family tree
stark strong
Staub saugen to hoover
der **Steckbrief(-e)** personal description
stecken to be in/behind, etc
stehlen* to steal
steigen*† to climb
stellen to place
der **Stellplatz(¨-)** site
sterben*† to die
die **Stereoanlage(-n)** stereo unit
der **Stern(-e)** star
die **Stiefmutter(-mütter)** step mother
der **Stiefvater(-väter)** step father
der **Stoff(-e)** fabric
stören to disturb
stoßen* to hit
der **Strand(¨-e)** beach
die **Straßenbahn(-en)** tram(car)
der **Streit(-e)** argument
sich **streiten*** to argue, have an argument
streng strict
stressig stressful
der **Strom** *sing.* electricity
der **Strom(¨-e)** (large) river
die **Strophe(-n)** verse
der **Strudel(-)** strudel (Austrian cake)
studieren to study
der **Stuhl(¨-e)** chair
die **Stunde(-n)** hour
der **Stundenplan(-pläne)** timetable
stürmisch stormy
suchen to look for
der **Süden** south
die **Sünde(-n)** sin
der **Supermarkt(-märkte)** supermarket
die **Suppe(-n)** soup
süß sweet
Süßes sweets
die **Süßigkeit(-en)** sweets
sympathisch pleasant

T

die **Tabelle(-n)** chart
die **Tablette(-n)** tablet
der **Tag(-e)** day
das **Tagebuch(¨-er)** diary
der **Tagesausflug(-ausflüge)** day trip
täglich daily
der **Talentabend(-e)** talent evening
die **Tankstelle(-n)** petrol station
die **Tante(-n)** aunt
tanzen to dance
die **Tasche(-n)** bag
das **Taschengeld** pocket money
die **Tasse(-n)** cup
die **Tätigkeit(-en)** activity
tauchen to dive
der **Tee(-s)** tea
teilen to share
der **Teilnehmer(-)** participant (male)
die **Teilnehmerin(-nen)** participant (female)
das **Telefon(-e)** telephone
die **Telefonzelle(-n)** telephone booth
das **Tennis** tennis
der **Tennisschläger(-)** tennis racket
die **Terrasse(-n)** terrace
teuer expensive
das **Theater(-)** theatre
das **Thema (Themen)** theme, subject
das **Tier(-e)** animal
der **Tierarzt (-ärzte)** vet (male)
die **Tierärztin(-nen)** vet (female)
der **Tierpark(-s)** zoo
die **Tinte(-n)** ink
der **Tisch(-e)** table
den **Tisch abräumen** to clean the table
den **Tisch decken** to lay the table
die **Toilette(-n)** toilet
toll great, fantastic
das **Tor(-e)** gate
die **Torte(-n)** gateau, tart
tot dead
total totally
tragen* to wear; carry
der **Traum(¨-e)** dream
traurig sad
sich **treffen*** to meet
der **Treffpunkt(-e)** meeting point
die **Treppe(-n)** stairs
trimmen to keep fit
trinken* to drink
trotz in spite of
trotzdem nevertheless
Tschüs! Bye!
tun* to do
die **Tür(-en)** door
die **Turnhalle(-n)** gym
die **Tüte(-n)** (plastic/paper) bag

U

die **U-Bahn(-en)** underground
üben to practise
über over; above
überall everywhere
überhaupt nicht not at all
überhaupt nichts nothing at all
die **Überschrift(-en)** heading
übersetzen to translate
die **Übung(-en)** exercise
die **Uhr(-en)** clock
die **Umfrage(-n)** survey
die **Umkleidekabine(-n)** changing cubicle
umschalten to switch over
die **Umwelt(-en)** environment
umweltfeindlich environmentally unfriendly

umweltfreundlich environmentally friendly
sich **umziehen*** *sep.* to change
der **Umzug(-züge)** procession
unbekannt unknown
unbeliebt unpopular
unbequem uncomfortable
unehrlich dishonest
unentschieden undecided
der **Unfall(¨-e)** accident
unfreundlich unfriendly
Ungarn Hungary
ungeduldig impatient
ungenügend inadequate, poor
ungesund unhealthy
unglaublich unbelievable
die **Uniform(-en)** uniform
die **Universität(-en)** university
unordentlich messy
unsympathisch unpleasant
unten below
die **Unterhaltung** entertainment
der **Unterricht** *no pl.* classes, lessons
unvergesslich unforgettable
der **Urlaub(-e)** holiday

V

die **Vanille** vanilla
die **Variante(-n)** variety
der **Vater(¨-)** father
der **Vegetarier(-)** vegetarian (male)
die **Vegetarierin(-nen)** vegetarian (female)
vegetarisch vegetarian
die **Verantwortung** responsibility
der **Verband(¨-e)** dressing, bandage
die **Verbindung(-en)** connection
verboten forbidden
verbringen* to spend
verdienen to earn
der **Verein(-e)** club
vergessen* to forget
sich **vergnügen** to amuse oneself, have fun
verhext bewitched
verkaufen to sell
der **Verkäufer(-)** shop assistant (male)
die **Verkäuferin(-nen)** shop assistant (female)
der **Verkehr** *sing.* traffic
das **Verkehrsamt(¨-er)** tourist (information) office
das **Verkehrsmittel(-)** means of transport
sich **verkleiden** to dress oneself up as
verlassen* to leave
verletzt injured
der **Verletzte(-n)** injured (male)
die **Verletzte(-n)** injured (female)
verlieren* to lose
der **Verlust(-e)** loss
vermissen to miss
die **Verpackung(-en)** packaging
verpassen to miss
verpesten to pollute
verrückt mad
verschieden different
verschwenden to waste
versprechen* to promise
verstehen* to understand
sich **verstehen*** to get on with
die **Verwandten** *pl.* relatives
viel many
vielleicht perhaps, maybe
das **Viertel(-)** quarter
der **Vogel(¨-)** bird
voll full
von etwas halten* to think of
vorbereiten *sep.* to prepare
vorgestern the day before yesterday
vorher before
der **Vorort(-e)** suburb
der **Vorschlag(¨-e)** suggestion
Vorsicht! Attention!
die **Vorspeise(-n)** starter
sich **vorstellen** *sep.* to imagine; to introduce oneself
die **Vorstellung(-en)** performance
das **Vorstellungsgespräch(-e)** interview
der **Vorteil(-e)** advantage
die **Vorwahl(-en)** STD code
vorziehen* *sep.* to prefer

W

die **Wahl(-en)** choice; election
wählen to choose
während during, in the course of
wahrscheinlich probably
der **Wald(¨-er)** forest, wood
die **Wand(¨-e)** wall
wandern† to hike
die **Wanderung(-en)** hike, walking tour
warten to wait
warum why
was hältst du davon? what do you think of ...?
was läuft im Kino? what's on at the cinema?
die **Wäsche** laundry
sich **waschen*** to wash oneself
der **Wäscheraum(¨-e)** laundry room
die **Waschmaschine(-n)** washing machine
das **Wasser** water
der **Wasserfall(¨-e)** waterfall
der **Wechselkurs(-e)** exchange rate
weder ... noch neither ... nor
weg sein*† to be away
der **Weg(-e)** path, way
wegen because of
wegwerfen* *sep.* to throw away
der **Wehrdienst(-e)** military service
weich soft
Weihnachten Christmas
weil because
der **Wein(-e)** wine
weiß white
weit far, wide
nicht **weit von** not far from
weitergehen*† *sep.* to continue
die **Welt(-en)** world
der **Weltmeister(-)** world champion (male)
die **Weltmeisterin(-nen)** world champion (female)
die **Weltreise(-n)** world tour, trip
weltweit worldwide, universal
die **Wende** German reunification
die **Werbung** *sing.* advertising
werden*† to become
das **Werken** woodwork
der **Westen** west
der **Wettbewerb(-e)** competition
das **Wetter** weather
der **Wetterbericht(-e)** weather forecast
wichtig important
wie how
wiederholen to repeat
die **Wiese(-n)** meadow
das **Wildschwein(-e)** wild boar
die **Windschutzscheibe(-n)** windscreen
der **Winter** winter
wirklich really
wissen* to know
der **Witz(-e)** joke
witzig witty
die **Woche(-n)** week
das **Wochenende(-n)** weekend
der **Wochentag(e)** weekday
wohnen to live
der **Wohnort(-e)** residence
die **Wohnung(-en)** apartment, flat
der **Wohnwagen(-)** caravan
das **Wohnzimmer(-)** living room
wolkig cloudy
das **Wort(¨-er)** word
das **Wörterbuch(-bücher)** dictionary
wünschen to wish
die **Wurst(¨-e)** sausage; cold cuts

Z

zahlen to pay
der **Zahnart(¨-e)** dentist (male)
die **Zahnärztin(-nen)** dentist (female)
die **Zahnpasta(-pasten)** toothpaste
die **Zahnschmerzen** *pl.* toothache
der **Zauberer(-)** wizard (male)
die **Zauberin(-nen)** wizard (female)

der Zeichentrickfilm(-e) (animated) cartoon film
die Zeit(-en) time
die Zeitschrift(-en) magazine
die Zeitung(-en) newspaper
das Zelt(-e) tent
zerbrechen*† to break
zerbrochen broken
das Zeugnis(-se) school report
zielstrebig purposeful, determined
ziemlich rather
die Zigarette(-n) cigarette
das Zimmer(-) room
die Zitrone(-n) lemon
der Zivildienst(-e) civilian service
der Zoo(-s) zoo
zu Abend essen* to have dinner
zu Fuß on foot
zu Hause at home
zu Mittag essen* to have lunch
der Zucker sugar
der Zug(¨-e) train
zugelassen admitted
zuhören *sep.* to listen
die Zukunft *sing.* future
zumachen *sep.* to close
zurückfahren*† *sep.* to go back, travel back
zurückkommen*† *sep.* to come back, return
zurzeit at present
zusammen together
zusammenpassen *sep.* to fit together
der Zuschauer(-) spectator (male)
die Zuschauerin(-nen) spectator (female)
zuverlässig reliable
die Zwiebel(-n) onion
der Zwilling(-e) twin
zwischen between